講談社文庫

治部の礎

吉川永青

講談社

目次

治部の礎

第一章　天下

一　戦と銭

　土を俵に詰めれば米になる。そんなことが、あるはずがない。しかし今、この場に於《お》いてだけは嘘ではなかった。

「それにしても、ものすごい数じゃ。いつまで続くのか」

　傍《かたわ》らの吉継《よしつぐ》が呟いた。三成《みつなり》は黙って頷《うなず》き、延々と続く人の群れを見遣《みや》った。

　備中高松《びっちゅうたかまつ》、地蔵院《じぞういん》の前には長蛇の列ができ上がっている。大人の男は肩に二つの俵を担ぎ、女子供はひとつの俵を重そうに提げていた。ざっと一里（一里は約六五〇メートル）ほど向こうまで並んでいるだろうか。昼夜を分かたず三日の間、この列が短くなることはなかった。

「よし、持って行け」

地蔵院の門前で、奉行の浅野長政《あさのながまさ》が発した。百姓衆の持参した俵を一瞥《いちべつ》して検《あらた》め、決められた場所へ運ぶよう命ずる。それだけの役目を繰り返しているせいか、うんざり、という声音だった。

指示を受けた百姓は門前から左手に八間（一間は約一・八メートル）ほど進む。既にでき上がった土嚢《どのう》の小山は四つ、その脇に次々と新しい俵を積み上げると、いそいそとこちらへやって来た。三成は吉継と手分けして、この者たちに米と銭を渡した。

「引っ切りなしだ」

吉継の面持ちや、ぼそぼそという呟きが、いつになく平らかである。うんざりしているのは誰も同じようであった。

三成と吉継の主君・羽柴秀吉《はしばひでよし》は天下人・織田信長《おだのぶなが》の将である。西国攻めを命じられた秀吉は、岡山《おかやま》城を拠点に備中を攻略せんとした。ところが西国の雄・毛利輝元《もうりてるもと》麾下《きか》の清水宗治《しみずむねはる》が頑強に抗《あらが》い、足止めを食らっている。

この場から北に一里半、清水が籠もる高松城は、平城ながら北と東が山に囲まれ、足守川《あしもり》が西から南を遮っていた。城の周囲には湿った田圃が広がり、兵が足を取られて鉄砲で狙い撃ちにされる。この攻めにくい城をちらりと見遣れば、梅雨時の空がどんよりと暗く、遠く聳《そび》える山々には鈍色《にびいろ》の雲が重苦しく垂れ込めていた。

「おい、三成」

吉継の声に目を戻す。寸時の間に、また百姓たちが詰め掛けていた。それらに米と銭を渡して捌《さば》きながら、心中に思った。

(大それたことを考えたものだ)

城の南に堤を築いて塞いだ上で、足守川を堰《せ》き止めて水攻めにするという。秀吉の軍師・黒田《くろだ》官兵衛《かんべえ》孝高《よしたか》の策だそうだ。二十三歳を数えた今日まで、見たことも聞いたこともない城攻めである。これほどの軍略を立てるとは、どのような男なのか。

(とは申せ)

役目に没頭してはいるが、気に入らぬことはあった。まず土嚢ひとつの見返りに米一升と銭百文は多すぎる。敵地の百姓衆を動かすには必要なのかも知れぬが、無駄遣いと思えてならない。

黎明《れいめい》から二時（一時は約二時間）も過ぎた頃か、詰め掛けた百姓衆から、それまでの喧騒とは違うどよめきが漏れた。この軍の大将・羽柴秀吉が姿を見せたためである。身の丈五尺（一尺は約三〇・三センチメートル）ほどの小男、反っ歯に沿って唇が突き出た鼠《ねずみ》のような顔ながら、誰にも分かる威厳を漂わせていた。傍らには、杖を突き、左足を引《ひ》き摺《ず》って歩く男が侍している。

秀吉は奉行の浅野と二言三言を交わした後、こちらへやって来た。そして人好きのするくしゃくしゃの笑顔を見せ、百姓衆に向けて呼ばわった。

「おみゃあら、すまんが、ちいと待ってくれや」

次いで、三成と吉継に向き直る。

「どうじゃ。捗《はかど》っとるか」

三成は「はっ」と頭を下げた。

「全て滞りなく。されど輜重《しちょう》の米は、もう心許なくなっているのでは」

秀吉は「さすがじゃのう」と満足そうに笑う。共にやって来た男――右の額からこめかみにかけて薄黒い痣《あざ》がある――が、落ち着いた声で後を引き取った。

「案ずることはない。殿が小西《こにし》に手配りを命じておる」

秀吉が「うん、うん」と頷いて発した。

「おみゃあらにも色々と任せられるようになったからのう。引き合わせとこうと思うて、連れて来たのよ。こやつが黒田官兵衛じゃ。名は聞いておるじゃろう」

水攻めを考えた男である。三成は「これが」と思って会釈しつつ、さり気なく目を合わせてみた。自らの策に自信満々という風が頼もしくもあり、いけ好かなくもあった。

「右が石田《いしだ》三成、左が大谷《おおたに》吉継じゃ。二人ともわしの近習《きんじゅ》でな、歳は若いが頭は切れる」

黒田は「ふむ」と値踏みをする目を向けてきた。

「この水攻めでは、我が財はもちろん、殿の財も使い尽くさねばなるまい。どれほどの堤を作るか、其許《そこもと》らに分かるか」

吉継が左の掌《てのひら》に指算盤《そろばん》を弾く。黒田の所領・播州姫路《ばんしゅうひめじ》の石高《こくだか》と、秀吉の知行《ちぎょう》を合わせて全て使い、土嚢への対価を考えると――三成は即座に答えた。

「高さは四間半も要りましょう。長さは五里にも及ぶかと」

黒田の目つきが変わった。だが、それはすぐに侮蔑《ぶべつ》を孕《はら》んだものになった。

「なるほど。勘定には長《た》けておるようだが、それだけで戦はできぬ」

算術で正しい答を弾き出したのなら、驚くには値しないという態度である。

いささか、肚《はら》に据《す》えかねた。

三成は秀吉の本拠・長浜《ながはま》近くの地侍の子であった。京のある山城《やましろ》の隣国、琵琶湖《びわこ》の水運で古来商いが栄えた地の生まれとあって、計数には長けている。そこを秀吉に見込まれたのだから、蔑《さげす》まれる謂《いわ》れはない。

そうまで見下すのなら、この釈然としない気持ちを晴らして欲しいものだ。思って、しっかりと黒田を見据えた。

「ひとつお伺い致しとう存じます。奉公人たるもの、己に下されたものを全て使い、主君に尽くすべし。それがしは左様に心得ております。されど主君の懐まで空にするというのは、如何《いかが》なものでしょうや」

黒田の眉間に皺が寄る。傍らの吉継が「三成」と泡を食った囁《ささや》きを寄越した。

秀吉が「ひゃっ、ひゃっ」と笑った。

「官兵衛が申すのよ。戦に負けたら、財など残しておっても意味はなかろうと」

矛《ほこ》を収めよという、言外の叱責《しっせき》であった。三成は深々と頭を下げた。

「僭越《せんえつ》な物言いにござりました」

そこへ、百姓衆から声が上がった。

「いつまでも何をごちゃごちゃ言《ゆ》うとんじゃ。待っとるんじゃけえ、早《はよ》うせえや」

敵地の民を法外な見返りで釣り、働かせている。その弱みを知っての放言だった。

黒田が苦虫を嚙み潰したような顔になる。秀吉が口を開き、何かを発しようとした。

だが、先に声を上げたのは三成だった。

「今のは誰か」

ひとりの男が前に出た。

「わしじゃ。おえんのか」

何がいかん、と居直る。戦続きの世にあっては百姓も気が荒い。田畑の水の手に諍《いさか》いでもあろうものなら、隣村と戦って勝ち取ろうとするのも珍しくないのだ。敵国の武士に喧嘩を売るくらい、誰もが平気であった。

三成は二重瞼の目を細め、のっぺりした色白の顔に薄笑いを浮かべた。そして三間向こうに進み、積まれた土嚢からひとつを取ると、その威勢の良い百姓に持たせた。

「何の真似じゃ」

男が怒気を強くした刹那《せつな》、腰の刀を抜いて一気に振り下ろした。

誰もが息を呑む。少しの後、男が手にした俵から、ぼろぼろと土が零《こぼ》れ落ちた。

「使い物にならぬ俵を持って来おって。作り直して一番後ろに並べ」

さらりと言ってやると、当然の如く男は激昂《げきこう》した。

「ぶち殺したらあ！」

三成は顔色ひとつ変えず、声を張って返した。

「嫌なら、おまえの村からは土を買わん」

すると、同じ村の衆だろう数人が男に駆け寄った。せっかくの儲け話を台なしにされては堪らぬとばかり、叱り付けるように宥《なだ》め、引き摺って行った。

「いやいやいや、こりゃすまんかった」

底抜けに明るい笑い声が響いた。秀吉である。後味の悪い空気を流されて、百姓たちがほっと息をつく。秀吉はパンパンと手を打ち鳴らして、なお続けた。

「ちいと、やりすぎたかも知れんがのう。まあでも、俵の買い取りはこやつに任せとるゆえ、言うこと聞いてやってくれ。さぁさ、もっとじゃ。もっと土持って来いや。

堤ができ上がるまで、いくらでも買《こ》うてやるぞ」

煽り立てると、今度は歓声が上がった。三成は主君の前に戻って「忝《かたじけの》う存じます」と頭を下げる。秀吉はその肩をぽんと叩くと、黒田を伴って去って行った。

土嚢を買い取る役目が再開される。百姓衆の相手をしながら、吉継が小声を寄越した。

「物怖《ものお》じせんのは強みだが、お主は相変わらず横柄よな」

「何がだ」

「何もかもだ。特に、黒田様の策に否やを申した時は――」

「あのお方は間違《まちご》うておる」

ぼやくような声音で遮《さえぎ》ると、吉継はそれきり口を噤《つぐ》み、ただ役目に勤しんだ。皆まで言わずとも通じたのだろうか。或いは、呆れられたのかも知れない。

*

三成は「ふう」と息をついて額を拭った。蒸し暑く、眠れぬ晩である。縁側で風に吹かれても汗は飛ばなかった。秀吉の本陣には簡素ながら陣屋があった。これでもかと米を渡して百姓家を買い取り、物見櫓《ものみやぐら》を設《しつら》えたものだ。近習たる三成も主君と共に陣屋に詰めている。

堤の普請《ふしん》はわずか十二日間で終わり、城の南を流れる足守川を堰き止めるに至った。折しも梅雨時、溢れた水は篠突く雨と合わさって濁流となる。山と堤で囲われた高松城の周囲は、一面の水に埋め尽くされた。

縁側の向こう、眼下遠くにその高松城が見えた。分厚い雲の切れ目から数日ぶりの月明かりが漏れ、小波にちらちらと跳ね返る。どうにか顔を出したままの本郭が黒い影となって、ぼんやりと浮かび上がっていた。

「あと幾日で片付くのか」

独りごちて部屋に戻ると、小西行長《ゆきなが》が訪ねて来た。先頃まで土嚢と換える米を調達していた者である。小西は手に提げた酒瓶を持ち上げて示し、三成の前に腰を下ろした。

「灯りが見えましたもので。どうです、一献」

頭が切れ、また武勇にも秀でた男だが、ひとつ年下――齢《よわい》二十三の己に対しても腰が低い。秀吉に従って日が浅いせいだろうか。人として好ましい。

「斯様《かよう》な時に酒など呑んでいて良いものか」

懸念を申し述べつつ、三成は面持ちを変えない。小西は「はは」と小さく笑った。

「役得というものです。過ごさねば障りないでしょう。大谷殿もお呼びしては？」

「あやつは、もう眠っておる。この暑いのに図太いものだ」

言いながら腰を上げ、部屋の隅にある戦行李《いくさごうり》から素焼きの杯を二つ出した。

小西は泉州《せんしゅう》堺《さかい》の薬種商・小西隆佐《りゅうさ》の次男という出自で、岡山商人との繋がりを求めた父の命令に従って大店《おおだな》の養子に入った。だが元々が才気煥発な男で、やがて先代の岡山城主・宇喜多直家《うきたなおいえ》に見出され、家臣として仕えるようになった。

宇喜多直家は昨年に病で息を引き取った。家督を継ぐべき嫡子・八郎《はちろう》は往時十歳と幼く、秀吉が養子にして面倒を見ていた。その縁あって秀吉は岡山城を拠点とし、堤の普請でも岡山商人に顔の利く小西に米の調達を命じた。小身が戦の最中に酒瓶ひとつを入手できたのは、なるほど役得であろう。

「秀吉様が喜んでおいででしたぞ」

小西は互いの杯に酒を注ぎつつ、にやりと笑った。

「先の普請で、威勢の良い百姓を黙らせたとか。いやはや、これほどの忠義あってこそ近習に取り立てられたのでしょうな」

確かに、取り立ててもらったことは恩義に感じている。己が心の忠節も揺るぎない。しかしあの百姓の一件が小西の言う「義」ゆえなのかと問われれば、少し違った。居心地の悪いものを覚えて杯を舐《な》め、素っ気なく頷く。小西が怪訝な顔を見せた。

「お褒めの言葉を頂戴《ちょうだい》しているのに、嬉しくないと？」

「いや。わしはあの時、怒っていただけでな」

「それはお怒りになるでしょう。敵地とは申せ、主君を愚弄《ぐろう》されたのですから」

三成は杯を置き、首を捻った。

「何と申したら良いのか……。そう、土の買い取りは殿の名で始めたことだ。ならば殿の仰せは全て、あの場の掟であろう」

「如何にも」

「つまり殿が『少し待て』と仰せられたなら、従わねばならん」

小西は杯を干し、おかしそうに笑った。

「それを蔑ろにされて怒った、つまり忠義ではござらぬか」

そういうことになるのか。どうにも腑に落ちない。

小西は手酌で二杯めを注ぎながら、眉をひそめた。

「されど秀吉様は、黒田様に喧嘩を売ったことには甚《いた》くご立腹でしたぞ」

こちらが本題か。吉継と同じで忠告に来たのだ。有難いと思いつつも、即座に答えた。

「あれは黒田様が間違っている」

声が厳しくなったせいか、小西はやや気圧《けお》されていた。三成は軽く頭を下げて詫《わ》び、先に置いた杯を取って舐めた。

「自らの財はおろか、殿の財まで使い尽くして何とする」

「それがなくば梅雨の間に堤は築けなかったでしょう」

三成は杯を干して、すっと差し出した。酒を注ぐ小西に、静かに語る。

「水攻めができぬなら、別の道を探るまでぞ。毛利との戦は、この一戦で終わりではない」

戦に勝つまでは良い。だが、勝ってすぐ次の動きに移れるだけの財を残しておかねば、毛利方が再び兵を整える猶予を与えてしまう。結果、戦は長引いて、寄せ手の秀吉にも備中の領民にも何ひとつ良いことがない。

小西は「ほう」と目を丸くした。

「ご辺は、確かに近江《おうみ》の出にござるな。商人の考え方に近い」

どうやら伝わったらしい。三成はまた杯を舐め、軽く溜息をついた。

「この戦に勝って水を抜いたら……。高松城下は一面、泥濘《ぬかるみ》の荒地になるだろう。今年の米も取れず、元に戻すのに何年かかることか。百姓衆とて今は米と銭をもらって浮かれておるが、その時が来れば嘆くに違いない」

得心したような頷きが返された。

「忠義のみに非ず、民百姓を思う心あってこそ、秀吉様はご辺を側近くに置いておられるのですな。あのお方も元は百姓の出にござれば、下々に優しく接しておられます」

やはり己が胸にあるものとは異なる。ただ、小西は話が通じそうな相手ではあった。

「わしの父と兄は、かつて浅井《あざい》家に仕えておった。織田と戦って浅井が滅んだ時には、二人とも所領の乱れを鎮めようと必死でな。そんな中、わしだけが学問を積めと言われて、近くの寺に預けられていた。何もできぬことが悔しかった」

「ゆえに、下々に思いを致す」

三成は「やや違う」とゆっくり頭を振った。

「騒ぎの外にいると良く分かる。世を乱す大元は人心の乱れなのだ。父や兄に従わぬ領民の姿を見て、どうすれば人の心を律することができるかと……あの頃のわしは、それぱかりを――」

「佐吉《さきち》！　佐吉、おらんか」

その叫びに遮られた。幼名での呼びかけは秀吉である。しかも焦燥の色が相当に濃い。三成はすぐに杯を置き、廊下に進んで跪《ひざまず》く。ばたばたと廊下を踏み鳴らし、主君がその前に駆け込んで来た。

「一大事、一大事じゃ」

見上げる顔は、慌てた様子に似つかわしくない蒼白なものだった。堤に穴でも空いてしまったか。一抹の不安を抱いていると、秀吉は荒い呼吸を何度か繰り返した後、泣き出しそうなほどに声を揺らした。

「上様が……信長様が。死んでしもうた」

総身が痺れ、竦《すく》み上がるような衝撃を覚えた。三成に続いて廊下に出て来た小西も、話を聞くなり腰を抜かし、ぺたりと座り込んでしまった。

翌朝早く、三成は早馬を飛ばして遣いに立った。馬に猛然と鞭《むち》を入れて励まし、一刻も早くと先を急ぐ。目指すは黒田孝高の居城、播磨《はりま》国姫路城であった。

二日前、天正《てんしょう》十年(一五八二年)六月二日、天下人・織田信長が世を去った。家老の一角、明智光秀《あけちみつひで》の謀叛《むほん》による。

一報を受けた秀吉は黒田の進言を容れ、信長の死を伏せたまま毛利方と和議を結び、軍を返して明智を討つと決めた。三成が遣いに立ったのは、姫路城で将兵に休息を取らせるべく、諸々の手配を命じるためであった。

どれほど駆けたか。まだ姫路に着かぬのかと馬上から見回す。だが——。

「ここは……どこだ」

備中に下る折に見たはずの景色が思い出せない。木々、右手の浜、左手遠くに広がる畑、何もかもが猛然と後ろに飛び去ってゆく。

「構うことか」

えい、と踏ん切りを付け、三成はまた馬に鞭を入れた。急がねば。急がねば。急がねば。そればかりが頭の中をぐるぐると回った。

＊

姫路に至って仔細《しさい》を報じる。黒田家臣の井上之房《いのうえゆきふさ》は驚きの余りしばし呆《ほう》けていたが、やがて我を取り戻して諸々の手配に奔走《ほんそう》した。城の蔵を全て開いて飯の炊き出しを行ない、また、ありったけの陣幕を城下に出して張り、家中総出で休息の支度を整えていった。

三成は大手門の前で秀吉の到着を待った。当座の任を果たした安堵か、今になって、鞍に座り続けた尻から腰に張りを感じる。

「わしは……少し落ち着いたのか」

疲れた尻をとんとんと叩く。すると不思議なもので、門前で働く者たちに興味が湧いてきた。黒田の者が走り、また領民に下知を飛ばして動かす。その動きを飽くことなく目で追った。

「石田殿」

呼び声に振り向くと、井上之房が歩を進めて来ていた。

「羽柴様のお着きには今少しかかりましょう。ご辺も休まれては如何ですか」

「皆、良く働く。ご家中はおろか、領民まで手伝いに来ておるとは。これほどに皆が従う訳をお聞かせ願えぬか」

勧めに、問いを以《もっ》て返す。井上は寸時呆気に取られた風だったが、ひとつ咳払いして答えた。

「黒田では常に、領民に慈悲を垂れており申す。皆、日頃の恩を感じておるのみ。羽柴様とて同じようになされておいでは？」

「そうであるか」

頷くも、得心したのではなかった。

領民への慈悲など、己が父・正継《まさつぐ》とて十分に示していた。それでも人の心は、一朝ことあらば容易《たやす》く裏返る。領主の命に民百姓が揺るぎなく従う——そもそもの乱れを生まぬための、もっと強い裏付けが欲しい。さすれば秀吉の領を常に安寧に保てる。

もっとも、それとて明智との戦に勝てばの話だ。秀吉の財は高松の水攻めで底を突きかけているし、黒田の財とて全てを投げ打ったという。持たざる軍が、信長を討って勢い付く軍兵に勝てるのだろうか。

ふと疑問が湧いた。三成はそれを真っすぐ井上に向けた。

「黒田様は、先の水攻めで姫路の財を使い果たしたはず。その上でこれだけの支度を整えられた訳をお聞かせ願えぬか」

　井上は、今度は嫌そうな目つきで応じた。

「我が主・孝高は日頃、倹約を旨《むね》としており申す」

　またも落胆した。つまり、この支度は臍繰《へそく》りで賄《まかな》っているに過ぎない。井上が「やれやれ」とばかりに言い添えた。

「無論、領民の持ち出しもありましてな。皆、我が主が戦に負けたことなしと知っているためかと。戦のみに非ず、毛利と織田のどちらに付くかを求められた時も、過《あやま》たず織田を選んでおりましょう。黒田に従っておれば危ない目を見ずに済むと思うておるのです」

　言葉を連ねるほどに、誇らしげなものが湛《たた》えられるようになった。なるほど、黒田は良い領主なのだろう。だが戦以外には、確たる見通しを持っているとは言い難く思える。それでも三成は、井上の言に光明を見た。

「信用、にござるか」

　ようやく眉を開いた顔を見て、向こうも面持ちを緩めた。

「お分かりいただけたところで、ご辺も休まれては如何です」

「まだ我が主が到着しておらぬ。支度の次第をお報せするまでが役目なれば、先んじて休むは下知に背くに等しい。この軍を乱す元になる」

「左様にございますか。これは失敬」

井上は閉口したという風に一礼し、立ち去っていった。三成は再び城下に目を戻した。

「信用か」

胸の中に得体の知れぬものが湧き上がる。その正体を摑むべく、あれこれを思いながら門前に立ち続けた。

三成が姫路に至ってから丸一日の後、六月七日の昼過ぎになって、秀吉の軍は姫路に至った。重い具足を身に纏って走り続けた兵はどれも疲れ果てており、到着するなりくずおれるように座り込んでしまった。

「佐吉、ご苦労じゃった」

兵に続いて秀吉が馬を馳せ付ける。面持ちは険しいが、疲れているから、というだけではなさそうだ。どこか、これまでとは違う熱が漂っている。三成は戸惑いながら頭を下げた。

「黒田家中の尽力にて、飯と水、味噌玉の支度が整いました」

「あい分かった。これより二日、兵を休める。おみゃあも休め」

三成にも姫路城に一室が宛がわれた。大谷吉継や小西行長らとの相室である。吉継や小西は三成と同じく、行軍に於いては馬を使える立場にない。汗みどろの二人は部屋に入るなり、ばたりと倒れ込んだ。

「早馬の役目は楽で良いのう」

大の字になった吉継が虚《うつ》ろな眼差しを寄越す。何を、と三成は言い返した。

「楽なものか。気ばかり急《せ》いて落ち付かなんだし、尻も痛い」

「走らぬだけ、ましだ」

それきり吉継は大鼾《おおいびき》で眠ってしまった。小西も板張りの床に頬を当てて冷やし、心地好さそうに目を閉じている。二人の姿を見ていると、自らも丸二日眠っていないことに思い至った。三成も身を横たえ、知らぬうちに眠っていた。

「三成、吉継、行長」

翌六月八日の朝一番、秀吉が三人の部屋に足を運んだ。前日の昼から眠り続け、さすがに既に皆が起きていたが、未だ朝餉も口にしていない頃であった。

「お呼びあれば、参じましたものを」

吉継が恐縮して頭を下げる。秀吉は「急ぐんじゃ」と発し、捲《まく》し立てた。

「疲れとるところ悪いがよ、おみゃあら遣いに立てや。行長は和泉《いずみ》に行って、中川《なかがわ》と高山《たかやま》を引っ張って来い。吉継は丹波《たんば》の細川《ほそかわ》、三成は大和《やまと》の筒井《つつい》じゃ」

秀吉は毛利との和議が成ったと同時に、畿内の大名へと書状を飛ばしたらしい。摂《せっ》津《つ》衆の中川清秀《きよひで》と高山右近《うこん》には、泉州堺にある小西の父・隆佐からも口添えをさせているという。

「細川と筒井は明智の寄騎《よりき》じゃが、今んとこ向こうに付いとらん。おみゃあらは、わしと違って頭がええからの。口ひとつで奴らの兵を封じてくれ。こっちは、それだけでも得するがや。できたら手柄じゃぞ」

「そのような大役を」

思わず、三成は漏らした。秀吉は唾を飛ばしながら大声を上げた。

「ええから行け！　明智を見くびんな。こうしとる間にも動いとるんじゃ」

追い立てられて姫路を発ち、今度は大和へと馬を飛ばすことになった。

道中では胸の中が嫌らしく掻《か》き毟《むし》られるようであった。己に務まるのだろうか。細川幽斎《ゆうさい》・忠興《ただおき》父子や筒井順慶《じゅんけい》を説き伏せるなど、正直なところ若輩《じゃくはい》には荷が重い。

（何ゆえ殿は）

黒田孝高や蜂須賀《はちすか》正勝《まさかつ》、自身の弟・羽柴秀長《ひでなが》などの股肱《ここう》を使者に立てないのだろう。斯様な時にこそ上手く立ち回れる人たちであろうに。

しばしの後、馬上で頭を振った。それらの将が軍を離れたら、思うように戦ができないからなのだ。根は、やはり銭にある。高松で散財した直後ゆえ長陣にはできない。速戦即決のために百戦錬磨の者を手元に残し、その上で何とか明智の味方を少なく押さえ込もうとしている。

（だが）

三成は「それ」と馬の尻に鞭を入れた。口ひとつで筒井の兵を封じれば、羽柴軍は有利になる。戦はまず数の勝負だが、その形の整え方は色々あるということだ。秀吉は、それも手柄だと言った。戦は槍働きのみではない。重い役目を与えられたことを、むしろ喜ぶべし。困難を前にしながら、必死で自らを奮い立たせた。

＊

姫路から一日、三成は六月九日の夕刻に大和郡山《こおりやま》城に入った。織田家中、明智光秀の寄騎・筒井順慶の居城である。堀と石垣を巡らした堅牢な構えの中、本丸館の廊下から北を眺めれば、普請の最中の天守が見て取れた。

薄《う》っすらと暗い広間には、左右に筒井の家臣が列を為していた。各々六名ずつが並んでなお数人が座を取れそうである。伸《の》し掛かるような気配に息を詰まらせながら、三成はそれらの間を進んで中央に腰を下ろした。

「羽柴筑前守《ちくぜんのかみ》が使者、石田三成にござる」

「面を上げられよ」

低く、それでいて響かぬ、張りのない声に従って頭を上げた。正面には墨染めの衣に袈裟《けさ》の、剃髪《ていはつ》した将の姿があった。これなん、筒井順慶その人である。

「此度《こたび》は何用にて参られた」

未だ瑞々《みずみず》しい生気を湛えた顔は、三十路《みそじ》に入ったばかりだろう。穏やかに過ぎる面持ちには、どうにも煮えきらぬものが見え隠れしていた。

手強い――。

こういう者を動かすのは難事である。自らの意思に従う者と違って、帰趨《きすう》を決していないだけに厄介《やっかい》だ。下手をすれば、ころりと敵方に転げてしまう。

（何の）

主君への贔屓目《ひいきめ》もあろうが、秀吉には人を見る目がある。できると踏んだからこそ己を寄越したのだ。それに応える懸命こそ我が道なり。三成は肚を括《くく》り、取り繕《つくろ》うことをやめた。

「申し上げねば分からぬと仰せですか」

両脇から怒号が浴びせられた。

「筑前殿の使者とは、斯様な無礼者か」

「ものの頼み方も知らぬとは」

伸し掛かるものが強くなる中、三成は周囲を見回した。

どれも、だめだ。秀吉の側近くにあって勇士や智慧者《ちえしや》を目にしてきたが、それらが常に湛えている何か――覚悟とでもいうものが、筒井の家臣からは見受けられない。織田に従って大和二十万石の大名に納まり、満足して守りに入っているのが良く分かる。ならば、と声を張った。

「お黙りあれ」

「鎮まれい」

三成と同時に、向かって左手の筆頭にある者が呼ばわった。見れば、この男だけは余の者と違う。凜《りん》と締まった頰、落ち着きはらった眼光に、肚の据わり具合が滲み出ていた。

声がかち合ったことで、その男と眼差しを交わす。軽い頷きと共に「どうぞ」と促され、三成はまた主座の順慶に向いた。会釈して胸のざわめきを静める。こうしている間にも明智は動いている、と秀吉は言った。まさにそのとおりなのだ。もたもたしてはいられない。

「これへ参る道中、洞《ほら》ヶ峠《とうげ》に陣を布《し》く軍勢を遠目に見申した。明智の兵、しかも大将の水色桔梗《ききよう》が翻《ひるがえ》っておるのを。筒井様がご存知ないとは思えませぬが」

順慶が口をへの字に結び、顎を引いて困り顔を見せた。朋友・大谷吉継にすら「横柄」と言われる人となりを、三成はそのままぶつけた。

「つまり、ご当家を信用しておらぬ。しかも謀叛人《むほんにん》ではござらぬか。与《くみ》するかどうか、などと考えるのも馬鹿馬鹿しい。そも筒井家は信長公の恩徳にて大和二十万石を頂戴したものなれば、仇《あだ》を討たんとする羽柴筑前に味方することこそ道理にござる」

先の男が大きく頷いて「殿」と発した。

「石田殿の申されるとおりかと」

順慶は、なお唸りつつ懸念を申し述べた。

「じゃが左近《さこん》、明智様はもう京と近江を押さえたのだ」

さすがに、それは初耳だった。近江には織田の本拠・安土《あづち》城と、秀吉の長浜城がある。京の本能寺《ほんのうじ》に信長を襲ってからわずか七日でこれらを平らげたとは、明智の動きは恐ろしく速い。秀吉が「見くびるな」と言う訳である。

驚きを顔に出すまいと、努めてすまし顔を通した。順慶はこちらの揺らぎに気付かなかったようで、控えめな声でなお続けた。

「それに羽柴様は、毛利攻めに向かっておられるのだろう。上方に取って返すには時がかかる。下手にお味方して明智様に攻められては……この城の兵のみでは支えきれぬ」

郡山を守るには誰に擦り寄るのが良いか。順慶はそればかりを考えている。信長横死の一報を受けるや、自らの破滅を賭けて取って返した秀吉の器とは比べ物にならない。

（……押し切ってくれる）

腹に力を込めて心中の動揺を殺すと、三成は大笑して見せた。

「あっははは、はは、ははは！　これはまた、何とお気の小さきことかな」

左近と呼ばれた男を除き、筒井の家臣たちが色めき立った。

「重ね重ねの無礼を」

「斬って捨てん！」

三成は目を吊り上げ、怒鳴り散らす者たちに一喝を加えた。

「それが其許らの忠か。謀叛人に与して生き残るは恥なりと、主君を諫《いさ》めることこそ務めであろう」

そのままの声音を順慶に向ける。

「ご懸念の儀は、ごもっとも。されどご案じ召さるな。我が主・筑前は既に姫路を発っており、一両日中に尼崎《あまがさき》に入り申す」

「何と……聞いたこともない速さよ。まことか？」

順慶の目の色が少しだけ変わった。ここが勝負と、三成は胸を張った。

「お疑いあるなら、幾日か成り行きをご覧あれ。されど、四国攻めのため大坂に詰めておられた神戸《かんべ》信孝《のぶたか》様、丹羽《にわ》長秀《ながひで》様とて弔《とむら》い合戦に参じられるのですぞ。お味方するのが遅れては、皆様からきついお叱りを頂戴しましょうな」

大法螺《おおぼら》である。羽柴軍は未だ信孝と丹羽を引き込んでいない。だが神戸信孝は信長の三男なのだ。家臣の秀吉が弔い合戦に及んでいるのに、手を拱《こまね》いて恥を晒《さら》す訳にはいかぬだろう。それを見越しての博奕《ばくち》であった。

重苦しい沈黙が流れる。三つ、四つ、呼吸を繰り返した頃、左近なる男がこれを破った。

「殿、ご決断を」

「……分かった。羽柴様にお味方仕《つかまつ》る」

勝った。この大役を果たしたのだ。人目がなければ、へたり込んでいるだろう。三成は「ふう」と息を抜いて頭を下げた。

「有難きお言葉、痛み入ります」

「じゃが石田とやら、我らは兵を出せぬぞ」

さもあろう、明智の軍勢に睨まれて城から動かずにいたのだ。二十万石の力があれば五千は動かせるはずだが、数日でそれだけの数を整えられるはずもない。

三成は「構いませぬ」と顔を上げた。

「代わりに五百石の兵糧を都合してくだされませ」

順慶は拍子抜けした顔で応じた。

「それだけで良いのか」

三成は「はい」と大きく頷いた。人ひとりが一年で食う米が一石である。丹羽と信孝が合流すれば兵は増えるだろうが、五百石あれば三万に膨れても六日を食い繋げるのだ。財を使い果たした持たざる軍には、その六日がまたとない猶予となることを、秀吉なら分かってくれるだろう。

筒井順慶は、秀吉に味方する旨の書状をしたためて三成に渡した。すぐに戻って報じねば。城の大手門前で馬に跨《また》がった三成を、呼び止める声があった。

「お待ちあれ」

六尺に近い上背と落ち着いた気配、ぎょろりとした鋭い眼——左近であった。

「其許か。先は口添えを頂戴し、有難きことと存ずる」

「ご辺こそ、良くぞ押し切ってくだされた。この後のこと、よろしくお頼みしますぞ」

三成は軽く頷いた。

「名を聞いておこう」

「島左近尉清興《しまさこんのじょうきよおき》と申す者」

「決して忘れまい。またお会いしたいものだ」

それだけ残して馬の腹を蹴り、大和郡山城を後にした。

畿内はまさに上を下への大騒ぎという風であった。兵を連れていたら目立って仕方ないところだが、こちらはただの一騎、しかも具足すら着けていない。皆が見過ごすのを良いことに、三成は道々、和泉や摂津の地侍を捉まえては羽柴軍の動きを問うて進んだ。そして六月十二日、淀《よど》川近くの摂津富田《とんだ》に陣を張る秀吉に筒井の一件を復命した。

「良うやった。ほんに良うやってくれたがや。特に兵糧五百石、こりゃ大手柄じゃぞい」

涙を落とさんばかりに喜ぶ姿を見て、自らの考えが間違っていなかったと知った。主君を信じて不安を押し殺し、懸命になったことが報われた思いである。

そこへ「羽柴様」と声をかけ、陣幕の内に進んだ者がある。黒田孝高であった。

「おう官兵衛、聞け。兵糧じゃ。明後日になれば五百石届く。三成がもぎ取ってくれた」

黒田は驚きと感心を交《ま》ぜたように「ほう」と漏らしたが、それだけであった。こちらには一瞥もくれず、自らの用を口にする。

「お報せに上がり申した。丹羽様、信孝様、兵三千を率いてご着陣なされましたぞ」

「よし！　わしらは、これで四万じゃ。五百石で、ええと……」

秀吉が眉間に皺を寄せた。三成は、さらりと答えた。

「四日半にござります。軍陣のことゆえ、四日ちょうどと見て良いでしょう」

「おお、そうか」

秀吉はこちらに満面の笑みを見せると、黒田に向いて命じた。

「その四日で明智を何とかせい」

「細川と筒井を封じたのなら、敵方は一万五千のみ。山崎《やまざき》を抜けてしまえば、何をせずとも勝てましょう」

黒田は「ふふ」と不敵な笑みを浮かべ、一礼して立ち去った。

明智光秀は昨日、大和郡山の洞ヶ峠から兵を退いて京に戻っていた。これと相対するため、秀吉の軍は神戸信孝を名目上の総大将に戴《いただ》き、淀川沿いを遡《さかのぼ》って進軍した。淀川が上流に至ると、京を流れる北東の宇治《うじ》川、東南に溯る木津《きづ》川、北に流路を取る桂《かつら》川に分かれる。羽柴・明智両軍は三つの川の合流近く、桂川の支流・円明寺《えんみょうじ》川を挟んで向き合った。

＊

「申し上げます。中川清秀様、横合いを攻められ苦戦の由。至急援軍を請うとのこと！」

本陣に駆け込んだ伝令は、それだけ告げてすぐに戻って行った。秀吉の右後ろで大馬印《おおうまじるし》——金の軍配に朱の吹流しがあしらわれている——を持ちながら、三成は思った。明智光秀は、やはり名将だ。

六月十二日夕刻、羽柴軍は桂川の北岸を京の南西・山崎に進んでいた。対して明智軍は長岡《ながおか》の勝竜寺城《しょうりゅうじ》を背にして迎え撃った。山崎の地は桂川と天王山《てんのうざん》に挟まれた隘路《あいろ》であり、進軍に当たっては長蛇の陣形を組む以外にない。つまり明智方は、こちらが狭隘な地から少しずつ出て行くところを叩く構えなのだ。羽柴軍四万、明智軍一万五千、数の大差を埋める用兵である。

明けて今日、十三日は朝からの雨で、互いに相手の出方を窺っていた。こちらの先鋒は右翼に池田恒興《いけだつねおき》と加藤光泰《かとうみつやす》、左翼に高山右近が布陣するのみである。このままでは敵の思う壺だと、左翼の二番手に続く中川清秀は、高山隊の左脇、天王山に兵を動かした。明智方が見逃すはずもない。夕七つ申の刻（十六時）頃、鉄砲の音が鳴り響いて戦が始まっていた。

戦況を知った秀吉は、面持ちに渋いものを湛え、黒田孝高と羽柴秀長に命じた。

「官兵衛、小一郎《こいちろう》。先手に加勢してやれ」

秀長の兵は本陣のすぐ前、黒田の兵はさらにその前に、それぞれ中備えとして布陣している。秀長は下知を受けると即座に「承知」と駆け去ったが、黒田は動かずにいた。

「どうした官兵衛。加勢を頼んだんじゃぞ」

秀吉が念を押すと、黒田は「はい」と応じながらも、ひとつを言い添えた。

「先手の右翼、池田様と加藤様をお貸し願いたく」

「……策があるんかや。そうじゃな？」

黒田がにんまりと頷く。秀吉は即決して返した。

「よっしゃ。任せる。存分にやったれ」

黒田はようやく、左足を引き摺りながら陣幕を出て行った。

「よろしいのですか」

三成が小声を向けると、秀吉は「ひひ」と笑い、床机から肩越しの眼差しを寄越した。

「まあ見とけ。こと戦については、官兵衛に任せとけば間違いないわい」

どくりと胸が脈を打った。この大事な局面で全て任せるのは、取りも直さず黒田が信用されているからだ。姫路で黒田家中の井上之房と話した折も、こういう気持ちになった。信を得るのは、人と人の関わりに於いて大事なことだ。が、それ以上の何かを孕んでいる気がする。

落ち着いて考えることを許さぬとばかり、篠突く雨の中、天王山の喧騒が強まった。

「物見、旗印は見えるかや」

秀吉の声に応じ、陣幕の外からひとりが駆け込んで跪いた。

「秀長様、次いで黒田様の兵にござります」

三成は心中に首を傾げた。黒田は右翼の池田恒興と加藤光泰も借りると言った。それらはどうしたのだろう。疑念が焦りを生み、心が乱れてゆく。

ちらと横目に秀吉を見れば、にやにやと、実に楽しそうな笑みを浮かべていた。黒田を信じているのだ。ならば己も待つしかない。じりじりと、ともすれば叫び散らし、暴れ出したくなるような焦りを覚え、その度に必死で押さえ込む。これも戦の恐ろしさなのだと肌で感じた。

不意に右手遠く、恐らく円明寺川の向こうで鬨《とき》の声が上がった。日の長い夏とは言え、雨雲の下である。いつもより早い夕闇の時は、戦が始まってから一時も過ぎた頃か。

「やったぞい！」

秀吉が勢い良く床机を立つ。そして矢継ぎ早に下知を飛ばしていった。

「久太郎《きゅうたろう》に伝令せい。一気に前に出て、右近を後押しすべし。丹羽殿と信孝様にも、総攻めをお伝えするんじゃ。わしらも出るぞ！」

俄《にわ》かに軍兵が動き出し、中備えから堀《ほり》久太郎秀政《ひでまさ》、丹羽長秀、神戸信孝が兵を進める。さらに半刻（一刻は約三〇分）の後には秀吉の本隊が動き出した。三成も秀吉の馬印を掲げて従い、顔に降り落ちる雨粒を拭いながら走った。

道すがら、秀吉が馬上で語って聞かせた。黒田は秀長と共に左翼に加勢し、猛然と戦って、敵の目を天王山に引き付けていた。一方では池田・加藤の両隊を動かし、密かに円明寺川を渡らせて敵陣に斬り込ませたのだと。

大軍を隘路に封じ込めるという明智の戦は、数に劣るがゆえの守りの策であった。備えの一角が崩れては、もはや戦にならない。羽柴軍が山崎口を抜けて長岡の地に踏み込むと、そこからは数の大差がものを言った。

戦いはこの日のうちに終わった。敗走した明智光秀は伏見《ふしみ》から山科《やましな》へと向かう道中、小来栖《おぐるす》の地で落ち武者狩りに遭い、百姓の槍を受けて呆気ない最期を遂げたという。

以後、羽柴軍は山崎での大勝に次いで京を押さえ、近江に攻め込んで明智の本拠・坂本《さかもと》を落とすと、勢いのままに安土城や長浜城、佐和山《さわやま》城などを次々と奪い返していった。大将――上に立つ者の力がなくなると、従う者はこれほどに脆《もろ》い。それを目の当たりにして、三成は言いようのない戦慄《せんりつ》を覚えた。

天正十年六月二十七日、信長・信忠《のぶただ》父子を失った織田の今後を定めるべく、尾張《おわり》国清洲《きよす》城で重臣が一堂に会した。弔い合戦を制した秀吉の言は重く、その主張に従って、信長の嫡孫・三法師《さんぼうし》に家督を取らせることが決せられた。

わずか三歳を数えたばかりの当主を戴き、秀吉は織田家の実権を握るに至った。だが一方では火種も抱えた。山崎の戦いで名目上の総大将を務めた神戸信孝は自身こそ家督を取るものと思っていたし、秀吉と反りの合わぬ家老筆頭・柴田《しばた》勝家《かついえ》も信孝を推していたからだ。

秀吉と勝家・信孝は、早晩対立する。三成のみならず、織田家中の誰もがそれを予見していた。

二　力と信

清洲会議では所領についても話し合われた。新たな当主・三法師は近江の安土城と坂田《さかた》郡、信長の次男・信雄《のぶかつ》と三男・信孝――共に北畠《きたばたけ》、神戸から織田に復姓している――はそれぞれ尾張と美濃《みの》を相続するよう定められた。家老衆には明智の旧領を含めて所領が再編されている。柴田勝家は越前《えちぜん》に加えて秀吉から長浜城と北近江三郡を割譲、丹羽長秀は若狭《わかさ》を安堵の上、近江西部の二郡を加増となった。

それから四ヵ月余りが過ぎた。

　秀吉は近江三郡の代わりに京を擁する山城を得たが、日頃は黒田孝高から譲られた姫路にあることが多い。十一月も半ばのある日、三成はその姫路城、秀吉の居室に召し出された。

「上杉《うえすぎ》を味方に、ですか」

　下知を聞いて目を丸くする。秀吉はこともなげに返した。

「あの蛸親爺《たこおやじ》を動かしたんなら、やれるじゃろ」

　清洲会議の後、秀吉と柴田勝家の対立は激しさを増し、互いに味方を増やすべく綱引きを繰り返している。いずれ戦になる日のために越後《えちご》の上杉景勝《かげかつ》を抱き込み、柴田の背後を脅かせというのが秀吉の下命だった。だが織田家中の筒井と違って、越後に強勢を誇る上杉を語らうのは難しい。

　ぬらりくらりと逃げ回っていた筒井順慶を蛸親爺と評し、秀吉は自ら手を叩いて笑った。

「こりゃええ、まさに蛸よ。蛸入道《にゅうどう》じゃ。ははっ」

　三成は愛想笑いのひとつもせず、普段どおりのすまし顔で答えた。

「お下知なれば従いますが、書状を飛ばすくらいしかできませぬぞ」

　秀吉は「つまらん奴だ」とでも言いたげな顔で応じた。

「おう。きっと『羽柴に味方する』と言わせるだけのものを書いて送れ」

一礼して辞すると、三成はすぐ西之丸の詰所にある自室に戻って文机《ふづくえ》に向かった。

この先、織田の舵取りを担う秀吉である。上杉が容易く味方するはずもない。何しろ信長が横死する直前まで、両家は越中で角突き合わせていたのだ。

「こちらも、力を貸すか」

上杉には頭痛の種がある。越後国衆・新発田重家《しばたしげいえ》の叛乱であった。この対処に助力すると約束すれば乗って来るはずだ。文面には、ことの外気を遣った。謙《へりくだ》りすぎれば、織田家中での綱引きという弱みを見せる。高飛車なものを感じさせれば、向こうの弱みに付け込んだと思われる。書いては紙を丸めて捨て、書き直しては腕組みして考え、その日の昼から明くる朝まで一睡もせずに仕上げた。

翌朝、秀吉に目通りする。上杉に助力するという交換条件は主君の意向を伺わねばならぬからだ。ところが秀吉は、苦心の末の書状を一瞥したのみで「よし」と頷いた。きちんと読んだのかどうか。訝《いぶか》しく思いながらも、三成は透破《すっぱ》に書状を持たせて越後へ遣った。

難しい駆け引きのはずである。しかし上杉景勝は、驚くほどあっさりと頼みを聞き入れた。書状を発してからわずか十日、十一月末の返書であった。

これを受けて十二月二日、播磨国姫路城から大軍が進発した。

「進めえい」

秀吉の大声が上がり、かつての居城・長浜を目指す。今は柴田勝家の養子・勝豊《かつとよ》が入っているが、雪深い越前からは援軍を寄越せぬと踏んでのことだった。三成も近習として馬印を持ち、歩を進める。誰かが話しかければ応じるものの、自ら口を開くことはない。道中延々と沈思していた。

京を過ぎて近江に入った頃、同じく馬廻《うままわり》に付く吉継が小声で問うた。

「ずっと何か考えておるようだが。困りごとでもあるのか」

「おかしいのだ」

眼差しだけを流す。吉継が呆れ顔を見せた。

「おかしいのは、お主だ。締めくくりの話だけでは、わしには何が何やら分からぬ」

手短にと思って言葉足らずになっていた。

「柴田が援軍を出せぬなら、同じ雪国の上杉も動けぬのが道理だが」

これには吉継も首を捻った。しかし秀吉のこと、きっと思うところがあるのだろうと、気楽な見通しを述べるのみであった。

長浜に至ると、秀吉は五万の兵で城を囲み、併せて大谷吉継に調略を命じた。

城主・柴田勝豊は勝家の養子だが、昨今では疎《うと》んじられている。同じ養子の勝政《かつまさ》と犬猿の仲、その上に勝政よりも思慮が浅いと見られていたからだ。この勝豊が病を得ているらしい。気弱になっているだろうところを衝《つ》く肚であった。吉継に調略が命じられたのは、勝豊の家老・木下半右衛門《きのしたはんえもん》と懇意だという理由である。この伝手《つて》で誘いをかけると柴田勝豊は数日で降伏した。

返す刀で、秀吉は美濃へと向かう。西美濃衆随一《ずいいち》の実力者・稲葉一鉄《いなばいってつ》を抱き込み、また柴田に近しい織田信孝を降らせて背後を安んじるためだった。

この出陣の前夜、三成は長浜城の広間に召し出された。皆が支度に走り回って騒々しいが、秀吉はそれ以上の大声だった。

「佐吉は、この辺りの出じゃったろ」

「坂田郡の石田村にござります」

坂田郡は織田三法師の領で、石田村は長浜から東南にほど近い。

「そんなら土地勘があるわな。長浜は取り返したが、まだ北の二郡は柴田の領よ」

「何か嗅ぎ付けたら……と？」

秀吉は大きく頷いた。

「話が早いのう。ええこっちゃ」

余の者なら、何が何でも戦場に連れてくれと言うところだろう。だが三成は、ひとつ気になっていたことを問うた。

「お役目は謹《つつし》んでお受けいたしますが、上杉はよろしいのですか」

秀吉は「うん？」と考える風だったが、すぐにからからと笑って応じた。

「そりゃまた別の話よ。まずは柴田じゃ。よろしゅう頼むで」

此度の美濃への出陣は、進んで腹背に敵を迎えに行くようなものである。ならば敵の動きを少しでも見落としてはならぬのだ。柴田方を探る役目は戦の決め手となろう。筒井順慶との交渉で知ったとおり、戦は槍働きが全てではない。これも十分な功なのだ。三成はそう考えて、いくらか釈然としないものを残しながらも「御意」と頭を下げた。

三成が残った長浜城には、秀吉の動きが逐一報じられた。筋書きどおりに稲葉一鉄と織田信孝を降らせ、年明け天正十一年（一五八三年）正月には、柴田に付いた滝川《たきがわ》一益《かずます》を討つべく伊勢《いせ》長島《ながしま》へ軍を進めたという。

そうして三月十二日のこと、三成の許に注進が入った。

「申し上げます。柴田勝家が軍勢、国境を越え、柳ヶ瀬《やなせ》山に陣張りをしておる由《よし》。先手は前田《まえだ》利家《としいえ》、佐久間《さくま》盛政《もりまさ》ら、本隊と合わせて総勢三万を数えるものかと」

三成はすまし顔を崩さぬまま腰を浮かせた。

大軍である。長浜に残る兵は二千ほど、まともに戦っては勝ち目がない。未だ秀吉が伊勢を平らげたとは聞かぬが、一刻も早く急を報じなければ。

「其方《そのほう》、すぐ伊勢に向かえ。このことを殿にお報せせよ」

伝令に再度の早馬を命じると、三成は上杉に書状をしたためた。柴田が近江に兵を進め得たのは、貴家が約定《やくじょう》どおりに背後を窺わなかったからである。此度だけは咎《とが》めぬゆえ、今からでも動いて越前を衝くべし――独断での申し入れであった。

秀吉の動きは速く、三成が早馬を飛ばしてから七日、三月十九日には近江へと返して来た。そして帰るなり、長浜を素通りして軍を進めた。柴田方が陣を張る柳ヶ瀬山は長浜の北四十里、羽柴軍はそこから十里余り南、峠道の出口に当たる木《き》ノ本《もと》に布陣した。

「殿、殿！」

三成は馬を飛ばして木ノ本の陣に入り、主君に目通りした。近江から美濃、伊勢、また近江と転戦した疲れを見せながらも、秀吉は嬉しそうに迎えてくれた。

「おう佐吉、良う報せてくれた。手柄じゃ」

「はっ。柴田方が動かなんだのが幸いにて」

「雪を掻き分けて来た上に陣張りじゃ。奴らも疲れとるんよ。わしか？　わしゃ、まだまだ動けるぞ。今から女の相手もできるわい。あっははは」

この軽口に、三成は少し気が沈んだ。秀吉は元来が陽気な人だが、辛い時ほど大袈裟にそういう顔を見せようとする。肝を冷やしていたのだろうと、片膝を突いたまま頭を下げた。

「申し訳次第もござりませぬ。上杉は約定を果たさず、再びの求めをも握り潰しました」

「上杉？　ああ……まあ、そりゃええわ」

またも強い違和を覚えた。上杉を語らえという下知は、いったい何のためだったと言うのか。

秀吉は笑い飛ばして続けた。

「それより今は守りを固めにゃあならん。砦《とりで》やら造るでよ、城に戻って支度させて来い」

三成は長浜に戻り、百姓から賦役《ふえき》衆を駆り出すべく手配りをした。賦役の者に支払う米や銭の勘定も、支度を命じられた三成の役目であった。

＊

羽柴軍と柴田軍は互いに打って出ることなく、しばらくは双方が陣固めに終始した。一方で秀吉は、織田家老衆の中で自らに近しい丹羽長秀を動かし、琵琶湖西北の海津《かいづ》に兵を出させた。

戦が睨み合いとなると、秀吉は木ノ本の陣に一万を残し、自身は長浜城に入った。伊勢の滝川をも睨まねばならぬからである。三成も近習として長浜にあり、引き続き近江各所の動きを探って日々を暮らした。

三月末のある夕刻、出仕を終えて二之丸に戻ろうとすると、入れ代わりに本丸御殿の玄関へ進んで来る者があった。加藤清正《かとうきよまさ》と福島正則《ふくしままさのり》である。共に三成より年下だが、秀吉が信長に仕えて尾張にあった頃からの子飼いで、常に槍働きに任じていた。

「おう、茶坊主か」

清正が無遠慮な声で呼ばわり、正則がこれを聞いてわざとらしく笑った。三成は幼少時、故郷から東へ山ひとつ越えた観音寺《かんのんじ》で学問を積んでいた。この寺には秀吉が命じた茶室があり、三成はそこで才気を認められて召し抱えられた。茶坊主とは清正なりの侮蔑だろうが、捻りのない言い様である。

「何か用か」

「おまえなどに用はない。じゃが文句はあるのう」

今度は正則が、こちらが何を言った訳でもないのに怒声を張り上げた。少しうるさく思う。

「文句を言われる筋合いはないが」

「楽な役目で殿に取り入っておる。卑怯者の、臆病者め」

清正の放言は、己が交渉ごとや勘定で認められているのが気に入らないからだろう。矢面《やおもて》に立つこそ奉公だと思っている者には、 あり勝ちな考え方である。だが

――。

「わしとて命を張っておる。筒井への遣いなどは、敵の懐に入るようなものであった」

二人は「負け惜しみを」と、小馬鹿にした笑みを浮かべて御殿の内に消えていった。正直、肚に据えかねた。そして無念であった。敵の動きを探り、味方を集め、兵糧を支える、そうした働きの重みが、なぜ分からないのかと。

半月ほどが過ぎた四月十六日、長浜に驚くべき報せが舞い込んだ。先に秀吉に降った織田信孝が柴田に呼応して挙兵し、岐阜《ぎふ》の西十五里、大垣《おおがき》城下に焼き討ちを加えたという。

「如何なされます。このままでは挟み撃ちに遭いますぞ」

三成の焦りに、秀吉は腕組みして「うむ」と唸り、ひと呼吸で断を下した。

「美濃に行く。柴田や滝川より信孝殿の方が御しやすいでな。ご苦労じゃが、また長浜で柴田の動きを見とってくれや」

いつもなら一も二もなく従うところだが、この日は違う言葉が口を衝いて出た。

「恐れながら、此度はそれがしもお連れくだされ」

胸には清正と正則の顔が浮かんでいた。己が戦場でも働けると示せば、裏方に任じているのはそれが大事だからだと胸を張れる。そう思えた。秀吉はいくらか怪訝な顔を見せたが、何か嗅ぎ取ったか、にやりと笑った。

「まあ良かろう。じゃが柴田を探るのは、おみゃあが一番じゃ。長浜におらんでも、できるっちゅうなら連れて行ってやる」

三成は少し考え、すぐに「できまする」と返した。

「されば手配りを急ぎますゆえ、これにて」

秀吉の元を辞して馬を飛ばし、琵琶湖東南の称名寺《しようみようじ》を訪ねた。観音寺で修行していた頃、何人か交わりのあった僧がいる。三成はそれらに会い、托鉢《たくはつ》の最中に柴田方の動きを探り、美濃まで報せてくれと頼んだ。

翌四月十七日、羽柴軍は美濃へと発った。岐阜は長浜から東へ百里足らず、普段なら三日で辿り着く。しかしこの時、美濃では梅雨の走りの大雨で揖斐《いび》川が溢れていた。秀吉以下は、仕方なく川の手前の大垣城で織田信孝に睨みを利かせることになった。

＊

大垣に留まるのも四日め、四月二十日を迎えた。未だ引かぬ揖斐川の水と同じ、兵たちが澱《よど》んだ気配を漂わせている。城外に陣幕を張る三成も気が重かった。退く訳にはいかぬ。しかし進み果せない。近江では柴田軍もこちらの動きを察していよう。焦れったさに胸が詰まりそうである。

だが昼餉まであと少しという頃、そうしたものは吹き飛ばされた。

「石田様、大ごとです。お味方の大岩山《おおいわやま》砦が落ちました」

駆け込んだのは称名寺の僧である。三成は弾かれるように床机を立った。

「何と。中川殿は？」

「討ち死になされたと聞き及びます」

愕然としつつも、三成は脱兎の勢いで城へと上がった。足止めを食っているがゆえ、具足は脱いで鎧下のみの姿である。

「殿、一大事です」

「動いたか」

秀吉はそれだけで柴田だと察した。三成は木ノ本間近の大岩山が落ちたこと、中川清秀が討ち死にしたことを報じ、主君の顔を窺う。

「残る守りで頼りになるのは官兵衛と右近くらいよな。賤《しず》ヶ岳《たけ》まで出て来られたら……」

賤ヶ岳は大岩山の南西、峰続きの山である。ここを取られたら木ノ本は囲まれることになり、退かざるを得ない。長浜は手も足も出なくなる。秀吉はひと頻《しき》り唸ると、がばと立った。

「急いで兵を返す。吉継と先駆けして道々の支度をせい。飯と水、味噌、篝火《かがりび》じゃ」

三成は「おや」と首を傾げた。その様を見た秀吉は珍しく怒鳴り散らした。

「何しとる。早うせんかい」

「長浜には、いつのお着きを期しておられましょうや」

「知るかいや阿呆。今夜のうちに、できるだけ早うじゃ」

そう聞いて、過日の光景がありありと蘇《よみがえ》った。本能寺の変事を聞き付けた時の、備中から京までの大返しである。未だ立ち去ろうとしない三成に、秀吉は「おい」と声を張り上げた。

「急げ、ちゅうのが分からんのか」

「急ぐからこそ、お聞きくだされ」

思ったことを手短に、しかし詳《つまび》らかに語った。大返しの日、休息の地・姫路に至った兵はどれも疲れ果てていた。あの時と違い、今度は近江に返して休む間もなく戦になる。兵を疲れさせては何もできない。

「されば、皆に重い具足を脱がせて走らせては如何かと。これへ参上するまで、それがし身軽な姿にて、息ひとつ乱れませなんだ」

大垣城から長浜まで八十里、少しでも疲れぬようにと進言する。秀吉は寸時考え、眼差しを遠くに泳がせて「おお」と漏らした。

「できる……。兵たちにゃ、長浜の蔵から貸し具足でも出してやりゃあええ。すぐにやれ。今すぐじゃ。行け！」

「はっ」

三成は急ぎ城を辞し、自らの隣の陣幕にある大谷吉継を訪ねた。そして秀吉の下知を伝え、互いに身ひとつで長浜へと走った。

野を越え、山を越え、どれほど走ったか。大垣を出たのが昼九つ（正午）だったとすれば、一時余りが過ぎていよう。曇り空の明るさに、わずかな陰りが見えたことで分かる。

「次の村だな」

「ああ」

吉継の言葉に頷き、なお走る。隣村まで走ると、夕暮れ迫る街道からは、今日の野良仕事を終えた百姓の引き上げる姿が見て取れた。右手、北にあるのは伊吹《いぶき》山か。美濃関《せき》ヶ原《はら》を抜けて近江の坂田郡に入ったようだ。

「其方ら、待て。羽柴筑前守様からのお達しがある」

長く長浜を治めていた秀吉の名には、百姓衆を振り向かせるに十分な力があった。声を聞いて素裸の男女数人が駆けて来た。

「この道を急ぎ兵が通る。飯と水、味噌玉、篝火を支度せい」

吉継が息を切らしながら捲し立てる。今は田植えが終わるか終わらぬかの頃、米の端境《はざかい》に炊き出しを命じられた百姓はどれも困り顔であった。

三成は「えい」と踏ん切りを付けて発した。

「出した米は、ひと月の後に十倍にして返すぞ」

百姓たちが目の色を変えた。吉継が泡を食って「おい」と小声を寄越す。

だがこれで良い。そのくらいで秀吉の財は涸《か》れないし、柴田を叩いて越前を取れば釣りが出る。

「わしが責めを負う。吉継、ここを頼めるか」

「お……おう」

戸惑いながらも頷いた吉継に後事を任せ、三成自身は百姓から馬を借り受ける。鞍や鐙《あぶみ》は無論のこと、手綱すらないまま跨ると、ひとり先を急いだ。

長浜に戻った頃には、空は群青《ぐんじょう》に染まりかけていた。

「開門、開門！　筑前様のお下知を申し伝える」

三成の姿を見知った門衛が櫓から顔を覗かせ、すぐに大手門を開く。馬の背から転げるように降りると、蔵を開いて貸し具足と足軽槍を全て出せと命じた。

城兵が走り回って手筈《てはず》を整える中、三成はひとりの兵を捉まえて戦の仔細を聞いた。

　中川清秀を討って大岩山を奪ったのは、鬼玄蕃《おにげんば》の二つ名を持つ佐久間盛政であった。勢いに乗った佐久間はその後も手を緩めず、黒田孝高の兵と斬り結んだ。黒田は何とか退けたらしい。未だ「戦って負けなし」である。佐久間は黒田手強しと見ていったん退き、改めて岩崎山《いわさきやま》の砦を襲って高山右近を敗走させた。

　この分では賤ヶ岳の砦——長浜の命綱が脅かされるのに時はかかるまい。

（殿……早くお戻りを）

　焦れながら具足と槍の支度を督する。半時ほどが過ぎた頃、城の大手門前にひとりの僧が駆けて来た。大垣に来たのとは別の顔見知りであった。

「お味方が参じましたぞ」

　一時ほど前、長浜の対岸・海津に詰めていた丹羽長秀が動き、二千を率いて賤ヶ岳の砦に合流したという。丹羽がいれば、秀吉が戻るまでは死守できよう。

「……良かった」

　三成は、ぺたりと地に尻を落とす。ぐう、と腹が鳴った。思えば昼餉も取っていなかった。

　秀吉が長浜に着いたのは、暮六つ半（十九時）を少し過ぎた頃だった。昼八つ（十四時）頃に大垣を出たという。実に八十里、一日半もかかろうかという道を二時半で駆け抜けたとは、神速と呼ぶに相応しかった。

具足と槍が並べられた長浜城の大手門前に秀吉が姿を見せる。どうしたことか、怒りを湛えているようだ。三成は戸惑いながら主君の足許に跪いた。

「全て仰せのとおりに整えてござります」

「嘘つけ、吉継から聞いたぞ。わしの言わんことまでしよったがや」

米を十倍にして返すという、百姓への約束であった。しかし秀吉は「やれやれ」と溜息をつくと、固かった声音を緩めて続けた。

「良うやった。大手柄じゃ」

そして笑う。強がりではない、秀吉本来の底抜けに明るい笑顔であった。三成の顔にも、薄っすらと笑みが浮かんだ。

＊

将たる者は馬を使い、自前の槍と具足で戻って来たが、羽柴家中の小者や播磨・山城から連れた国衆、雇われの足軽は具足も槍も置いて来た。それらには三成の支度した武具が宛がわれた。

貸し具足は数に限りがあり、士分の者にしか行き渡らない。足軽の長槍とて不足していた。もっとも秀吉はこれを見越し、道中各所で当の足軽衆に竹を刈り取らせていた。足軽槍は敵を穿つのではなく叩くためのものだ。ただの竹竿でも代わりにはなる。

羽柴軍は飯を取って隊列を整え、長浜の北方・木ノ本の陣へと移る。明けて四月二十一日となった夜八つ（二時）頃、大返しを知った佐久間盛政の隊が退いたと報じられた。

「さても敵は浮き足立っておる。皆々、佐久間を追え」

号令一下、秀吉の近習十四人が先駆衆として走った。加藤清正、福島正則、加藤嘉《よし》明《あき》らの子飼いに加えて脇坂安治《わきさかやすはる》、平野長泰《ひらのながやす》ら、馬廻衆からは片桐且元《かたぎりかつもと》、大谷吉継が加わっている。それぞれの下にある足軽が松明《たいまつ》を持ち、大岩山砦へと続く暗い山道に火の粉を散らした。

三成もこの一団にあった。率いる足軽は秀吉から預かった二十のみで、自前で五十ほどを雇い入れている清正や正則には見劣りする。それでも意地で志願した。己とて武功を立てられる。茶坊主だの臆病者だのと罵った清正と正則を見返したいのだ。

「おい、無理をするなよ」

傍らを走る吉継が声をかける。血走って鋭い眼差しとは裏腹の響きに、冷や水を浴びせられる思いがした。

「無理なものか」

「手柄のためなら何でもありの槍働きなど、お主には向かぬ。いざとなったら逃げよ」

「馬鹿を申すな」

ぷいと顔を背け、それきり口を利かなかった。吉継が「困ったものだ」と呟いた。

佐久間盛政を追って、先駆衆は賤ヶ岳を馳せた。大垣から長浜まで走り詰めの上、今度は山道を駆けどおしである。次第に空が白みかけてきた。さすがに疲れを覚える頃だが、いざ戦に臨むという昂《たか》ぶりのせいか、誰も——三成でさえ——遅れずに走り続けた。

「あれは！」

先頭で加藤清正が声を上げた。薄っすらと明るさを増した峠道、二町（一町は約一〇九メートル）ほども向こうに敵兵の持つ松明の炎がちらちらと揺れていた。はっきりと見える訳ではないが、丸の中に二羽の鳥と見える旗印は二つ雁金《かりがね》の紋か。これこそ柴田勝家の養子・勝政と思われた。

「佐久間の後を追っておる。行かせるものか」

福島正則が絶叫を上げ、自前の足軽五十ほどを率いて一気に前へと出た。余の者も「遅れてはならじ」と後を追う。

三成も必死で喰らい付いて行った。だがそこから半町足らず、前を行く数人が不意に峠道を外れた。さっと脇の林に入ってゆく。続く者たちも、足軽衆もそれに倣った。

（あっ）

しまった、と思った頃には敵の殿軍《でんぐん》から鉄砲の音が響いた。パン、パンという乾いた音が束になって迫る。

「阿呆！」

腕を摑まれ、ぐいと引かれた。吉継――泡を食った顔は、こちらが手傷を負っていないと知ると少しばかり和らいだ。

「林に紛れて遣り過ごすのだ。鉄砲でなくとも、弓でも同じだぞ」

無言で頷く。自らの唇が震えているのが分かった。

味方が「それ」と木の陰から出る。そして喚《わめ》き散らしながら敵へと突っ掛けて行った。遅れてはならぬという気持ちだけで、三成もこれを追う。吉継が足を速め、守ってやるとばかりに前を走っていく。

「来るぞ」

怒鳴るが早いか、吉継はまた右手の林に向けて飛んだ。三成は、すぐには動けなかった。言われたことは分かっていたが、体を動かす呼吸というものが摑めない。足軽が各々の将に従い、ばらばらと飛び退く。三成はそれらの足軽に倣って飛び退く始末だった。間一髪で鉄砲の音が鳴り響く中、木の根に足を取られて転げ、吉継の隠れた木にぶつかって止まった。

「遅い。死ぬぞ」

囁き声で怒鳴られ、思い知った。やはり己は槍働きに向かないのだ。吉継は半ば苛立ったように、こちらの右肩を摑んだ。

「もう何も考えんで良い。俺が動くのを、すぐに追え。分かったな」

「……すまぬ」

吉継に従う他はなかった。木々に隠れて鉄砲をかわし、音が止んだ隙にまた前に出る。それを三度、四度と繰り返し、少しずつ敵との間合いが詰まっていった。やがて先駆衆は、柴田勝政隊の殿軍に襲いかかった。敵兵はもう鉄砲を支度している暇はないとばかり、槍を掲げて押し出して来た。

「あだらああ、うさあっ！」

訳の分からぬ絶叫と共に、敵の足軽槍が振り下ろされる。ぶんぶんと音が渡った後、戦場は騒然となった。こちらの足軽の肩に当たる鈍い響き、骨を折られた者の泣き叫ぶ声、的を外して地を叩いた音、全てがない交ぜになっている。双方とも殺意に目を爛々《らんらん》と輝かせる様は、まさにこの世の地獄であった。

その喧騒を叩き割り、清正と正則が大声を飛ばした。

「我こそ加藤虎之助《とらのすけ》清正！」

「筑前様が子飼い、福島正則を知らぬか」

そして狂乱した牛の如き勢いで前に出る。後続もこれに従って飛び込んで行った。向こうも負けじと前に出て、敵味方が入り乱れての殺し合いになった。

「そりゃあ」

傍らで吉継が槍を振り回し、逃げて来た敵兵を叩き据えた。叩かれた者が叫んで転がると、味方の足軽がそこに組み付いて首を絞める。三成は槍を構えたまま動けずにいた。乱戦の只中《ただなか》にいるからこそ、何をどうして良いのかが分からなかった。

二十人ほどの足軽を退け、吉継が「ふう」と短く息を抜く。辺りを見れば、どうにか殿軍の一団を蹴散らしたらしい。まだそこかしこに柴田方の者はあれど、羽柴の兵に追い回され、逃げ走っていた。

「佐吉！」

不意に名を呼ばれ、びくりと身が震える。耳元で大声を出されたように思ったのだが、そちらを向くと、呼びかけは実に三十間も向こうからであった。真っ先に敵に斬り込んだ福島正則である。傍らには加藤清正もいて、息を弾ませていた。

「何をしておる。来い」

正則に続き、清正も雷の如き声を寄越した。

「いけ好かぬ奴だが、共に筑前様を父と慕った間柄だ。手柄を上げて面目を施せ」

あの二人が。戸惑い、呆然としながらも、三成の足は一歩を踏み出した。しかし
――。

「こんの野郎《やら》あっ！」

そこで正則に斬り掛かった敵兵があった。三成が「市松《いちまつ》」と叫ぶよりも早く、正則は左の拳を真横に突き出していた。相手が「ぎゃ」と短い悲鳴を上げる。鼻面を叩き折った後、正則はようやく敵兵に向いた。

「用があるのだ。見て分からんのか」

怒りに震える声すら、喧騒をものともせぬ勢いがある。その場にくずおれた敵の胸《むな》座《ぐら》を摑み、ぐいと引き寄せて、鉢金で猛烈な頭突きを喰らわせた。

「うぬら如き、我が踏み台に過ぎぬ。その屑《くず》が！　糞《くそ》をひるしか能のない奴が」

狂ったかと思うほどの剣幕で、既にぐったりとしている敵兵の頬を、顎を、こめかみを、滅多打ちに殴り付けてゆく。

「邪魔立てするか！　ああ？　聞いておるのだ。この、こ……ああ、あああ！　死ね、死にくされ。はは、ははは、あっはははは！」

あれよという間に、敵兵は血達磨《ちだるま》になって転がった。傍らの清正は平然と見てい

る。

　再びこちらに向いた正則の眼差しは、閻魔《えんま》かと思うほどのものだった。返り血に染まった頬が喜悦《きえつ》に歪み、恍惚《こうこつ》としたものを漂わせている。

「見たか佐吉。これが、わしらの為《な》すべきことぞ。敵を斬り、ぶち殺して手柄を上げるのだ」

　武士――敵と斬り結び、人を殺すことを喜び、相手の命を己が糧《かて》とする者。その姿を目の当たりにして、三成は背に粟《あわ》を立てた。先に踏み出した一歩の次が続かない。

「どうした。置いて行くぞ。来い！」

　清正が重ねて呼びかけるも、総身が震えてどうにもならない。二人は無念を滲ませた眼差しを残し、駆け去って行った。傍らにあった吉継が数歩前に出る。しかし、そこで止まって、ゆるりと頭《かぶり》を振る。再びこちらに向けられた顔からは、槍働きの時の剣呑さが抜けていた。

　三成は小声で問うた。

「お主は……行かんのか。手柄を上げに」

「お主を置いて行けると思うか」

　清正と正則を追う気なら、いつでも行ける。なぜ、そうしない。

　吉継は、にや、と笑った。

「恩があるからな」

観音寺で学問を積んでいた頃、師僧の遣いで南近江の野洲《やす》郡に出向き、とある地侍の子――二つ年上の吉継と知り合った。心根は剛毅で真っすぐ、分別があり、学問にも武芸にも熱心な男であった。秀吉が吉継を召し抱えたのは、近習として仕えるようになった三成の進言ゆえである。

「……古い話を」

呟いて、三成は目を逸らした。

清正や正則らが逃げ崩れる敵を追う一方、三成と吉継は木ノ本へと退いた。秀吉の本隊も既に出ていて、陣には静かなざわめきだけが残っている。

「虎之助、市松……ああ言うてくれたのに。わしは動けなんだ」

冷たい土の上に腰を落ち着け、三成は背を丸めて呟いた。吉継がこちらを向いたのが、篝火に照らし出された影で分かる。

「また笑われるだろうな。お主も道連れにしてしもうた。すまぬ」

「常に、これくらい素直であって欲しいものだ」

含み笑いで応じる吉継に、うな垂れたまま頭を振った。

「矢面は偉い、裏方は臆病だと言われて頭に血が上っておった。されど……」

本当に、そうなのかも知れない。挫けそうな心に、しかし吉継は芯の強い声を返した。

「しっかりしろ。裏方がなければ、あやつらとて戦えぬ」

ゆらりと顔を上げる。目の焦点が定まらず、吉継が二人いるように見えた。そして、滲む。

「そう思うか」

「お主とわしで道を整えたからこそ、この戦があるのだ。胸を張れ」

三成は力なく頷き、然《しか》る後に力強く頷き直した。

賤ヶ岳の戦いは激戦となった。羽柴軍が柴田勝政を追撃に掛かれば、今度は先に退いた佐久間盛政が取って返し、勝政に加勢する。すっかり明るくなった明六つ（六時）の空の下、兵の喚き声が山中を一進一退していた。

ところが、ここで戦の流れが急転した。木ノ本の北西五里余り、賤ヶ岳砦からは真北に四里ほどの茂《しげ》山に陣取っていた前田利家が何の前触れもなく兵を退いたからだ。秀吉と利家は信長麾下の小者だった頃からの友である。その情ゆえかも知れない。

前田隊を睨んでいた味方は踵《きびす》を返すと、佐久間盛政と柴田勝政の横合いに襲い掛かった。二ヵ所からの攻めを防ぎきれず、敵は総崩れとなった。先手の一万五千を四散させた柴田軍は、勝家の本陣にあった兵も多くが逃げ散り、或いは秀吉に降って壊滅した。越前へと退いた柴田勝家は、ほぼ丸裸の体であった。

勢いに乗る羽柴軍はさらに追撃の手を伸ばし、勝家の本拠・越前北ノ庄《きたのしょう》城を囲んだ。三成は本陣に召し出され、身を小さくして跪いた。

「先駆衆に加わりながら、何もできませなんだ。お叱りを頂戴する覚悟にて」

しかし秀吉は「阿呆」と笑い飛ばした。

「人には得手、不得手ちゅうのがある。できることを、やりゃあええんじゃ。分かったか」

「……はい」

消え入りそうな声で返す。秀吉は「ところで」と話の向きを変えた。

「上杉が動かんのう」

ぎくりとした。今の今まで、上杉が約定を違えたことを何とも言わなかったのに。

秀吉の厳しい眼差しが、こちらに向いた。

「約定を違える奴など信用できん。柴田を潰したら、その足で越後に攻め込むでな。上杉に伝えとけや」

「はっ」

一礼して、そそくさと辞した。

兵をなくし、城を囲まれ、柴田勝家は敗北を認めた。そして妻――織田信長の妹に当たる市《いち》と共に自害して果てた。二人の骸《むくろ》を抱えた北ノ庄城は、残雪を溶かし尽くすかという業火の中、跡形もなく崩れ去った。賤ヶ岳の戦いからわずか三日後であった。

焼け跡から漂う煙が未だ消えぬ頃、上杉景勝に宛てた書状に返書があった。三成はそれを手に秀吉を訪ねた。

「上杉の家老、直江兼続《なおえかねつぐ》殿からにございます」

書状に曰く。上杉は決して約定を違えたのではない。信長死後の混乱に乗じ、三河《みかわ》の徳川家康《とくがわいえやす》と相模《さがみ》の北条氏直《ほうじょううじなお》が信濃《しなの》から越後にまで手を伸ばそうとしている。越後国衆・新発田重家の謀叛も抱えているとあっては、助力したくともできなかったのだと。

三成は、秀吉の顔色を窺うように言い添えた。

「書状に記されるとおり、上杉は人質を出して殿に従わんと願い出ております」

秀吉は、にたりと笑った。

「何じゃい。そんな訳があったんなら、もっと早うに申しておけば良かろうにのう。あい分かった。上杉には、わしのために働けって返事しといてくれ」

ぞくりとした。

（このお方は……）

全て分かっていたのだ。上杉には助力する余裕などないことを。表向きは味方すると返答しながら、裏では羽柴と柴田を天秤《てんびん》にかけるだろうことを。柴田に勝ちさえすれば、何もせずに上杉が従う。それを見越し、敢えて、できぬ助力を求めたのに違いない。

己が主君の恐ろしさを思い知った。そして、ひとつ引っ掛かるものが残った。

「お伺いしたきことが」

「おう。何じゃ」

きょとんとした顔に、三成は恐る恐る問うた。

「殿のために働く……で、よろしいのですか」

不敵な眼差しで「それでええ」と返された。びりびりと背筋を伝うものがある。つまり、この人は——。

「家臣の道を踏み外すと？」

秀吉は当然とばかりに胸を張った。

「信雄殿や信孝殿では、到底、信長様には及ばん。三法師様が長じたところで、天下を動かせるほどのお人ではないかも知れん。大体、そこまで世の中は待ってくれんがね」

だから天下を奪うと言う。信長に忠実一途だった人から斯様な言葉が出るとは。

「わしはな、佐吉。信長様の天下布武を、どうしても仕上げたいんじゃ」

古《いにしえ》の唐土《もろこし》、周《しゅう》の武王《ぶおう》と同じ徳政を天下に布く——これを成し遂げたいと言う秀吉の目は、幾らか寂しげに映った。

「おみゃあも知っとるとおり、わしゃ百姓の出よ。上がだらしなきゃ、下は苦労する。織田の子らを担ぐより、わしがやった方が早いがや。少しでも早う、泰平の世の中ちゅうのを造りたいんじゃ」

胸を射抜かれた思いがして、目を大きく見開いた。主家に抱く自らの義心など小さなもの、日の本の全てを安寧に導かんという国の大義には及ばない。ゆえに信長への思いを封じたと言うのか。

秀吉は、面に浮かんだ寂寥《せきりょう》を流し去った。

「今は織田を乗っ取った悪党でええ。じゃがよ、上杉も、徳川も、毛利も北条も、誰も逆らわん力を持ったら、皆、わしを信じてくれるじゃろ」

頭を強く揺さぶられた気がした。姫路の黒田家中を見れば分かるとおり、この人に任せれば全て上手く行くと思えば、皆が喜んで従うのだ。秀吉は国の全てを見据え、力によって信を問わんとしている。

（それが……天下人）

つまり力と信用は表裏一体なのだ。父や兄に従わぬ領民の姿、世の乱れ、己が抱え続けた懊悩《おうのう》に光が差した気がした。秀吉が信長の道を引き継ぐのなら、己が為すべき働きも変わるはずだ。何を為せば良いかは未だ見えぬが、ひとつだけ分かることがあった。

「それがしは、殿に付いて行きまする」

平伏して心から発する。秀吉は「そうか」と嬉しそうな声を寄越した。

＊

柴田勝家の敗北を知ると、美濃の織田信孝も秀吉に降った。天下を奪うと決めた秀吉の処断は厳しく、当主・三法師への謀叛という名目で信孝に切腹を命じた。

賤ヶ岳の戦いでは先駆衆が戦功一番とされた。特に「七本槍」と数えられた者には破格の加増があり、共に五百石取りだった福島正則と加藤清正には、それぞれ五千石と三千石の知行が下された。三成は知行三千石に加えて近江甲賀《こうが》郡・水口《みなくち》城代の任を得た。

五月半ば、沙汰から二日の後に、三成は秀吉に召し出されて長浜城の居室に参じた。

「ちいと、頼みがあるでよ。こいつを虎之助に渡してくれ。奴が戻ってからでええ」

渡されたのは朱印状であった。平らげた越前を睨むため、清正は未だ同地に留まっている。

「承《うけたまわ》りました。ところで何の御朱印にござりましょうや。差し支えなくばお聞かせを」

「知行の沙汰のし直しよ。あやつめ、市松が五千で自分が三千なのが気に入らんと言いおる」

仔細を知り、嬉しく思った。賤ヶ岳で、共に手柄をと呼びかけてくれた二人なのだ。同じであって欲しいと思うのが人情である。だが三成の口から出たのは「なりませぬ」のひと言だった。

「功に違いあっての五千と三千でしょう。容易く覆しては、他の皆も不服を申し立てますぞ」

「いや、そうは言うてもな」

「虎之助がまた手柄を上げた時になされませ」

秀吉は困ったように溜息を漏らした。

「やっぱりな。虎とひと悶着《もんちゃく》あったんじゃろ」

「ありましたが、それゆえではござりませぬ」

秀吉は「ひひ」と笑った。

「嘘言うなて。加増を伝えるのが嫌なんじゃろう。よし分かった、おみゃあも五千にしてやるわい。それでええか」

「以ての外にござります」

即座に返し、寸時口を噤んだ。そして「ああ」と得心した。秀吉の口から天下取りの真意を聞き、深く感じ入ったのと根は同じなのだ。己が何を求め続けていたのか、ようやく分かった。

それは、秩序である。

力と力が伯仲すれば、人心は欲に乱れて戦乱を生む。だが秀吉の言うとおり、それらを凌《しの》ぐ大きな力が世を正しく統《す》べるなら、流れは逆に向くだろう。誰もが従わざるを得なくなり、人は秩序に慣らされていく。乱世の行き着く先には、こうして生まれる平穏があるはずだ。己は、それをこそ欲していた。

「おい。何を、ひとり合点しとるんじゃ。あれか。やっぱり五千欲しいか」

訝しげな声を向けられ、やや語気強く返した。

「それがしは三千石で結構。虎之助にも三千石の沙汰に従うよう、お命じなされませ。斯様な不平をお認めあって、家中に示しが付きましょうや。上に立つ者は、これを退けねばなりませぬ」

秀吉は「むう」と唸って、いくらか気弱な声を出した。

「……そうは言うがよ。わしにゃあ、本当に頼りになる奴が少ないでな。早いとこ皆に、それなりの身分になって欲しいんじゃ。市松も虎も、もちろん、おみゃあもじゃ」

　頼れる者が少ない――この人にして泣き言があるとは思わなかった。信念ゆえの諫言だとて、こう言われると、なお頑《かたく》なになるのは憚《はばか》られる。

「なあ佐吉。虎と一緒に五千石もらってくれや。おみゃあらの裏方も、わしは大事だと思うとるんじゃぞ」

　重ねて言われ、三成は「ふう」と溜息をついた。

「致し方ありませぬ。虎之助への五千石は良しとしましょう。されど、それがしはご遠慮いたします。代わりに、下された三千石に検地をさせていただけませぬか」

「検地なんぞ、信長様の頃からやっとったがや。おみゃあの知行の分も、探せば帳面くらい出て来るんじゃにゃあか？」

　当惑顔である。三成は「そうではなく」と頭を振り、晴れ晴れとした顔で語った。

「信長公の頃は地侍の届出をそのまま使っておりましたろう。それがしは地侍の子ゆえ知っておりますが、誰もが帳面の上では石高を小さく申し出るもの、しかも土地を測る棹《さお》とて各々に違います」

　秀吉の目の色が変わった。低い身分の出自ゆえ、知っているのだ。

「ええ加減に、小さく届けて、それで自分の蔵を潤しとるわな」

「これを防ぐために自ら棹を入れ、正しく石高を知って年貢を納めさせるのです。さすれば逆に羽柴の蔵こそ潤いましょう」

だが、ここで秀吉はまた唸った。

「わしらは、それでええが。地侍は嫌がるじゃろ」

「嫌がったとて、やらねばなりませぬ。下々は上に立つ者に染まるものでしょう。殿とて、長らく信長公のなさりように従っておられました」

虚を衝かれた顔の主君に、三成は熱い眼差しを向けた。

「掟を定めて正しからぬ行ないをなくし、上も襟を正す。さすれば領民も自ずと律せられるに違いなく。食い詰めた地侍は、各地の――」

ひとりでに口が止まった。またも天啓である。乱世に秩序を求めるとは、即ち世のありようを改めることではないか。造り変えられた世では、武士の任とて変わってくるはずだ。

咳払いひとつ、三成は言い直した。

「各地の役人として殿がお抱えあれば良いのです。柴田を下して織田家中を握った今、斯様な働きに任ずる者は、いくらいても困りますまい」

秀吉の顔が次第に紅潮していった。そして、じわり、じわりと目に熱が籠もる。

「ええぞ……その策、もろうた！」

何度も手を叩き、秀吉は大いに喜んでこれを容れた。そして三成の知行に止まらず、近江一国に棹入れを行なうべしと決した。

世の乱れをなくすには、人に秩序を植え付けねばならぬ。そのために働くことが、槍働きに向かぬ己の道なのだ。長く険しい道だが、そこに身を投じてこそ男子の一生ではないか。まずは領民と年貢を律し、小さくとも芽を吹かせよう。そして、清正や正則に裏方の重みを唱えるべし。張り合うためではない。乱戦の中で手を差し伸べられながら、己は動けなかった。二人の心意気に応えるため、秀吉が挑む天下というものの姿を見せてやりたいのだ。

その思いで三成は、一ヵ月に亘《わた》って近江一国に棹を入れ続けた。自身に下された知行は三千石の名目だったが、実のところは四千石余りあった。この差分を返上すべしと申し出たところ、秀吉は「検地進言の褒美」と言って、全てを三成に取らせた。

三　義と大義

「先には心ならずも兵を向けてしまい、申し訳次第もござらなんだ」

賤ヶ岳から北ノ庄の論功も粗方終わった天正十一年八月、前田利家が長浜を訪ねて来た。三成は秀吉に侍して広間にあった。

平伏する利家に、秀吉は鷹揚に返した。

「又左《またざ》殿は柴田の寄騎じゃった。仕方にゃあことだがや」

旧友としての縁を重んじ、戦場から退いた利家を咎める気はないらしい。だが利家は恐縮しきりだった。

「有難きお言葉にござる。ついては、ひとつお願いが」

「何じゃ。領国のことかや」

利家は静かに平伏を解き、控えめに頭を振った。

「いえ。実は先頃、柴田の娘御たちを庇護いたしまして」

柴田勝家に実の娘はない。妻——信長の妹、かつて浅井長政《ながまさ》の室だった市の連れ子である。

秀吉が「おお」と目を見開いた。利家は右後ろに控える家臣に向いて「これ」と促す。

やがて三人の姫が導かれて来た。利家に「ご挨拶を」と促され、それらが頭を下げる。長女の茶々《ちゃちゃ》は齢十五、次女の初《はつ》は十四、三女の江与《えよ》は十一だという。

「お三方は信長公の縁者ゆえ、秀吉殿のお手に任せるべきかと存じまして」

秀吉はなお「おお、おお」と感嘆の声を漏らしていた。初と江与が、かわいらしい声で「よしなに」と返す。だが、ひとり茶々だけは、すっと頭を上げて違う言葉を向けた。

「かつては我が実の父、此度は養父を討ち、さぞやご満足でしょう。わたくしは決して筑前殿の世話になどなりませぬ。今日は怨敵の顔を見に参ったまで」

利家が青い顔で、囁くように「茶々様」と叱責した。三成とて息を呑んだ。今の秀吉にこれだけのことを言ってのける者など、どこにいる。

だが、美しい。秀吉を睨み据える目元には一重の瞼が凜と引き締まり、顔は形も色も卵のようであった。かつて石田家が主と仰いだ浅井の姫かと思うと、身に痺れすら覚える。眼差しを送り続けていると、つるりと白い頬が小刻みに震えているのが分かった。奥歯を嚙み締めている。三成はいくらか安堵した。やはり茶々も恐れているのだ。

秀吉は面持ちに陶然としたものを浮かべ、何と主の座にありながら平伏した。

「いやさ、まこと茶々殿は市様に生き写しじゃ。このとおり、分かってくだされい。わしとて好きこのんで長政殿や勝家殿を討った訳じゃにゃあて」

柴田はさて置き、浅井長政は信長の命によって討たねばならなかった。そのことは茶々とて承知しているのだろう。いったんは目を吊り上げながらも口を噤《つぐ》んだ。

「奉公人の辛いとこじゃ。な？　じゃから、せめて、そなたらを守らせてくれんか」

再び顔を上げた秀吉を見て、茶々は厳しい面持ちのまま含み笑いを漏らした。

「筑前殿にとって、わたくしたちは主筋です。無礼は許しませぬぞ」

利家が家臣に向き、小さな掠れ声であたふたと命じた。

「もう良い、お連れせよ。早う!」

家臣も取り乱した風で、すぐに三人を連れて下がる。秀吉は少しぼんやりと発した。

「良う連れて来てくれた。加賀《かが》一国、又左殿に任せる」

「は……はっ」

利家は額に冷や汗を浮かべながら平伏した。二人の間柄は今日この時より主従に変わった。

四ヵ月余が過ぎ、天正十一年の十二月も末となった。

羽柴と織田の主従が逆転したことは今や誰もが認めている。だが信長の次子・織田信雄だけはこれに抗い、東国で争う徳川と北条を仲裁したことを声高に喧伝して、自らの重みを示そうと躍起になっていた。このままでは自らの立場がないと考えたか、或いは既に織田家が織田家でなくなったのが分からないのか。どちらにしても秀吉に対抗する動きに他ならない。

捨て置けば火種になる。去る十一月、秀吉は信雄に安土城からの退去を命じた。当主・三法師の意を阻むべからずという名目だった。そして年の瀬、今度は翌年の新年である。大坂にある自らの許に、ではない。三法師に、参賀を命じた。

大坂城は仮普請で、ようやく完成を見た本丸御殿の北側では未だ天守を築いている。賦役衆の掛け声が届く中、黒田孝高が左足を引き摺りながら広間に入った。三成はいつものように秀吉の右前に侍している。

頭を下げたかと思う間もなく、黒田は渋面で発した。

「信雄殿に新年参賀をお命じあったとか。お諫めせねばと参上仕った次第」

秀吉は「そのことか」と頷いて応じた。

「ならぬと申すか」

「下策にござる。形の上では未だ主家筋、しかも信雄殿は……」

口を濁す。続くはずの言葉は容易に察しが付いた。信雄は父の信長でさえ凡夫と認めた男ではないか、と言いたいのだ。

黒田は「ふう」と息をついて続けた。

「徳川と北条の仲裁云々は家中の者の進言に従うものでしょう。されど信雄殿は、これで両家に貸しを作ったことになる。煽り立てれば大国のどちらか、下手をすれば両方を敵に回した戦になりますぞ」

秀吉は呆れたように返した。

「承知の上でやっとるんじゃ」

信長横死の後、徳川と北条は信濃と上野《こうずけ》を奪い合っていた。仲裁を受けて和議を結んだ今、時を与えては双方とも力を増す。今のうちに、というのは分かるのだろう。

黒田は渋い顔だった。

秀吉は、にんまり笑って返した。

「大事ない。信濃にゃ真田昌幸《さなだまさゆき》ちゅうのがおってな」

三成はぴくりと口元を動かした。自らの妻の姉が嫁いだ男で、会ったことはないが形の上では義兄なのだ。秀吉はそれを承知しているだろうに、とぼけて続けた。

「あの武田信玄《たけだしんげん》の秘蔵っ子て聞くでな、切れ者なんじゃろう。こいつが、しょっちゅう主家を変えちゃあ大国を振り回しとるんよ。今んとこ徳川の下じゃが、いつ寝返るか分からん。そういうのを抱えとっては、家康殿も和議に胡坐《あぐら》をかいてはおられんわい」

「ならば信雄殿と徳川・北条両家の仲を裂いては如何でしょう。信雄殿に寛典を垂れ、主家筋と持ち上げてやれば、取り込むのは容易にござろう。その上で潰せばよろしいかと」

黒田は、こちらを一瞥して続けた。

「そこな三成の進言で近江に棹入れを致しましたろう。信雄殿を丸め込む間に、これを他の領国にも広げれば、我らは政《まつりごと》の実をも上げられます」

話の矛先を向けられ、三成は違和、或いは心の軋みとでもいうものを覚えた。高松城の水攻めに抱いたのと似た感覚である。あの時、黒田は土地を荒らすことをどう思っていたのか。領民に苦労を強いた上で恩を施すつもりだったのなら、ちぐはぐに過ぎる。

（あ……）

心中の軋みが大きくなり、ぴしりと割れて向こうが見えた。戦とは――。

秀吉が大きく溜息をつき、右手の扇子でぽんぽんと膝を叩いた。

「官兵衛、待てや。撫でてやりゃ喜ぶ阿呆と、引っ叩《ぱた》かにゃ分からん阿呆がおるじゃろが」

三成は我に返り、心中に大きく頷いた。愚物なればこそ、信雄は寛容を以て押さえ込める相手ではない。同じく秀吉に敵意を抱く者でも、宥められて退いた姫――女の身たる茶々とは違う。尾張と伊勢の兵で戦に訴える力を持つ、男の身なのだ。

（政の実……か。それを言うなら）

先んじて戦を構え、火種が小さなうちに消すに如かず。戦とは、形を変えた政の姿なのだ。

「蒙昧《もうまい》は早々に叩くがよろしいかと」

三成の小声を聞き、黒田が目を剥いて語気を荒らげた。

「政で功ありとて、羽柴の戦に口を挟むとは僭越ぞ。黙っておれ」

三成は黙って頭を下げた。口許には軽い冷笑が浮かんでいた。

黒田は秀吉に向き直って声を張った。

「信雄殿が殿を『主家簒奪の逆賊』と唱えれば、信長公第一の盟友であった徳川には戦の名分が生まれます。きっと信雄殿を呑み込むつもりで手を貸しましょう。むしろ我らこそ信雄殿を取り込んで潰し、足許を磐石《ばんじゃく》になされよ。さすれば徳川と北条には戦わずして勝てまする」

秀吉が、くすくすと笑いを漏らした。だが目は笑っていない。猛々しく光っている。

「主家簒奪の逆賊か……。上等だがや！　背かれる奴が悪いんじゃい」

一喝が飛び、黒田が息を呑んだ。臣下は主家と一蓮托生《いちれんたくしょう》、だからこそ暗愚な者を戴いている訳にはいかない。謀叛される側が悪というのは乱世の通念であった。

「官兵衛よう。信長様ご生涯の折、おみゃあ言うたろう。わしの道が開けたんじゃと。わしゃ、あれで信長様の天下布武を継ぐ気になれた。己の忠義は胸の中に置いとけって、肚を決めたんじゃ。おみゃあが今言うとることは、わしの義を引っ張り出して道具に使え、ちゅうこっちゃ。言語道断、下の下策ぞ」

威儀を正して発せられた言い分に、黒田もついに押し黙った。秀吉はそれで、ようやく声音を落ち着けた。

「分かったか。織田を呑み込むのが先じゃ。徳川も北条も後回しでええ」

三成はごくわずかに頷いた。

（そのとおり。義に非《あら》ず、大義である）

秩序を以て世の乱れを糾す——思い定めた我が道は、まさにここに通じていた。

＊

織田信雄は、果たして新年祝賀に参じず、徳川家康と結んで天正十二年（一五八四年）三月七日に兵を挙げた。

秀吉は実に周到であった。三月十三日、信雄領の尾張小牧山《こまきやま》城に家康が着陣するのを待ち、先んじて語らっていた織田譜代の重臣・池田恒興を寝返らせる。そして小牧山の喉元、北方わずか十五里の犬山《いぬやま》城を奪わせた。秀吉は、かつて信長の下で何度も家康と共に戦っている。手強さを知るだけに、息をつく間すら与えぬ構えだった。

しかし三月十五日、やはり織田譜代の森長可《もりながよし》が犬山からやや南の羽黒《はぐろ》に陣張りすると、家康は間髪を容れずにこれを襲って敗走させた。真の敵は、やはりこの男である。

「出陣じゃあ」

三月二十一日、秀吉は三万を率いて大坂を発った。三成も馬廻に従う。以前と違い、主君の馬印を持つのではなく、自身も馬を使うようになっていた。行軍の最中、三成は秀吉の背に小声を向けた。

「今からでも、黒田殿に参陣をお命じあった方が良いのではございませぬか」

秀吉は、どこか嘆きを湛えたような声で返した。

「じゃがのう……。まあ良いわ。家康め、きっとわしの留守を衝こうとして手を回しとるじゃろうし、官兵衛には大坂を万全に固めてもらうわい」

四日後、岐阜に入ったところで注進があった。秀吉の見通しに違わず、家康は紀州《きしゅう》の地侍・雑賀衆《さいかしゅう》と根来衆《ねごろしゅう》、四国の長宗我部《ちょうそかべ》元親《もとちか》に大坂を窺わせていた。

三月二十七日、秀吉が犬山に到着した。この頃には既に、敵味方とも数々の砦と土塁を築き上げていた。どこかが襲われれば必ず周囲から援兵を呼び込めるように配置されている。互いに手の出しようがなくなってしまい、秀吉は頭を抱えた。長陣を布いて睨み合うばかりでは、織田譜代の重臣に寝返りが出るやも知れぬ。

「参った。戦の動かしようがない」

三成はすまし顔で発した。

「官兵衛がおったらのう、ですか」

「嫌な奴《やつ》っちゃな」

渋い顔である。ならば、と応じた。

「それがしが大坂に戻り、策を問うて参りましょう。早馬を飛ばせば四、五日で戻れるかと」

「おみゃあ、あいつ嫌いじゃろ」

「もちろんです。が、高松の水攻め、それに山崎での明智との戦いで、黒田殿の戦には感服もしておりますれば。戦なら全てお任せできると存じます」

天下を、つまり先々の政をも見据えた戦である。勝たねば意味がないのだ。黒田がそれを解しておらずとも構うことはなかろう。そう考えて発すると、秀吉は「おっ」と目を丸くした。

「そう思うか。なら頼むわ、行って来い」

主君の命を受けて大坂に舞い戻ると、四月一日、三成はその足で留守居の黒田を訪ねた。

「何とぞ、尾張での策を賜《たまわ》りたく」

平伏する三成に、黒田は少し面食らったようである。しかし秀吉に頼られたことには喜びを示し、すぐに「地図はあるか」と応じた。三成が広げた戦場の図をさらりと見て、黒田は「ふふ」と笑った。

「この上ない囮《おとり》があるではないか」

傍らに置いた杖を取り、その先で個々の砦を示してゆく。

「ここと、ここ。ここも備えを厚くせい。その上で」

犬山から南に五里の地を示す。

「楽田《がくでん》に殿が進んで小牧山を攻め立てれば、敵の目は釘付けになる。その隙に」

すっと杖を動かし、東の外れを指した。尾張と三河の境である。

黒田は言う。徳川軍は駿河《するが》・遠江《とおとうみ》・三河の兵を根こそぎ掻き集め、やっと三万を整えたのに相違ない。混乱の続く甲信《こうしん》から易々と援兵を出せぬ以上、狙うは一点だと。

「我らは総勢八万、そのうち二万も割き、密かに手を回して三河を叩く。徳川はたちまち窮しような。上手くすれば一気に滅ぼせるやも知れぬ」

三成は深く謝辞を述べ、尾張へと取って返した。そして四月四日の晩、犬山城に戻って復命する。秀吉は驚いたような、喜ばしいような顔であった。

「官兵衛もそう言うたか。いやさ、羽黒で負けた恥を雪《そそ》ぎたいちゅうて、恒興と長可が同じ策を言うてきたんじゃ。奴らの策だと頼りにゃあが、官兵衛も同じなら心強いわい」

秀吉は翌朝から密かに二万の兵を整え、四月六日早暁、自らの甥・秀次《ひでつぐ》を大将として三河に進発させた。そして四月九日、黒田の策に従って、敵の目を引くために小牧山城を攻め立てる。

だが――。

「申し上げます！　秀次様が二万、徳川に襲われ四散したとの由にござります」

伝令によれば、秀次は長蛇の行軍をしていたそうだ。実に前後十里に亘る長さで、四つに分けた隊の第一陣と第四陣が違う村を進むような有様だったという。しかも少し進んでは休みを繰り返し、未だ三河との国境も越えていなかった。結果、泥田の如き長久手《ながくて》の地で徳川方に襲われて兵を損じたばかりか、池田恒興と森長可を討ち死にさせてしまった。

「あの阿呆め……」

秀吉は、きい、と裏返った叫びを上げて何度も膝を叩いた。そして満面を怒りの朱に染め、矢継ぎ早に下知を飛ばした。

「三成、吉継！　すぐに動く。二万を整えい。吉継は清正と正則、嘉明に声かけて手伝わせろ。三成は逃げて来た奴らを捉まえて家康の居場所を探れ。兵糧と矢玉も忘れるでにゃあぞ」

三成と吉継はこの剣幕に押され、弾かれるように本陣を出た。

急遽《きゆうきよ》整えられた二万は昼過ぎに楽田を離れ、夕刻には庄内《しようない》川を渡った。小牧山城の東南二十里ほどで、長久手への道のりを半分以上過ぎている。半日足らずでここまで行軍できるのに、長久手まで三日をかけたとは、秀次には気の緩みがあったとしか言いようがない。策を示した黒田こそが別働隊を率いていたら、全く違う結末だったのではないか。

三成は敗走した兵を捉まえては徳川軍の動きを聞き出し、まだ長久手からそう離れていないことを突き止めていた。なお人を遣って探らせると、家康は那古野《なごや》城の北東八里、小幡《おばた》城にあることが分かった。秀吉はこれを聞くと、小幡城まで三里ほどの竜《りゅう》泉寺《せんじ》城に入り、翌朝の総攻めを決めた。

もっとも家康はこれを察したか、夜のうちに小牧山を指して引き返していた。

「糞ったれ。すぐに戻る」

秀吉は、今度は青くなった。何しろ敵は楽田に秀吉がいないと知っている。一気に兵を向けられて本隊まで蹴散《けち》らされたら、こちらこそ孤立してしまうだろう。焦燥を胸に取って返すと、徳川方にも激戦の疲れがあったのか、幸いにも楽田の陣は無事であった。

そのまま四月末を迎えた。秀吉は楽田から犬山城に退き、膠着《こうちゃく》した戦に苛立って日々を過ごしている。とある昼過ぎ、三成は秀吉に目通りした。

「左様に苛々しておいでデは、皆が離れて行きますぞ」

「やかましい。わしゃ戦で頭が一杯なんじゃ。やっぱり、初めから官兵衛の言うとおりにしとけば良かったかのう……」

「何を仰せられます。織田を呑み込み、徳川に時を与えず、果ては天下を治めるためにご出陣なされたのでしょう」

声を大にした三成の姿に、秀吉は「珍しいものを見た」という目を向ける。そして、やや気を落ち着けて返した。

「おみゃあに説法を受けるとは思わなんだわい。じゃが手詰まりよ」

「いいえ。今こそ戦を動かすべきかと。加賀の前田利家様に越中攻めをお命じなされませ」

そして一通の書状を手渡した。秀吉はさっと目を通し、驚いて顔を上げた。

「上杉が……助けてくれると？」

上杉景勝の越後はこの時、越中の佐々成政《さっさなりまさ》に攻め立てられていた。それゆえ信濃から徳川の背を窺うことができずにいると綴られている。

「おみゃあ、ずっと上杉とやり取りしとったんかい」

気恥ずかしいものを覚え、三成は少し俯いた。

「それがしの、初めての大役にござりましたゆえ」

気持ちは分かるらしく、秀吉は大いに笑った。

「何を言うとる。こりゃ手柄じゃ。佐々を叩いてやりゃあ上杉が動ける。……そうか、官兵衛の策を奪いよったな」

搦《から》め手から徳川を脅かすやり方は、如何にも黒田の策そのままであった。しかし自軍のみを頼りにした黒田と違い、外の味方を動かすやり方である。秀吉はそこを賞した。

「官兵衛は戦にゃ滅法強いが、寝技ではおみゃあの方が上かも知れんわな。良かろう。又左に文を飛ばしておく」

秀吉の策はこれに止まらない。小牧山よりずっと西、木曽《きそ》川沿いの加賀野井《かがのい》城、奥《おく》城、竹《たけ》ヶ鼻《はな》城を次々と攻め落として回った。敵の旗頭・織田信雄の伊勢長島城を攻めると匂わせ、徳川軍をなお尾張の懐深く誘き出すためであった。

だが家康はこれらの城攻めにも様子見を決め込み、秀吉の挑発に乗らなかった。相当に用心深く、目端の利く男と思われた。前田利家が越中を襲うにも今少しの時がかかろう。如何にしても戦は動かなかった。

六月、竹ヶ鼻城に入った秀吉は、こともなげに言った。

「こりゃあかん。もう大坂へ帰る」

「されど、織田家譜代の皆様の目がござりますぞ」

眉をひそめた三成に、秀吉は「なあに」とほくそ笑んだ。

「伊勢を攻めると見せかけても家康は動かんかった。奴の腰が重いと知りゃ、譜代の衆も信雄殿に付くのは心許《こころもと》ないじゃろ。信雄殿も、そのうち戦を投げ出すわな」

六月、秀吉は大半の軍をまとめて大坂に戻った。以後の両陣営は尾張、美濃、伊勢、能登《のと》で周囲各国を巻き込んで争ったが、どれも小競り合いの域を出なかった。

そして五ヵ月、十一月を迎えた。大坂城本丸は、この八月にひとつとおりが完成していた。三成は黒漆塗りの文箱を手に、天守にある秀吉の居室を訪ねる。全ての襖に金箔を張り込んだ部屋は、日が翳《かげ》る頃合になっても輝いて見えた。

「信雄殿より書状にございます」

秀吉は「来たか」と腰を浮かせ、いそいそと文箱を開けた。中を検め、満足そうに言う。

「あの阿呆め、まんまと和議に乗りおった」

信雄は噂に違わぬ凡物であった。六月に落とした三城で伊勢長島を睨まれ、長陣を強いられて恐れを抱いたのだろう。こちらから和議を持ち掛けると一も二もなく応じた。家康も戦を続ける名分を失ったことになる。秀吉は安堵の溜息をついた。

「戦はわしの負けじゃが、勝負には勝った。信雄の阿呆も、もう逆らわんじゃろ。家康もしばらくはおとなしくなろうて」

そして、ぎらりと目を光らせた。

「その『しばらく』を命取りにしたるわい」

荒々しい胸の内を隠すことなく、秀吉はげらげらと笑った。

＊

天正十三年（一五八五年）二月初頭、三成は近江坂田郡にあった。琵琶湖岸を北へと進む百人ほどの兵を先導し、後ろに続く一騎を向いて馬上で指差す。

「向こうに見えるのが長浜城にございます」

続く馬には羽柴秀長がある。その胸に抱かれた三法師が、はしゃいだ様子で問うた。

「すごい。水に浮いているのか？」

秀長が笑って応じた。

「城を水に浮かせることは、とても。あの辺りまで浜が出張っておるのです」

三法師はなお目を輝かせていた。織田の当主となって二年半余り、六歳になっている。これまで安土城にあるばかりだったが、そろそろ領内を見て回っては、という秀吉の勧めもあって巡察に出ていた。この地に詳しい三成が案内役である。

「秀長様」

三法師が子供らしい声音を発した。秀長は苦笑を湛えた。

「様、は余計にございます」

「でも秀吉様の弟なのでしょう。秀吉様は、すごいな。また戦に勝ったと聞きました」

歳相応の感慨だろうが、六歳で世の動きの一端に興味を示す辺りは利発そうな子である。ゆえに、三成は胸中に苦いものを覚えた。秀吉は織田の天下を奪うべく動いている。三法師がこれを分別する歳になったら、どう思うだろう。先の戦で負けたのが自らの叔父だと知って、平らかな心でいられるのだろうか。

「秀吉様も安土に来てくれたら良いのに」

「兄に、左様お伝えいたします」

三法師の口から「秀吉様」と聞いて、思った。この子は秀吉の方が主君だと思っているのだ。戦乱とは斯くも無情なものである。そうしたことを繰り返さぬため、この子には今のままの素直な心根で長じて欲しい。そして羽柴の天下を認めてくれたら、どれほど嬉しいだろう。

（……否とよ）

自らの手にあるものを奪われて、黙っていろとは虫の好い話か。だが、この無邪気な子を火種にはしたくない。何か、己にできることはないだろうか。三成は手綱を引いて馬首を半分ほど返し、笑顔を作って見せた。

「三法師様。夏を迎えたら、鷹狩りをなさってみませぬか」

「それは何だ？」

「大きな鳥に、小鳥や獣を獲らせるのです。領内をご覧になりながら、体も強く鍛えられますぞ」

四千石の知行を得てから嗜《たしな》むようになった、三成の趣味である。秀長が顔を綻ばせた。

「それは良い。其方が指南して差し上げよ」

「面白そう。三成、きっとだぞ」

眩しい笑みに、三成も「お約束いたします」と微笑んだ。今度は作り笑顔ではなかった。真心を傾けてこの子を見守り、また、秀吉に従う我が姿を見せていこう。それしかできぬが、何よりも大事なことだと思えた。

この頃、天下の情勢は束の間の安定を見ていた。甲信に動乱が続いている――小牧・長久手の戦いの折に秀吉が掻き回したのだが――ため、家康もまずはそちらを落ち着けたいようである。ここで秀吉は次の手を打った。

二月末、大坂城に使者が上がる。三成は秀吉に侍し、共にこれを迎えた。

「しばらくのご無沙汰、まことに申し訳なきことにござりました」

高価な畳を敷き詰めた広間の中央で、剃髪した頭が平伏した。秀吉に促されて面を上げると、目鼻立ちのはっきりした四角い顔である。安芸安国寺《あきあんこくじ》の住持にして西国の雄・毛利輝元の智嚢、恵瓊《えけい》であった。秀吉は「ひひ」と笑いながら三成に向いた。

「この恵瓊は悪党でのう。信長様ご生涯の折、官兵衛と企んで、わしに天下を取れと唆《そそのか》した奴じゃ。あの大返しができたのも、こやつが毛利を押さえ込んでくれたからよ」

恵瓊は「お口の悪いことで」と笑っている。しかしその眼差しには、確かに只ならぬ光が見え隠れしていた。

「して此度は？　先の件、決まったんか」

期待を込めた秀吉の目に、恵瓊は静かに頷いた。

「毛利から人質をお出しすること、取りまとめて参りました」

「よっしゃ！　なら、すぐに頼みがあるでよ。紀州の雑賀と根来を成敗するゆえ、毛利からも兵を出してくれ。その次は四国の長宗我部じゃ」

「毛利の領国は、如何様に差配なされるおつもりで？」

恵瓊の問いに、秀吉は頭を掻いた。

「そこは、恩もあるからの。安堵いたす」

「然らば、必ずお味方仕るように申し伝えます」

紀州攻めと四国攻めの詳しくは追って指示するという。恵瓊は人質の名を告げ、秀吉と二言三言の雑談を交わすと、丁寧に頭を下げて広間を辞した。

秀吉は静かに発した。

「毛利も降った。これからは織田家中だけじゃにゃあで、降ってきた奴らも使って戦をせにゃならん。兵糧だの矢玉だのも、手間がかかるわい」

三成は居住まいを正した。秀吉は面持ちを厳しく改めて続ける。

「じゃが、おみゃあには頼まん」

口がぽかんと開いた。あまりにも意外であった。心中が、ざわざわと波立つ。

「何ゆえです。それがしの裏方を、殿はお認めくださいましたろう」

秀吉は大きく頭《かぶり》を振った。

「認めるからこそよ。考えてもみい。わしの下に付いたちゅうても、毛利やら上杉やらは、羽柴とは検地も年貢も違うんじゃ。紀州と四国の戦は、それぞれに輜重を任せる。おみゃあは、まず外から見とけ」

——そうであった。天下を取るために力を増せば、何もかも大きく変わるのだ。戦も同じで、兵の数が増え、それらが駆り出される国もさらに広範に亘るようになる。戦ならば各国に検地を進め、国ごとの情勢や作況を摑まねばならない。商人との繋がりも必要となるだろう。

「それが天下の政であると」

「おうよ。わしゃ昔から、こういうのが苦手でな。戦のたびに弟に泣き付いとった。じゃが小一郎より、おみゃあの方が向いとる気がする。じゃから、まずは見るんじゃ」

「承知仕りました」

大任である。意気に感じて深く頭《こうべ》を垂れると、秀吉は「ついては」と気の抜けた声を続けた。訝しんで「はい」と頭を上げると、やに下がった顔が向けられた。

「おみゃあは頭がええでよ、見て考えるだけじゃあ手が空くわな。そこでひとつ、茶々を説き伏せてくれんか。わしの側室になれってよ。な？　わしゃ昔から、茶々の母御の市様にぞっこんじゃった。生き写しの娘を是非に抱きたい。後生だがや」

手を合わせて懇願する。三成は呆れながらも「はい」と頷いた。

大坂城本丸が完成した折、浅井の姫たちも安土から移り住ませていた。それゆえ、いつでも会うことはできる。だが秀吉に「無礼は許さぬ」と啖呵《たんか》を切った茶々を説得など、できるのだろうか。まずは話さねばどうしようもない。数日後、三成は秀吉の許しを得て、女たちの住まう本丸御殿の一角を訪ねた。

「殿のご下命により罷《まか》り越しました。石田三成にござります」

障子越しに「どうぞ」と聞いて部屋に入る。入り口は開け放ったままにして置いた。

「何用です」

粗方は察しているのだろう、突《つ》っ慳貪《けんどん》な態度である。三成は「えい」と思い切って発した。

「殿に於かれましては、茶々様をご側室にと――」

「お断りします。何ゆえ、わたくしが臣下の慰み者になど」

けんもほろろ、とはこのことか。だが「臣下」のひと言で思うところがあった。

「それがし先頃、近江にて三法師様のご案内役を務め申したのですが」

茶々は少しだけ眼差しに明るいものを灯した。近江は浅井の故地である。

「三法師様が仰せられるのです。秀吉様、秀吉様と」

「わたくしにも同じように諂《へつら》えと申すか」

また気分を害したらしい。三成は、ゆっくりと首を横に振った。

「三法師様は、ただ秀吉様のお力をお認めあるのみ」

「さりとて秀吉殿は、三法師殿にとっても臣下――」

「力なき者が、力ある者に従って何がおかしいのです」

語気を強める。少しの間を置いて静かに言い添えた。

「秀吉様は必ずや、天下を正しく治めてくだされます。及ばずながら、それがしも力を尽くす所存にて。茶々様や三法師様のような、憂き目を見る者がなくなるように」

茶々は何も言わない。面持ちには悲しい色が濃く浮き出ていた。自らの身の上を嘆いているのだろう。それも良い。しかし、と眼差しで語った。

あなたは生きているのだ。動乱の時を生きる以上、受け入れねばならない。

「あるがままを受け入れず、目を背けて生きれば、生涯を不幸のうちに終わるしかないのです。茶々様のお父君……信長公の義弟でありながら、背いて滅びを迎えた浅井長政様のように」

「無礼者！」

峻烈な怒声が飛ぶ。しかし怯むことなく、真っすぐに目を向けた。

「我が石田家は、かつて浅井家中の小者にござった。主家が乱れれば、下にどれほどの皺寄せがあるかをご存知でしょうや」

すると先の剣幕は消え、茶々はしおらしく俯いた。分別のある、良い姫君である。

「恨み言を申しているのではございませぬ。自らを滅ぼすのみなれば、意地を通すのも良いでしょう。されど人には必ず、自らに連なる者がいる。その者たちのことを思われませ」

三成はひとつ平伏して立ち去った。

＊

三月二十日に始まった紀州攻めは、一部に抗う者を残しながらも、概《おおむ》ね一ヵ月で終わった。如何にしても相手は雑賀と根来の地侍、織田家中を完全に握った秀吉の敵ではなかった。

六月からは四国征伐が始まったが、戦の最中の七月十一日、秀吉に関白《かんぱく》の位が下賜《かし》された。朝廷が天下人だと公認したに等しい。織田家中は、完全に羽柴家中へと変わった。

「まことにめでたき次第にて。これより『殿下』とお呼びできますこと、お慶《よろこ》び申し上げまする」

三成が平伏して祝辞を述べると、秀吉は満面の笑みで身を震わせた。

「まだ、その『殿下』ちゅうのは、こそばゆいのう。それより三成、どうじゃ。大軍の輜重、賄い方は見えてきたかや」

平伏を解き、居住まいを正した。

「はい。まずは和泉の堺、備前の岡山、筑前の博多《はかた》、これらの商人を我らが下に従わせるが肝要かと。殿下のお名前で商いを賑わし、商人の益を守りつつ、地子《じし》のありようを改めて恩を施すが早道でしょう。戦のみならず、民を潤し、上納の銭を増やすことにも繋がります」

秀吉は「うん、うん」と頷きながら聞き、また問うた。

「戦場の兵糧と矢玉、拙《まず》いとこは？」

三成は「大いに」と溜息交じりに発した。

「そも輜重番に任じても功を認められぬため、どの陣も人の割り当てが少なく、役目への意気込みも薄うござります。手を抜いた働きの末、元々が足の遅いところに輪をかけて遅れを生み、道中で余計な糧秣《りょうまつ》を使って無駄が大きくなる始末です。個々の大名が輜重を連れるのも、各々の陣に兵糧の届く、届かぬの差ができて、よろしくありませぬ。裏方も功なりと賞してやり、かつ大軍を動かすに於いては輜重を本陣付きでひとまとめにするのが良いのでは」

秀吉はこの上なく嬉しそうに顔を紅潮させた。

「そうなんか。いやさ、良くぞ見抜いた。良くぞ考えた」

そして胸を張り、威儀を正す。

「石田三成。其方を従五位下《じゆごいげ》、治部少輔《じぶのしようゆう》に任ずる」

大名並みの処遇に恐縮し、三成は「はっ」と平伏した。秀吉の裁定で叙任を許されたのは、他に加藤清正の主計頭《かずえのかみ》、福島正則の左衛門尉《さえもんのじよう》、加藤嘉明の左馬助《さまのすけ》などであった。裏方の任も多い浅野長政は弾正少弼《だんじょうしょうひつ》、大谷吉継は刑部少輔《ぎょうぶのしょうゆう》である。全てが槍働きの者と同じ従五位下だった。

「裏方の功、示したことになるかや」

「有難き思し召しにござります」

「先の話を聞いて思うた。おみゃあには、天下の政を動かす力があるわい。以後、常にわしの側におれ。水口の城代を免じ、美濃に知行を遣わす」

「天下の政を」

顔を上げる。呆然と発した言葉に、当然とばかりの笑みが返された。

「検地の話ん時によ、思うたんじゃ。こいつにゃ戦乱の世を変えるだけの智慧があるかも……とな。わしにゃあ、そういうのはできん。じゃから、代わりにやれ。おみゃあの政、関白の名で世に布いてやるわい」

分を超えた任ではないのか。喜びよりも恐ろしさが先に立つ。だが己の知る限り、秀吉の人を見る目が曇っていたことはない。これが我が道なのだ。三成は腹に力を込めた。

「しかと承りました。つきましては、まず検地の済んだ地に掟書を発したく存じます」

「おう、やれ。わしの名で、無理やりにでも百姓と国衆を従わせてやる」

両手を拡げて「ほれ、ほれ」と持ち上げるように動かし、煽り立てる。威勢の良さは関白になったとて変わるものではない。しかし三成は、大きく首を横に振った。

「いいえ。なりませぬ」

「何じゃい、そりゃ」

背を押された如く前のめりになった秀吉に、三成は毅然として返した。

「まずは力、信は後から付いて来るものだと仰せられたでしょう。然るに殿下は未だ、日の本の全てを握ってはおられませぬ」

無理を通せば横暴と取られる。ちくりと刺すと、秀吉は不満げな目を見せた。

「天下人ちゅうのは、そんなに窮屈なんか。いやまあ……信長様でさえ謀叛やら一揆やらは抱えておられたからの、分かるつもりなんじゃが」

「恐れながら殿下は信長公の小者から立身され、一代で天下人となられました。巷間の妬み、やっかみも向けられるかと」

「言うことを聞かせられにゃあなら、何のための関白かや」

大層つまらなそうな主君に、三成は改めて平伏した。

「それでも、背く者には厳しく臨まねばなりませぬ。そこに生まれる恨みや妬みは、この治部が代わって受ければ良いかと。繰り返し申し上げますが、日の本の全てを握ってはおらぬのです。今、殿下に瑕《きず》が付かば羽柴の天下はおしまいですぞ。肝にお銘じくだされ」

全てを聞き、秀吉は呆れ声を出した。

「吉継も言うとるが、おみゃあ横柄じゃのう。わしにそこまで直言する家臣なんぞ、他におらんわ」

「恐れ多きことにござりますが」

くすくすと、笑い声が聞こえた。

「じゃが正しいわい。良かろう、どうやるか知らんが、わしの泥除けを命じる」

秀吉はまた、底抜けに陽気な笑い声を上げた。

第二章　決意

一　惣無事令

　長宗我部元親の降伏を以て四国攻めは終結し、天正十三年八月、秀吉と四国攻めの総大将・羽柴秀長を中心に四国の国分が行なわれた。これらの差配が行なわれている間、三成は先に進言したとおり、掟を発布するため近江に赴いた。秀吉の蔵入地《くらいりち》の代官を命ぜられていたからだ。

　大坂に戻ると、秀吉が興味深そうな顔で迎えた。

「おう治部。どうじゃった」

　三成は「はっ」と会釈して応じた。

「百姓衆は皆、喜んでおりました」

　掟書はまず三成の裁量が及ぶ地に発し、様子を見て手直しの上、他の地に広める。

　年貢や賦役の取り決め、農村の統制に関することが大半で、総じて百姓を守る代わりに規律を受け入れさせるというものだった。年貢と言えば公民で収穫を折半するのが通例だが、臨時の取り立てや地侍への上納を差し引けば、百姓の手には当初の三割も残らない。そこで三成は年貢を三分の二と定め、代わりに臨時の徴収を廃した。また田畑の持ち主を検地帳に名を記した者——百姓本人とし、地侍の取り分を禁じている。

「切り詰めながらでも確かに食っていけるなら、百姓衆も精を出しましょう」

話を聞いて秀吉は大きく頷いた。

「精を出しゃ、米もなお多く取れる。そうなりゃ、わしらの取り分も増えるがや」

「初めは少し目減りしましょう。されど殿下のご威光に服す地は広うござれば、政や戦に障るほどではございませぬ」

賦役は千石につき一名、それも夫に死なれた後家や年寄りだけの家は免除した。米を測る枡も統一し、百姓が正しく三分の一を取れるように計らう。隣村と水の手や土地の諍《いさか》いがあれば、これまでのように自力で、つまり戦って解決することを禁じ、領主が裁定するように定めた。下官が百姓に不正を働いた場合は直訴も認める。こうした庇護と同時に、村々の働き手を確保するため、百姓が他へ移り住むことを禁じた。加えて、掟に背く者が出ないよう、十人ひと組で相互に見張り合うよう命じた。

秀吉が思い出したように問う。

「地侍共は？」

三成は顔色ひとつ変えずに応じた。

「さすがに不満そうでしたが、これも障りないでしょう。それらの者に禄を出して抱えるよう、兄に頼んでおきました。百姓に掟を守らせるだけでも、今の石田家中では手が足りませぬゆえ」

日頃は秀吉の側近として大坂に詰めているため、知行地や代官地の切り盛りは兄・正澄に任せている。ひととおりを聞くと、秀吉は満足そうに何度も頷いた。

「全て抜かりなし。あとは、この掟がどれだけ利くか見ればええ。まずは良うやった」

そして、俄《にわか》に面持ちを引き締める。

「時に、こないだ豊後《ぶんご》の大友宗麟《おおともそうりん》が文を寄越してきよった。島津《しまづ》に攻められて苦しいんじゃと」

「殿下の麾下に参じると？」

三成の問いに、秀吉は頭を振って「ひひ」と笑った。

「助けてくれ、ちゅう話だけじゃ。が、こりゃ面白いわい。大友と同じで島津に押されとる奴は多いでの。そこで、おみゃあの掟書を捻って考えた。惣無事《そうぶじ》、ちゅうのを九州に発してやる」

大名同士の戦いを禁じ、関白が仲裁するという案である。百姓の争いを禁じて領主の裁定に任せるという掟を大きくしたものだ。秀吉に「どうだ」と問われ、三成はすぐに頷いた。

「良案かと。これに従って戦いを止める者は、殿下に臣礼を取ったに等しいでしょう。逆に、従わぬ者は討伐せねばなりませぬが」

「そうか。そんなら、すぐに手配りせい」

天正十三年十月、秀吉の名の下に九州惣無事令が発布された。誰が従い、誰が背くか。しばし様子を窺うこととなる。

九州を除く西国を握り、その九州にも一石を投じると、秀吉は満を持して東を見た。小牧と長久手で戦った後、しばし捨て置いた相手——徳川家康である。昨年の戦いは、勝負という意味では勝ったが、戦では完敗した。ゆえに秀吉は十万の軍勢で蹴散らすと息巻いていた。

「愚策にござる。今や徳川は甲斐《かい》を鎮め終え、信濃も多くは落ち着けておるのですぞ」

十一月も二十日を過ぎたある日、黒田孝高が秀吉に目通りして諫言を吐いた。三成が主座に目を流すと、案の定、しかめ面であった。

「じゃがよ、徳川はこないだ真田に背かれて、戦を仕掛けた挙句に負けとるんじゃ。叩くなら今だがや。もたもたしとったら、何のために石川《いしかわ》を引き抜いたか分からんわい」

家康の股肱・石川数正《かずまさ》に調略を仕掛けたのは当の黒田であった。今や羽柴は徳川の戦い方を熟知している。それでもなお、黒田は渋面を横に振った。

「真田との戦で損じた兵は五千ほどに過ぎず。徳川は五ヵ国百五十万石の大身ゆえ、そのくらいの傷はすぐに塞ぎましょう。北条との間柄も悪くなく、死にもの狂いで抗うに相違ござらぬ」

「また負けるちゅうんか。そうならんように策を立てるのが、おみゃあの役目だがや」

やや色を作《な》した秀吉に、黒田は胸を張った。

「無論、負けませぬ。されど、勝っても我らが受ける傷は大きい。そこを北条に突かれたら何となさいます。先に発せられた惣無事のお達しにも障りがありましょう。島津には降れと言い、徳川には有無を言わさず戦を仕掛けるなど、道理が通りませぬ」

秀吉は「ううむ」と唸って口を噤んだ。

三成は思う。秀吉は情の豊かな人で、底抜けに明るく、喜怒哀楽を隠さない。それだけに時として感情が先に立つ。徳川との戦を望むのも、昨年の雪辱を思う気持ちが強いのだろう。

寸時の沈黙を、黒田が破った。

「ともあれ、徳川には戦わずして勝つのが最良です。そのための策なら喜んで」

戦わずして勝つ——小牧・長久手の前にも黒田はそう言った。現に戦はあの体たくであったし、策という意味では黒田の方が正しかったのかも知れない。だが三成には、どうしても釈然としないものが残った。

「徳川は戦で片付けねばなりませぬ」

三成の呟きに、黒田が鋭い眼光を向けた。

「また差し出口か。お主は戦を知らぬ。裏方の任に心を砕くべし」

ふと、左手から奇妙な気配を感じた。秀吉である。徳川を戦で片付ける——先の己の言い分が単なる追従《ついしょう》ではないと察しているらしい。

「黒田殿は天下惣無事の意味が分かっておられぬかと。矢止めを命じただけでは、戦はなくなりませぬ。関白殿下の布く秩序を受け入れるかどうかの見極めこそ大事にて」

「左様なことは分かっておる。島津に降を促しながら徳川を叩いては、二枚舌と勘繰られ、従う者も二の足を踏むと申しておるのだ」

三成は、すまし顔の口元だけ歪めて冷笑を浮かべた。

「やはり、お分かりでない。小牧の頃、殿下は関白に就いておられなんだが、誰が見ても天下人であられた。徳川はそこに弓引いたのだ。戦わずして勝つ、などという時は既に終わっており申す。鉄槌を下さねば、羽柴の天下に曖昧なものが残りましょうぞ」

黒田は「話にならぬ」と額に筋を立て、秀吉に向いた。

「どうしても戦をと仰せなら、それがしはまた大坂の守りに残り申す」

良く良くお考えあれ、と残して立ち去る。秀吉は「痛し痒《かゆ》し」というのを絵に描いたような顔をしていた。

数日が過ぎ、十一月二十九日の晩となった。三成は大坂城下北詰の屋敷で妻を相手に酒を含んでいた。ひとつ年上の妻は美女と言うほどでもないが、落ち着きがあり、気遣いのできる慕わしい女であった。

膳には三成が好んで食う韮《にら》が供されていた。出汁《だし》醬油《じょうゆ》で浸し、鶉《うずら》の卵を落としたものだ。韮は年中採れるものだが、旬にはまだ二ヵ月ほど早い。それでも嚙むほどに豊かな香気と甘みが湧き出で、卵の滋味と相まって身に染み渡るようである。空いた杯に銚子を傾けると、ちょろりと出て尽きた。肴《さかな》の旨さで酒も進んだか。

「もう一献、持って参れ」

命じると、妻は少し懸念を示した。

「ずいぶんとお過ごしあられますな。先頃、黒田様と言い争いになったとか」

幾らか苦笑して返した。

「そなたが案じることではない。これを食っている間は嫌なことも忘れられる。楽しい酒じゃ」

ほれ、と銚子を手渡すと、妻はようやく座を立った。

刹那――。

ドン、と尻の下から突き上げた。地鳴りがする。瞬く間に屋敷が大きく揺れ、妻が畳の上に転げた。三成は杯を放り捨てて妻を抱き締め、自らの身を盾とした。

激しい揺れは、どれほど続いたろう。ようやく収まった頃には、居室は惨憺たる有様だった。床の間の具足が倒れ、兜にあしらった「大一大万大吉」の前立ても外れていた。塗り壁の随所が崩れ、わずかな土煙が灯明に舞う。障子もひとつ外れて倒れ、膳をひっくり返していた。

妻に怪我がないことを確かめ、既に休んでいる子らの様子を見にやらせると、三成は着物を替えて城へと上がった。本丸に着いた頃には、先んじて加藤清正や福島正則、大谷吉継らが参じていて、走り回っていた。

「遅いぞ、佐吉」

正則が摑み掛からんばかりの剣幕で怒声を寄越した。地震で動転しているのかも知れぬが、そうでなくとも、この男は何かと言えば烈火の如く怒るのが常だ。火急の時に面倒な、と思いながら口を開こうとすると、騒ぎを聞き付けた吉継が小走りに駆け寄り、正則の前に出て嗜《たしな》めた。

「そう申すな。お主は宿直番《とのい》だっただけだろうに」

正則は暗い空を向いて苛立たしげに叫び散らし、地団太を踏んだ。吉継が「やれやれ」という顔でこちらに向く。

「殿下はお怪我もなく、無事だ。まずは顔を見せて来い。お主は……まあ、わしも、だろうが。忙しくなろう」

三成は「忝い」と会釈して、足早に天守に入った。

大坂城は石垣が何ヵ所か崩れるほどの害を受けたのみだったが、城下は乱れに乱れていた。城普請と併行した新しい町割にも拘らず、町家の半分ほどが無残に崩れ去っている。蔵が潰れた商家など、当分は商いもできぬだろう。

この地震――天正地震は京・大坂のみならず、摂津、近江、美濃、越前、加賀、能登、尾張に加え、果ては淡路《あわじ》にまで甚大な害を与えた。当然ながら、以後の秀吉はこれらの収拾に忙殺される。三成も各地の害を確かめ、それらを旧に復するべく東奔西走の日が続いた。

一ヵ月が過ぎ、年の瀬となった。未だ地震の害は残っているが、大坂の町は片付けが進み、年明けには再度の町割に掛かることができそうであった。そうした折、秀吉は黒田を召し出した。

「官兵衛の頑固が地震を呼んだかのう」

三成は、まさか、と主君に目を向けた。やはり苦渋の面持ちである。黒田は一面で満足したように問うた。

「徳川征伐はお取り止めになると？」

「あっちもこっちも直さにゃならん。戦どころじゃにゃあて」

三成は思わず「しばらく」と発していた。

「恐れながら、徳川は力で捻じ伏せねばならぬ相手にござります。殿下は戦を進められませ。各国のことは裏方の役目ゆえ、それがしにお命じを」

主君の顔がなお渋くなる。勝ち誇ったような黒田の含み笑いが聞こえた。

「地震の害は三河にも及んだと聞く。徳川とて頭を抱えていよう」

三成は目を細めて黒田を睨んだ。

「なればこそ好機にござる」

「否とよ治部。斯様な時に寛典を示さば、徳川も折れる。それを戦、戦と……戦を知らぬ者ほど戦をしたがるものよな」

戦を知らぬと言われたのは、先日に続いて二度めである。確かに黒田は己などよりずっと戦を知っているが、繰り返されると聞き捨てならない。己とて槍働きの場に身を投じ、皆の働きをこの目で見た。外から戦を見て、政の手段としての戦も摑みかけている。知らぬと言うなら――。

「政を知らぬ者ほど戦を厭う」

口元を歪めて返した言葉に、黒田は瞬時に激昂した。

「ほざくな小童《こわっぱ》！　わしは齢二十二で黒田の家督を継ぎ、長らく姫路を治めた身ぞ」

三成は鼻で笑って返した。

「小城ひとつと、日の本全ては違い申す。それがしは天下安寧のため、世の火種を除くために申しておるのみ。ご辺は戦に滅法強いが、戦が政の手管《てくだ》だということを解しておられぬ」

黒田はついに「何を」と腰を浮かせ、懐に手を差し入れた。だが懐剣を取り出すよりも早く、秀吉がのんびりと発した。

「控えい、治部」

「されど！」

「わしが戦わんと決めたんじゃ。従え。それから官兵衛に詫びよ」

こう言われ、睨まれてはどうしようもない。三成は秀吉に平伏し、然る後、黒田にも深々と頭を下げた。無礼を詫びる言葉は終始震えていた。

＊

秀吉は家康への対処を一転させ、上洛して臣礼を取るよう促し始めた。だが、こちらの苦境を見越していたのだろう、家康は再三の勧告にも応じなかった。天正十四年(一五八六年)五月、秀吉は次なる懐柔の手として、自らの妹・朝日姫《あさひひめ》を家康の嫁に出した。家康はかつて正室を謀叛の咎で成敗し、継室を置いていなかったからだ。

相手の出方を窺いつつ、秀吉は全国の大名にも上洛を命じた。九州の惣無事と同じ、従う者と背く者を見極めるためであった。

「左近衛権少将《さこのえごんのしょうしょう》、上杉景勝にござります」

六月、越後の上杉景勝が大坂に参じた。三成も秀吉と共にこれを迎える。景勝の後ろには、控える者が二人あった。向かって右は三十路の手前、左が十歳ほどと見えた。

「良う参った。面を上げい」

重々しい秀吉の声に応じ、景勝が顔を上げた。後ろの二人もこれに倣う。

「此度はご尊顔を拝し奉り、恐悦至極に存じます次第。お約束どおり我が養子・義真《よしざね》をご奉公に上がらせるべく、連れ参った由にござります」

人質である。未だ実子のない景勝にとっては嫡男を引き渡すに等しい。どれほどの思いで関白に仕えんとしているかの顕《あらわ》れであった。

「そこの、もうひとりは」

秀吉が問うと、三十路手前の男が軽く会釈した。

「上杉家老、直江兼続にござります」

座していても長身と分かる体軀、顔はふくよかながら凜と引き締まり、細く長い眉の下にある双眸は鋭い。言葉は晴朗かつ丁寧で、関白の威を前に落ち着かぬ風も見せなかった。実に堂々とした佇まいである。三成は心中に「この男が」と嘆息した。これまで羽柴と上杉のやり取りは、全て三成と直江の間で行なわれている。直江は書状でも常に謙りつつ、しかし卑屈なものを思わせる文言を書き連ねたことがない。

秀吉は態度を一変させ、砕けた様子を見せた。

「ここな石田治部とは何度も書状を交わしとるゆえ、初めて会《お》うた気がせんじゃろ」

「関白殿下への諸々のお取り成し、どれほど感謝してもしきれぬ思いにござる」

三成は「大したことは」と頭を振った。幾らか面映《おもはゆ》い。上杉の折々の申し出や請願こそ、全て間が良く、的を射ていただけだ。直江の人物は秀吉も認めたのだろう、嬉しそうに発した。

「上杉への指南は治部に任せるでな、何なりと聞くがええ」

これに従い、三成は関白の名で行なわれた政の数々を語った。景勝と直江は真剣な面持ちで頷きながら聞く。ひととおり終わると、直江が「お願いの儀が」と発した。

「我らが越後にも、いつの日か関白殿下の検地を。安寧に治める最善の一手かと」

やはり傑物だ。秀吉の名で検地を行なう意味——己が幼少から思い悩んでようやく行き当たった道を、直江はこの短い話の間に理解している。

大名は一国の主であって主でない。国衆の旗頭として皆を取りまとめる存在に過ぎず、何かしら不満を抱く者があれば叛乱も後を絶たないのだ。現に上杉も、新発田重家には長年悩まされている。だが検地を受ければ、日の本の頂に立つ関白が一国の領主と認めてくれる。国衆の叛乱は関白への叛逆に等しくなり、そこに秩序が生まれる。

直江から景勝へと目を移すと、こちらの顔つきも同じだった。頼もしく思ってまた直江に向くと、目が合った。実に静かな眼光、それでいて澄んだ熱を湛えている。それだけで分かった。己が胸に抱く思いを、この主従なら解してくれるだろう。

無言の時、束の間の静寂は、秀吉の哄笑で終わった。

「愉快じゃわい。治部よ、越後の検地は頃合も何も任せるでよ。存分にやれ」

三成は、以後も直江とやり取りを続けることになった。

それから数日、六月十四日になると、秀吉は三成に別命を下した。

「堺政所《まんどころ》に？」

泉州堺の町政を執る奉行職である。目を丸くした三成に「当然」とばかりに頷き、秀吉は点《た》て終えた茶を差し出した。

「まあ飲みながら聞けや。信長公が死んでから、またぞろ堺衆が好き勝手にやっとるのよ」

堺は商人の町だが、織田信長が無理やりに従えるまで、それこそ朝廷や天皇でさえ御しかねる地であった。各国の大名が求める鉄砲や兵糧米、茶器の商いを握るがゆえ、誰も敵に回したがらない。堺衆もそれを知って、地子——租税こそ納めるものの、他の差配は撥ね除けていた。

「わしらに従えって、そこな利休《りきゅう》に諭してもらったんじゃがの。埒《らち》が明かん」

言いつつ、秀吉は傍らの僧形・千《せんの》利休に目を向ける。利休が静かに応じた。

「致し方なきことかと。堺の商いに枷《かせ》を塡《は》めては、かえって天下の益を損ないます。それに堺衆が臍《へそ》を曲げ、殿下からは米を買い取らぬと言い出したら、何もできなくなりましょう」

秀吉は、やや苛立って発した。

「堺が米を買わんなら、そん時ゃ岡山を頼むわい」

「無駄が大きゅうございます。もし堺が手を回さば、岡山でもお断りとなりましょうし……。まずは堺衆の機嫌を損ねないのが肝要ではございますまいか」

利休は堺商人から茶人となり、信長、次いで秀吉の茶頭となった。ゆえに秀吉も利休に口利きを命じたのだが、先の言に表れるとおり堺衆の益を代弁するに留まっている。秀吉は眉根を寄せて口をへの字に結び、目をこちらに戻した。

「のう治部。おみゃあ紀州攻めん時によ、堺も味方に付けにゃならんて言うとったがや。じゃから頼むわ。奴らに言うことを聞かせてくれ」

難題中の難題である。三成は「ふむ」と頷いた。

「日の本にありながら国の下命を聞かぬなど言語道断。斯様な勝手を許さば誰も殿下に従わなくなり、せっかく治まりかけた戦乱に再び火が点く。それでは堺衆も困ることになると申すに」

利休は鷹揚に笑った。

「戦があらば、それを種に儲けを得るのも商人にて。鉄砲は一番の商い物でしょうに」

三成は平然として返した。

「これは異なことを。いつどこで戦が起きるか、堺衆は全てを見通せるのか。あやふやな儲けに望みを持つより、国に従って確かに商いを大きくするのが、まことの商人にござろう」

秀吉が眉を開いた。

「うん。やっぱり治部に頼むわぃ」

「お任せくだされ。ただ、ひとつだけお願いがござります」

先に岡山と聞いて思い出したことがある。彼の地で知り合った小西行長の顔であった。

「小西摂津殿の父御、隆佐殿をそれがしに付けてくだされ」

秀吉は、きょとんとした顔を見せた。

「口利きかや。そんなら利休もおるじゃろうに」

「隆佐殿の扱う品に意味があるのです。白粉を作って売っておりましょう」

すると秀吉は少し考え、然る後に「あっ」と口を開いた。

「小西、薬種、白粉……鉛か」

薬種は全てを唐土との交易に頼っていた。そして白粉には鉛——鉄砲玉の材料が多く使われている。玉がなければ鉄砲はただの棒に過ぎない。堺衆に一番の益をもたらす交易と鉄砲、両方に明るい小西隆佐こそ口利き役には適任であった。

この日、堺政所・松井《まつい》友閑《ゆうかん》は役を免ぜられ、三成が後任に据えられた。利休は「お手並み拝見」とばかり、悠々と構えていた。

＊

「何をなさっておられますやら！」

堺衆が町の外に出て来て、怒りも顕わに詰め寄った。五、六人いる。三成は静かに応じた。

「見て分からぬか」

外と一線を画し、何人たりとて手出しさせぬという姿勢を明らかにするため、堺の町は堀で囲われている。三成は兵を率い、これを埋めさせていた。商人の先頭に立つのは誰だろうか。青ざめて震えている。もっとも、それが恐れゆえでないことは顔を見れば分かった。

「こないなことして、ただで済むとお思いですか」

「関白殿下に楯突いて、ただで済むと思うのか」

同じ言葉でやり返す。相手は怒りの笑みを浮かべた。

「つまり、関白はんのお指図ちゅうことですな」

三成は、ぴくりと眉を動かした。

「新たに堺政所を仰せつかった石田治部少輔だ。関白殿下ではない、わしの一存にて埋めておる」

「ほんなら、あんたは虎の威を借る狐ですな。勝手放題、高《たこ》う付きまっせ」

なるほど、これでは埒が明かない。やれやれと思いつつ、首を傾げて問うた。

「おまえは馬鹿か」

「は？」

「堺衆の今までの勝手放題こそ、高く付いておると申しておるのだ。そも国の差配を拒むは賊の所業である。堀を埋めておる者共と、一戦交える覚悟と見て良いか」

堺衆はしばし何を言われたのか分からぬという風だった。だが、やがてくすくすと笑い始めた。

「分かりました。ほんなら好きにすればよろしい。けど、商人は矢玉で戦うのんと違います。ようく覚えときなはれ」

商人たちは剣呑な空気を撒き散らしながら帰って行った。

半時もすると、三成と共に堺政所に任じられた小西隆佐が、慌てて町から駆け出して来た。

「石田様、何ということを。まずは任せておけとの仰せゆえ、手前は口を出さなかったのですよ」

詳しく聞くと、堺では羽柴とそれに連なる者の米を買わないと通告されたそうだ。

利休が見越したとおりである。

「そればかりではないのです。関白殿下には鉄砲も売らぬ、岡山や博多にも手を回して干上がらせると息巻いておりまして」

「で？」

隆佐は口をぽかんと開けた。三成は鼻から溜息を抜いて続ける。

「浅はかに過ぎる。隆佐殿、ひとつ頼まれてくだされ。それなら小西は鉛を回さぬと言ってやって欲しい」

無論、隆佐が全ての鉛を握っているのではない。しかし弾を十分に揃えられなければ、鉄砲も売りづらくなるのが道理であった。

「手前にも商いを小さくせよと仰せですか」

幾らか色を作した隆佐に、薄笑いで応じた。

「差配に従う者には、これまでどおりで良い。また関白殿下に従うと誓詞を出さば、その者からは逆に兵糧米を買い付ける」

つまり、秀吉に従うだけで利益が膨らむということだ。隆佐の顔つきが「ほう」というものになったのを見て、三成はなお続けた。

「加えて、従う者には海の向こうとの商いを、関白殿下の御名に於いて認める。自前での商いよりも相手の信用が違うはずだ。地子についても一考しよう」

「どうなされるのです」

既に隆佐は興味津々という風であった。やはり商人よな、と思いつつ話して聞かせた。

商いに掛かる租税は、取り扱う品によって異なる。しかし商いの大小を問わず、各々の品ごとに一定の率を召し上げていた。

「これを改める。商いが小さければ地子は小さく、儲けが増すほど多くを召し上げるのだ。ただし、どう多くとも儲けの半分までしか取らぬ」

隆佐の顔に赤みが差した。

「商いが小さいうちは国に守られ……大きくなれば、商いに精を出すほど報われる」

「堺衆とて誰もが大店《おおだな》ではあるまい。今の話を聞けば、靡《なび》く者、迷う者も多くなろう」

「石田様は近江の出と聞きましたが、なるほど、得心いたしました」

関白に従えば自ら町を差配できなくなるが、代わりに庇護され、商いはより賑わう。隆佐がこれを説いて回ると、堺衆は身代の小さな者から崩されていった。こうなると豪商も足並みを揃えざるを得ない。剛柔合わせた策によって、堺の町は秀吉に従うようになった。以後、三成は父・正継を堺政所の代官に据え、自身は大坂に戻った。

「三成、いるか」

大坂城、天守二階の一室に吉継が顔を出した。分厚い紙の束を手にしている。三成は、取り立てて面白くもない、という顔を向けた。

「あと、どれだけある」

吉継は幾分疲れたように右前に座ると、紙束を渡して寄越した。

「今日の分は、これで締め切った。きりがないのでな」

厄介な堺衆を鎖に繋いだことで、三成は一層重用されるようになった。今では浅野長政や増田《ました》長盛《ながもり》、前田玄以《げんい》、大谷吉継、長束正家《なつかまさいえ》らと共に、政務を司る奉行職を命じられている。大坂には日々夥《おびただ》しい数の報告や陳情が寄せられるが、多忙な秀吉は全てを相手にはできない。急を要するもの、そうでないもの、取り上げるに値しないものを分けて取次ぎ、秀吉の意向を踏まえて各所に指示を下す役回りを、三成は一手に任されていた。

「分かった。すぐに見る」

言葉どおり、一番上の書状にさっと目を通し、急を要しないものと判じて左手に置いた。どうしたことか、吉継は立ち去ろうとしない。

「まだ何かあるのか」

目を向けずに問うと、喜ばしいものを湛えた声が返された。

「こういう役目だと、お主は生き生きとしておると思うてな」

「そうか」

二通めと三通めは取るに足らない、と右手に放る。吉継は放り捨てられた書状の数々をまとめながら、少し声をひそめた。

「だが気をつけろよ。世には、お主のやり様が分からぬ者とて多い。堺の一件とて紙一重だったのではないか」

まとめ終えた紙を手の甲で軽く叩き、畳の上に置き直して、吉継は続けた。堺のことは、片手で首を絞めながら、もう片手で撫でているようなものだ。旨みのある話をちらつかせたところで、恩恵に与かれる者ばかりではないのだと。

「確かに大店ほど旨みは大きい。小さな店は、やっかむかも知れんな」

四通めはすぐに秀吉に見せた方が良かろうと、中央に置く。

「そういう者にも目を向けてやれ」

幾らか安堵した風な声を向けられ、三成は顔を上げた。

「大店が羨《うらや》ましければ、自らが大きくなれば良い。そのために、小商いのうちは守ってやると決めたのではないか」

「だから、それが分からぬ者もあると申しておる。正しきことを貫くばかりでは、どこかで泣きを見る者が出る。左様な者は、行く行く、お主を憎むだろう」

三成はしばし黙っていたが、静かに「聞き置く」と頷いた。

吉継が立ち去った部屋で、書状の仕分けを続けながら思う。世の全てが満足する差配など、あるはずがない。だからこそ正しい道を取らねばならぬ。それで己が憎まれようと、秀吉が泥を被ることがなければ構うことはないのだ。

「よし……」

昼過ぎから取り掛かり、既に夕日が差し込んでいる。三成は三つに分けた紙の山から中央と左側の二つを持ち、秀吉の居室に上がった。

「おう治部、待っとったぞい」

手招きに応じ、一礼して入る。ぽん、と紙の束が放って寄越された。

「こないだの陳情やら報せやらじゃ。わしの思うところを書いといた」

「お手間恐縮に存じます」

言いつつ、三成は、持参した二つの紙束を差し出した。

「こちらは、すぐにお目通しを。こちらはお暇な時で構いませぬ」

「またかや」

秀吉は少し嫌そうに受け取り、それを傍らに置いて「仕方ない」と溜息をついた。

「おみゃあが見とけ、ちゅうんじゃからな。三日くれ」

「承知仕りました」

「ところでよ、治部」

向けられる声に締まりがなくなった。はて、と眼差しで続きを促す。

「堺衆に頼んで欲しいんじゃがの。女子が喜びそうな、珍しいもんが欲しい」

茶々か。繰り返し説得に赴いたせいか、話を聞くことだけは嫌がらぬようになっているが、未だ秀吉の側室に入ることを承知していない。事情を察すると、口だけがへの字に歪んだ。

「公《おおやけ》の立場を私事に使うことは」

「やかましいわい。天下人の下知が聞けんのか」

寸時に怒声が飛ぶ。斯様なことを本気で言っているのが余りにも意外で、三成は目を丸くした。

（殿下は、どうなされたのだ）

公私を混同する人ではない。誰かを靡かせるにしても、常に自らの人となりで勝負してきた。男の身たる将兵も、正室の寧子《ねいこ》や側室たちも、皆が秀吉に惚れて仕えている。

「頼むわ。何としても茶々の気を引きたいんじゃ。な？」

当惑していると、今度は本来の慕わしい笑みで懇願された。

「……承知仕りました。父に申し伝えます」

関白の権力や財も、秀吉の持てる力か。三成は心中に折り合いを付けて主君の我儘を聞いた。

＊

八月、秀吉と三成の前には羽柴秀長と黒田孝高の姿があった。秀吉はまず黒田に声を向けた。

「呼んだのは他でもにゃあで、島津攻めについてじゃ」

昨年十月の惣無事令を、薩摩《さつま》の島津義久《よしひさ》は受け入れなかった。三月に弁明の使者を寄越したにも拘らず、一方では豊後の大友宗麟を激しく攻め立てている。大友は四月、自ら大坂に上がり、島津の脅威を取り払ってくれと懇願していた。秀吉がこれを聞き入れて毛利輝元に陣触れを出すと、六月、島津は筑前にまで兵を進めるようになった。関白の軍勢が来る前に九州を平らげようという魂胆らしい。これほどに見くびられては、戦は避けられぬところであった。

「官兵衛は毛利の軍目付《いくさめつけ》として、先に九州へ行ってくれや」

「御意」

黒田は頭を垂れつつ、目だけは主座を見続けていた。秀吉が、期待を込めた眼差しを返す。

「策があるか」

「この戦では、できるだけ殿下自らの兵を使わず、毛利と四国衆を使うべしと存じます」

言葉の最後に、黒田がちらりとこちらを見た。三成は心中で唸った。

大名の私闘を禁じ、関白が命じた戦にのみ兵を出す。惣無事令は敵と味方を炙《あぶ》り出す仕掛けであると同時に、戦にも秩序を与えんという一方の狙いがある。秀吉が天下人となってから降った者たちを使えとは、それらをこの法度に確実に取り込めということなのだ。

(この人は)

戦は政の手管――徳川への対処を論じた際に己が言ったことを、黒田なりに嚙み砕き、受け入れたのだろうか。

秀吉は満足そうであった。

「わしも、まずは毛利と長宗我部に任せるつもりじゃ。まあ島津も手強かろうて、それだけで済むとは思うとらんがの。じゃから官兵衛、わしが兵を出すまでに、できるだけ押しとけ。先手の戦は全ておみゃあに任せる」

「はっ」

黒田が平伏すると、秀吉は、今度は秀長に命じた。

「官兵衛に任せとけば、わしらは仕上げだけすれば良かろうがの、それなりの数を連れにゃならん。小一郎は大名衆に声かけて兵を集めとけ」

「承知仕りました。ついては、ひとつお願いの儀が」

秀吉が「ふむ」と頷く。秀長は穏やかな声音で続けた。

「我らが本気で攻め立てれば多勢に無勢、如何に島津が手強かろうと、万にひとつも負けることはござらぬでしょう。それがしのお願いは、戦の後にござる。島津には是非とも寛典を垂れ賜いて、未だ殿下に服さぬ者たちに度量をお示しあれ」

秀長の弁が続く中、黒田が平伏を解く。最後の言葉で、その口許に不敵な笑みが浮かんだ。

三成は「もしや」と思い、口を挟んだ。

「殿下に弓引いた者に寛容をとは、異なことにござる」

秀長は困ったように応じた。

「されど殿下は若き日より、常にそうしてこられた。厳しい信長公の下にあって、殿下だけが降る者に優しかったからこそ、今のお立場があるのではないか」

「世の頂《いただき》に立ったからには、過ぎたる寛容は甘さと同じにござりましょう」

「控えい治部、無礼であるぞ」

鋭く一喝して、黒田は秀吉に向いた。

「ひと度弓引いた徳川とも、戦わずに済ませるべく、諸々の策を講じておられましょう。あちらとこちらで態度が異なるのでは、従う者などいなくなり申す」

これも正論である。承知していながら、三成はすぐに口を開いた。

「さは申せ、誰彼問わずに甘い差配をしてはなりませぬ。殿下の政がぬるま湯と思われては、天下を治めるなどでき申さぬ」

黒田の目に激しさが滲み、秀長の面持ちが困惑を深くする。物々しい空気を、秀吉が柔らかく掻き混ぜた。

「待てや。小一郎の申すとおり、島津にも優しゅうする。そん時ゃ、治部に指南を頼むでよ」

それで何とかするのが、天下の政を任された者の役目ではないか——主君の眼差しに、三成はそれ以上を言わず「はっ」と頭を下げた。

天正十四年八月、秀吉は毛利輝元と長宗我部元親を先鋒として島津攻めの兵を出し、一方では本隊二十万を整えに掛かった。そうした折の八月半ば、三成は秀吉に召し出されて居室に上がった。

「上杉に文を送っとけ」

部屋に入るなり、である。何をどういう風に書いて送れば良いのか分からない。詳しくを問うてみると、徳川を降らせるためということであった。

「真田が上洛に応じにゃあがね」

信濃上田の真田昌幸は、昨年に徳川を離れ、秀吉の傘下に入っていた。上杉を通じての話ゆえ、取り次いだのは三成である。

「それは致し方なきところでしょう。真田は上野の領を北条に攻められております」

確たる理由があれば、杓子定規には構えられまい。そう返すと秀吉は「違う、違う」と顔をしかめ、その前で大きく手を振った。

「訳があるのは分かっとる。それを使って家康を締め上げるんじゃ」

手招きに応じて身を乗り出す。秀吉は子供のような邪気を顕わに説明した。

「上杉に、真田に手を貸すなって言うとけ。その上で、わしゃ徳川に真田の成敗を命じる」

「それはまた乱暴な」

眉をひそめて返すと、秀吉は、今度は両の掌を向けて「待て」と示した。

「まあ聞けや。そうでにゃあて、徳川は真田を恨んどるじゃろ」

徳川は真田の離反を以て信州上田《しんしゅううえだ》を攻め、大敗を喫していた。秀吉が攻めよと命じれば喜んで応じるだろう。

「さすれば徳川は、殿下のご下命を受けたことになりますが。真田は自ら麾下に参じた者ですぞ」

「おみゃあの義理の兄者を討つ気なんぞ、さらさらないわい。家康が乗り気になったとこで次の手を打つ。わしの母上をな、徳川の人質に送るんじゃ」

ぞくり、と背筋が寒くなった。

家康は秀吉の妹・朝日姫を正室に迎えた後も上洛を拒み続けている。さらに生母・大政所《おおまんどころ》を送り出せば、もう秀吉に譲れるところはない。なお屈しないなら力で捻じ伏せる、という通告なのだ。しかし――。

「謙るにも、ほどがありましょう。よしんばそれで徳川が屈したとて、殿下の麾下で格別な力を持つことになるのは明白にて。下手をすれば大政所様、朝日様、共にお命が危のうござる」

秀吉は、くすくすと笑った。先からの邪気が肥大し、あやかしの如き邪悪に変わっていた。

「そうはならんて。島津攻めの先鋒、官兵衛が毛利と長宗我部にやらせい言うたんは、何のためじゃと思うとる」

「……あ」

「分かったか。小一郎に支度させとる兵が徳川に向くと見せかけるためよ。二十万じゃぞ。この数に勝てると思うほど、家康は阿呆と違うわい」

改めて、主君の恐ろしさに身震いがした。

真田攻めを命じる一方で母を人質に出し、上洛せねば攻めると脅す。九州攻めの兵は、この恫喝を全きものにするだろう。上洛に応じたとて、先んじて関白麾下の真田に手を出していたら厳しい沙汰は免れない。当の秀吉が真田攻めを命じたことも、徳川を潰してしまえば有耶無耶《うやむや》にできる。どうあっても家康は、秀吉の言うとおりに上洛する以外の道がなくなるのだ。

「つまり、それがしの筆に全てが」

「そうよ。策ちゅうのは上手く嘘をつくことじゃて、官兵衛が言うとった。おみゃあが上杉を騙して縛ってくれたら、真田も慌てるじゃろうし、家康も踊らせられるわい。頼んだぞ」

三成は掠れ声で「御意」と返した。

秀吉の策は覿面《てきめん》に利いた。どう転んでも損をする喧嘩だと見抜いた家康は、すぐに最も安泰な道——秀吉への臣従を決した。

十月二十七日、徳川家康が大坂城天守の広間へと歩を進めた。詰めれば二百人も入れる畳敷きは、中央が大きく空けられている。左右に羽柴の家臣や傘下の大名が二列を為し、向かい合って囲んでいた。三成は主座の右手、二列めの筆頭にあった。

家康は小柄だが恰幅が良い。丸顔に太い鼻筋、二重瞼の目がきょろりとしていた。

「権中納言《ごんのちゅうなごん》、徳川家康にござる。関白殿下に拝謁の栄誉を賜り、まこと忝く存じ奉りまする」

口上と共に平伏する。秀吉の厳かな声が、その頭上に投げかけられた。

「上洛、大儀である。面を上げい」

促され、上げられた顔に、三成は愕然とした。

笑っていた。一点の曇りもない、満面の笑みである。

(徳川……家康)

およそ、人を見てこれほど手強いと思ったことがない。秀吉の策に追い詰められ、騙され、雁字《がんじ》搦《がら》めにされた上での上洛なのだ。かつて会った筒井の家老・島清興や上杉家老・直江兼続、果ては黒田孝高のような傑物とて、この期に及んでこれほどの笑みを見せられるだろうか。

家康はきっと、窺っている。いずれ羽柴の腹を食い破るつもりで呑み込まれたのだ。そう思うと、何とも冷え冷えとしたものが感じられた。

徳川を降らせたことで、秀吉は日の本の大半を束ねるに至った。残るは九州、関東、陸奥《むつ》のみである。これを受けて朝廷は十二月十九日、秀吉に豊臣《とよとみ》の姓を下賜した。およそ千年ぶりの新姓は、以後の摂関《せっかん》家がひとつだけになることを示していた。

また年の瀬の十二月二十五日、秀吉は太政大臣《だじょうだいじん》をも兼帯することになった。戦も政も、日の本の全てが秀吉に委《ゆだ》ねられた。

二　伴天連追放

天正十四年の年の瀬、三成は堺衆から米を買い付けていた。年明け一月、九州征伐に豊臣の本隊が出陣する。そのための兵糧だった。

「四斗俵で百二十。二十石だ」

町外れに運ばれた米は、二十間も向こうで増田長盛が取りまとめている。いつもどおり、役目はきちんとこなすものの、動きにも声にも落ち着きがない。米俵には大小の差があり、積み上がったものを勘定して二十石になると、大谷吉継が兵を督して荷車で運ばせた。米はまだ、後から後から運ばれて来る。

「長盛殿」

三成の大声に、増田は右手を上げて応じた。

「荷車、これまで二千と十二が出ておる」

大坂に集めた兵は実に二十万、先手として九州に渡った毛利や長宗我部の兵と合わせれば二十五万を数える。この口を四ヵ月賄うとして八万五千石だが、戦場のことゆえ多いに越したことはない。三成は十二万石を指示していた。既に四万石を運んだが、まだ三分の一である。

先は長い。思っていると、左手から「石田様」と声がかかる。小西隆佐だった。三成は平らかに問うた。

「皆、喜んでおるか」

「それはもう。堀を埋めた頃の諍いも忘れ、年の瀬の大商いに恵比寿《えびす》顔でございます」

堺衆との交渉は隆佐に任せていた。一度に大量の米を吐き出させるとあって、吹っ掛けられても仕方ないところだったが、さすがは隆佐、一割の上乗せだけで話をまとめていた。

「お。天王寺屋《てんのうじや》の番頭さんも、様子を見に来ておりますな」

示された方を向くと、堀の一件でやり合った男である。吉継に言われたことを思い出していると、ふと目が合った。番頭は少しばかり嫌気を湛えた目で笑みを作り、丁寧に頭を下げた。

十日ほどが過ぎ、天正十五年（一五八七年）を迎えた。元旦、新年祝賀で大坂城に参じた大名衆に、秀吉は九州攻めの持ち場を伝えた。正月二十五日には宇喜多秀家《ひでいえ》――秀吉に庇護されていた宇喜多八郎も元服を済ませた――が第一陣として大坂を発つ。これに先んじて、輜重奉行の三成は全軍の大名家からひとりずつ人を出すよう求めた。一月二十日、三成は吉継と増田を従えて、大坂城天守の中之間に参集した五十余名と相対した。

「各々のご主君から聞いておろうが、此度の九州攻めでは全軍の兵糧を関白殿下の本陣で取りまとめる。お集まりの皆は、自らの陣に兵糧を運ぶ輜重番である」

桁外《けた》れの大軍を動かすのに、個々の大名に輜重を任せては無駄が大きい。紀州征伐の後、秀吉に献策した方針であった。

集められた皆が、ざわ、と騒がしい。緩んでいる。左に並ぶ吉継が小声を寄越した。

「わしから何か言おうか」

眼差しだけ流して「無用だ」と応じ、集まった将たちに朗々と発した。

「手筈を申し伝える。一度しか言わぬゆえ、よく聞いておくように。兵糧と馬の飼い葉は九州に達した日より給される。十日に一度、各陣の数に応じたものを与えるゆえ、其許らは日の出の刻に受け取りに参じるように。この石田治部は関白殿下と共に三月の出陣となるが、それまでは左右にある大谷吉継、増田長盛に全てを任せる」

大半は真面目に聞いておらず、空気も重苦しい。三成は意に介さず続けた。

「征伐軍は豊前小倉《ぶぜんこくら》に集まり、以後は九州東岸と西岸に分かれて行軍する。その段に至らば米と飼い葉の支給を増やす。総勢二十五万ゆえ、先手や二番手は本隊のずっと前を進む。諸隊の離れ具合や道の事情を鑑みて奉行が日を定めるゆえ、遅れず届けるべし。以上だ」

言い終えると、集まった将たちから溜息が漏れた。嫌々ながら参じたのが、はっきり分かる態度であった。そして——。

一番後ろの列から大欠伸《おおあくび》が聞こえた。増田が見咎めて腰を浮かせる。

「そこ。どの家中かは知らぬが、斯様な心構えで大軍の輜重が務まると思うか」

欠伸を漏らした四十路顔が、居丈高に言い返した。

「異なことを。そも何ゆえ、わしらが飯の番などせねばならぬ。斯様なことは賦役の仕事にて、槍働きに任ずる者の役目ではない」

吉継が色を作した。

「控えよ、無礼者」

「我らは関白殿下のご下命を頂戴しておるのだぞ」

増田も険しい顔で続く。だが集まった皆は、多くが先の放言に同意という顔であった。三成は吉継と増田に「待て」と小声を向け、然る後に正面へと大きく呼ばわった。

「かつて関白殿下は播磨三木《みき》城を落とし、備中高松城を打ち負かした。何ゆえに勝ったか。出雲《いずも》の尼子《あまご》家が毛利に滅ぼされ、残党が再興を企てた。殿下はこれをお援けあったが、尼子残党は上月《こうづき》城で負けた。何ゆえか分かるか」

誰からか「負けた方は兵が少なかったろう」と小声が上がる。三成は軽く俯き、口元にだけ冷笑を浮かべた。

「浅はかに過ぎる。三木、高松、上月、どれも兵糧を断たれて立ち行かなくなったのだ」

先の四十路男が「馬鹿を申されるな」と応じた。

「それとて兵があらば、兵糧攻めを受けることもなかった」

三成は、すう、と息を吸い込み、ひとつ数えた後に発した。

「此度は我らの数が多いゆえ安泰と申すか。愚かしい！　島津得意の野伏《のぶ》せりで糧道を断たれたら、本隊を遠く離れた先手はどうなる。数こそが仇となり、瞬く間に干上がろう。お主は、ずっと飲まず食わずで槍働きができるのか。輜重、兵糧がなければ戦はできぬ」

一気に捲し立てて黙らせ、居並ぶ面々をざっと見回す。

「妻や子のある者、手を挙げよ」

大半が手を挙げた中から、ひとりを指差した。

「たとえば其許、奥方が家を守らぬとあらば死地に赴けるか。日々の飯の支度、参陣の時には腰兵糧の支度などもさせておろう。斯様な内助なしで十分な槍働きはできぬ。一家も軍も同じ、背を安んじてこその矢面である」

指された者は、ぐうの音も出ない。

「それが分からぬ奴は、ただの馬鹿だ」

この一喝で座のどよめきが静かな怒りに変わった。だが、だからどうしたと声を張る。

「槍働きのみが手柄ではない。この治部は戦場での功など何ひとつないが、ここまで出世しておる。関白殿下は裏方の力をご存知なのだ。輜重が十全に動かば手柄をお認めくださり、これを賞するようにと、其許らのご主君を動かされよう」

嫌な空気が緩み、幾らかの熱を帯びた澱みに変わる。そこに、冷え冷えとしたひと言を放った。

「だが、もしも輜重が滞れば其許らの罪だ。功には賞、罪には罰。どちらも確かに、それがしから殿下にお報せする。ゆめ気を抜かぬように」

「もし！　先の輜重の手筈、もう一度お聞かせを」

慌てふためいた声を、三成は鼻で笑った。

「一度しか言わぬと申した」

そして座を立つ。吉継と増田も腰を上げ、三人揃って中之間を辞した。

「大丈夫なのか。聞いておらぬ者の方が多かったぞ」

心配そうな吉継の小声に、三成は「大事ない」と返した。

「気を抜かずに聞いていた者もある。平身低頭、その者に教えを請えば良い。恥も良い薬だ」

増田が頷き、含み笑いに言った。

「いやあ、痛快であった。功には賞、罪には罰か」

「お主らも、わしも同じだ」

素っ気なく応じると、浮かれたような増田の笑みが強張った。

*

三成は秀吉に随行し、三月二十八日に豊前小倉へと達した。即日、豊臣秀長が十万を率いて九州東岸へ発し、秀吉が十五万の本隊を従えて九州西岸を進んだ。

半月余り、四月十八日となっている。肥後《ひご》国、宇土《うと》で二日めの野営陣となる日、秀吉は千利休らを相手に野点《のだて》の茶会を催していた。

「およそ戦という風ではないのう」

輜重方の陣幕で、増田長盛がぼやくように言った。さもあろう、四月一日に筑前岩《がん》石《じゃく》城を攻めた以外、戦らしい戦のひとつもない。堅固な岩石城がただの一日で落ち、領主の秋月種実《あきづきたねざね》も三日で降った。以来、島津方の各国国衆は及び腰になり、豊臣軍の数を恐れて次々と降った。稀に抗う者があっても、先手の隊が小競り合いを演じれば瞬く間に片付いた。

三成は各陣からの書状、即ち行路の具合や兵糧の残り具合に目を落としつつ応じた。

「さすがは黒田殿と言ったところか」

黒田孝高は昨年から九州に渡り、まず豊前と豊後を平らげて大友家を助けた。また両国国衆の多くを降らせ、秀吉の麾下に糾合している。必然、秀長隊は日向《ひゅうが》までは戦をせずに進める。日向を平らげ、島津本領の大隅《おおすみ》と薩摩へ進む手筈であった。秀長隊より秀吉本隊の方が兵も多く、より手強い。それでも島津にとって、秀長隊の十万は迎え撃たぬ訳にいかぬ数であった。五万とも八万とも聞こえた島津勢の大半がそちらに振り向けられたのも、本隊の行軍が楽になった一因である。

「御免」

不意に、兵糧方の陣幕に参じた者があった。汗みどろの姿は、黒田家中の輜重方を命ぜられた木村助右衛門《きむらすけえもん》である。大谷吉継がこれを迎えて言った。

「如何なされた。兵糧の割り当ては三日後だが」

木村は息を切らせつつも、早口に捲し立てた。

「その件ではござらん。関白殿下にお取次ぎ願いたいのだ」

聞けば昨日の夜半、秀長隊が島津義久を打ち破ったそうだ。日向南部の要衝・高城《たか》を囲むこと半月、勇将・山田有信《やまだありのぶ》を相手に手こずっていたが、このほどようやく決着したという。

三成らの取次ぎで秀吉に目通りした木村は、戦の様子をつぶさに語った。

「関白殿下がお進みあると知って、島津は一気に秀長様を蹴散らして薩摩へ返さんとしたらしく。敵方にとって高城はまさに最後の砦なれば、援兵を入れるに必ず通らねばならぬ根白坂《ねじろざか》を襲うに相違なしと、我が主・孝高はここを固め申しました」

案の定、決戦に及んだ島津義久は根白坂に押し寄せた。しかし黒田の先見で配された一万の兵が堅く守り、突破を許さない。ここに秀長と宇喜多秀家が援兵を出し、また小早川隆景《こばやかわたかかげ》の手勢が挟撃を仕掛けたことで、島津軍はついに敗走した。戦の次第を聞き、秀吉は喜色満面で手を叩いた。

「さすが官兵衛！　島津はもう手も足も出まい。木村助右衛門、早馬ご苦労じゃった」

この一戦を境に島津方の火は消えた。秀吉は行軍の足を速めて五月三日に薩摩川内《せんだい》に入り、泰平寺《たいへいじ》を本陣とする。五日後の五月八日、島津義久は剃髪し、法体《ほったい》となって降伏した。

その夜は酒宴となった。

「治部、呑んどるか」

秀吉が酔った赤ら顔を見せた。宴席を歩き回り、皆と杯を交わすのはいつものことである。

「軍を返すにも輜重は必要なれば、我が役目は未だ終わっておりませぬ」

素っ気ない言い様に、秀吉はこちらの背を叩いて、げらげらと笑った。

「固いこと言うんじゃにゃあて。ほれ呑め」

手に提げた銚子から、なみなみと杯に注ぐ。韮があれば進むのだがと思いつつ、零れそうなところをひと口だけ呑んで問うた。

「島津への沙汰は如何様になされます」

戦の前、島津を下したら指南を任せると言われていた。義久にはひとまず蟄居を命じたが、そこに沙汰を伝えるところから指南は始まる。

秀吉は熱い息を「ふう」と吐いた。

「小一郎にも言うたが、寛容にする。あれよ、惣無事のあれで、島津が他の大名から切り取ったところは召し上げて、薩摩と大隅を安堵してやろうと思うんじゃ」

理に適っている。召し上げた地は以前の領主に返し、豊臣の麾下に従えれば良い。

三成は「よろしいかと」と頷いた。

「領主が討ち死にした地は、虎之助など、殿下子飼いの者に分け与えると良いでしょう」

「虎かや。おみゃあがそんなこと言うとはのう」

秀吉は意外そうであり、嬉しそうでもあった。三成は口元を歪め、また少し酒を含む。

「虎之助のためではございませぬ。殿下子飼いの武辺者が九州にあらば、島津も再び背く気にはならず、安寧に治められましょう」

秀吉は「ううむ」と唸った。

「虎はまだ少し早いかも知れんの。じゃが、武辺者を置けちゅうのは正しいがや」

こちらに向いていた目が、遠くを見るものになった。

「わしゃのう治部、日の本をまとめたら、次は唐土を平らげたいんじゃ。信長様も常々、この国の外を見たいて仰せじゃった。天下布武を受け継ぐんなら、これも継がにゃあならんがね」

彼の地に近い九州に武辺者があるのは、その先鋒に持って来いということか。三成は曖昧な笑みを返した。

「……お気の早いことで。まずはこの国を磐石に」

「そうか。そうじゃな。おみゃあには存分に働いてもらうでよ」

秀吉は大笑しながら立ち、次の者と杯を交わしに向かった。その姿を眺め、戸惑いを覚える。唐土を斬り従えると口で言うのは容易いが、どこまで本気なのだろう。

四日後、三成は島津の本拠・内城《うち》に向かった。島津には薩摩と大隅を安堵する。当主の義久は薩摩を、弟の義弘《よしひろ》は大隅を治めるべし。また義久は上洛して上方に留まり、併せて娘の亀寿姫《かめじゅひめ》を人質に差し出すこと。処分を伝えると、島津義久は城主の座で平伏した。

「異存はござらぬ。寛大な思し召しに深く謝する次第にて」

「然らば、これにて島津殿は殿下の臣となられた。追って恩賜の兵糧二千石が下されましょう。今後は豊臣の大名として惣無事に背かず、政も戦も殿下のご下命に従いなされますように」

三成はその後、上杉景勝にしたのと同じように、豊臣の施政とそれに仕える者のあり方を指南した。天下人に兵を向けながら許されたのは徳川と島津のみ、特に厚恩を賜った身であることを重ねて言い含めると、義久は畏まった顔で平伏した。

島津の処分を終えると、秀吉は泰平寺を発って帰還の途に就いた。まずは秀長隊と合流すべく大隅へと向かう。だが道中、川内から北東に三十里ほど進んだ辺りで行軍は止まった。大口《おおぐち》城を守る島津家臣・新納《にいろ》忠元《ただもと》がなお抵抗し、豊臣軍の進路を阻む構えであったからだ。

伝令を受け、三成は秀吉の許に参じた。到着するなり島津義久の「いやさ」という大声が耳に入った。上洛するため秀吉に同道している。

「此方《こなた》は殿下の臣となった身、斯様な勝手は許し難し。蹴散らしていただいて結構にござる」

「島津様、しばらく」

三成が陣幕に入って声をかけると、秀吉が「助かった」という顔を向けた。

「良う来てくれたわい。このとおり、薩摩者は頑固でのう」

豊臣の諸将はやっと遠征が終わったと気を緩めている。今、再びの戦となれば負けることもあろう。それでは関白の威信に瑕が付く。秀吉は何としても戦をせずに終わらせたいのだ。

「説き伏せよと？」

「ご苦労じゃが頼むわ。島津家中で新納と仲がええのを付けてやる」

それでもなお、義久は退かなかった。

「斯様なことは島津の恥なれば、討ち果たすべしと存ずる」

三成は「島津様」とやんわり呼びかけた。

「それがしの指南をお忘れにござりますか。殿下が戦わぬと決めたら、戦わぬのです」

言い残して一礼し、島津家臣・伊集院忠棟《いじゅういんただむね》を伴って大口城に向かった。戦の相手からであれ、使者は粗略に扱わない。世がどれだけ乱れても、それは常に固く守られている。三成と伊集院は大口城の本丸館に通され、板張りの広間で新納忠元と対峙した。

「関白・豊臣秀吉が使者、石田治部少輔である。城の明け渡しを命じに参った」

新納は荒々しく鼻で笑った。

「勝手なことを言うでない。うぬらとて戦で他を打ち負かし、従えてきたのだろう。惣無事とやらは、島津だけそれがならぬということだ。斯様な法度《はっと》に従えなどとは片腹痛いわい」

伊集院が「忠元殿」と眉をひそめた。

「殿が既に降っておられるものを、ご辺のみ抗って何になる」

「黙らっしゃい。殿がこの先どれほど辛い思いをなされるか。今日までのご恩に報いるため、少しでもお立場を守るべく城に籠もっておるのだ。臣たる者の義を貫かんとする身と、敵の手先に成り下がったご辺を一緒にするでない」

伊集院が「何を」と色を作す。対して三成は、くすくすと嘲笑を浮かべた。これを見た新納は激昂して声を荒らげた。

「石田とか申したか。何を笑う」

「臣たる者の義……か。くだらん」

新納は、伊集院も、口をあんぐりと開けた。追い討ちをかける。

「義など、奉公する者なら誰もが持つ、ありふれた心根ぞ。左様なものを振りかざし、義久公が降ると決めた上でなお抗うは、かえって主君の顔に泥を塗る行ないだ」

そして、義久の「蹴散らしてくれ」という嘆願を明かす。新納の顔が愕然となった。

「殿……左様な」

三成は止めのひと言を加えた。

「義を唱えておれば、ご辺は満足して死ねような。されど九州の平穏を乱し、ひいてはそれが日の本全ての乱れに繋がるやも知れぬ。さすればご辺の安い義が向く先……島津義久公こそ、この国の興隆を阻む大罪を背負うのだ」

ついに新納は絶句した。伊集院が静かに言い添える。

「これ以上、殿のお立場を悪くするでない」

がくりと肩を落とし、荒い呼吸を繰り返した後、新納は再び口を開いた。

「石田治部。関白の下で、島津は間違いなく生き延びるのだろうな」

「そのための指南を、他ならぬそれがしが任されている」

新納は、ぼたぼたと涙を落としながら、さも悔しそうに「ならば頼む」と頭を下げた。

＊

「こりゃあ酷いわい」

博多の町を眺め、秀吉が溜息をつく。島津征伐の帰り、肥前の平戸《ひらど》から謁見を求めて来た伴天連《ばてれん》の船に乗っていた。三成も側近として同乗している。秀吉は「官兵衛」と声をかけ、言下に命じた。

「博多は商人の町じゃ。町も造り直さにゃならん、逃げ散った町人も戻さにゃならん。おみゃあ奉行になってくれ」

信任を得た黒田は「おお」と歓喜の声を漏らしたが、すぐにひとつを問うた。

「斯様なことは、治部の方が得手なのでは？」

ちら、とこちらに眼差しを寄越す。互いに好意を持ってはいないが、これは厭味ではなさそうだ。関白の戦と政を滞りなく進めるには、堺、岡山、博多の商人衆を味方に付けるべし――かつて己が進言したことを聞いているのだろう。

秀吉は「いやいや」と笑った。

「九州攻めの先手で長くこっちにおったろう。黒田官兵衛の方が、名が売れとるわい。奉行はそういう者の方がええ」

そして「治部」とこちらを向いた。

「摂津と大蔵《おおくら》を付けてやるで、官兵衛を手伝え」

黒田とは、ことある毎に角突き合わせてきた。いい加減に仲良くしろということか。

「承知仕りました」

ひと呼吸だけ考えて頭を下げた。これで黒田が天下の政を解してくれたら、豊臣の治世は磐石となろう。以前は商人だった小西行長、実直で計数にも長けた長束正家の二人を付けてくれるなら、町割の現場も万全と言えた。

三成は船を下りると、小西と長束を伴い、すぐに黒田の陣屋に向かった。博多の豪商・神屋宗湛《かみやそうたん》の店の離れである。板張りの一室にはその宗湛と、もうひとり見知らぬ男の姿があった。風体からして、これも商人か。黒田の前に三人して座ると、左脇に控える二人の商人のうち、年嵩《としかさ》の方が口を開いた。

「小西様、お久しゅうございますな」

「ご無沙汰、申し訳ござりませぬ」

嬉しそうに顔を綻《ほころ》ばせた後、小西は声をこちらに向けた。

「博多の大店、嶋井宗室《しまいそうしつ》殿です。岡山で商いをしておった頃、お世話になりましてな」

三成は「ほう」と頷き、宗室に会釈した。

「石田治部少輔にござる」

互いに挨拶を交わすと、黒田がおもむろに口を開いた。

「町割も、商人衆の力なくしては進められまい。二人を交えて話そうと思う」

三成は頷いて問うた。

「早速にござるが、如何様な町割をお考えあられるか」

「博多は北の息浜《おきのはま》、南の博多浜から成っておる。共に戦で焼け野原だが、まずはこれを旧に復さねばなるまい。町割を進める傍ら、逃げ散った町人も呼び戻さねば――」

頷きながら聞く。ふと、先に挨拶した嶋井宗室が、何か言いたそうなのに気が付いた。

「しばらく」

三成が遮ると、黒田は少し不快そうに「どうした」と問うた。答えて言う。

「商人衆の力も借りるとは申せ、入用な財の多くは殿下がお認めくださりましょう。ここはひとつ、息浜と博多浜を繋げては如何にござろうか」

「埋め立てか。なるほど」

黒田が唸る。宗室の顔が「感心した」というものになった。

「恐れながら、石田様は商いの心得がおありで？」

「いえ。近江の生まれゆえ、商人衆の考え方を知っているに過ぎませぬ。息浜の湊と博多浜の町が行き来しにくいのでは、商いも捗《はかど》るまいと思うたまで」

神屋と嶋井、二人が大いに頷いている。これを見て黒田も「なるほど」と応じた。

「良案よな。両浜の間を埋め、ここに町割をする」

黒田の案は、大坂の造りを持ち込むというものであった。南北に道を引いて一小路とし、袈裟の七条になぞらえて七小路を設け、碁盤の目の如く整える。寺の門前町だった博多の造りを分かりやすく改め、唐土との交易の要となる息浜を活かす意図が感じられた。

「大蔵殿は、埋め立てに使う土の量と賦役衆の数、どれだけの財が要るかを勘定してくだされ。摂津殿は計数に従い、賦役衆を集めて欲しい」

発しながら、三成は長束と小西に目を遣る。長束は膝の上で指算盤を弾いており、小西も指を折りつつ何か考えていた。言うまでもなかったか、と目を細めたところで黒田が声をかけてきた。

「人を呼び戻すには、この地での商いに特段の情を示すのが良かろう。お主は嫌うだろうがな」

「短い間にことを成すには、認めざるを得ぬのでは」

黒田は狐に抓《つま》まれたような顔を見せた。そこに向け、博多の差配の案を次々と述べる。

「まず織田信長公のなされた楽市・楽座を用いるがよろしいかと。誰でも商いができるなら、黙っていても人は集まり申す。加えて博多で商いをする者には、向こう三年の地子と賦役を免じては如何にござろう。商いを専らとする町なれば、国衆や地侍の屋敷も禁じたが良いでしょう」

黒田は一々に頷いて聞き、神屋と嶋井に「どうだろうか」と問う。二人は、それなら助力の甲斐もあると大いに喜んだ。

「然らば黒田殿のお指図の下、小西摂津殿、長束大蔵殿、博多の商人衆が動いて町割を進めるということで。それがしは島津の指南もござるゆえ、あとひと仕事を終えたら大坂に戻り申す」

「ひと仕事とは？」

小西に問われ、三成は平らかに返した。

「博多の町衆を律する掟を、定めねばならぬ」

「お主らしいわい」

苦笑交じりの黒田に一礼し、すくと立つ。去り際の背に「治部」と声をかけられた。

「礼を申すぞ」

会釈しつつ「役目にござれば」と残し、三成は立ち去った。戦火に荒れた町を見たからか、黒田も政と戦を繋げて考え始めている。顔には出さぬが、互いに歩み寄れたことを喜び、その機会をくれた秀吉の計らいに感謝していた。

博多の掟を考える一方、三成は堺政所代官の父・正継に宛て、大小十艘の船を回すように文を送った。それらの船が到着すると、島津義久と共に九州を離れて長門《ながと》の赤《あか》間関《まがせき》に渡る。義久は秀吉に随行して博多まで来ていたが、指南役の三成と共にしばし留まっていた。

赤間関の浜には漁師の小屋がぽつぽつと見える。その中にひとつ、場違いな空気を漂わせる陣屋があった。急あつらえと分かる造りだが、高い板塀を巡らして他と一線を画している。夕暮れ時、三成がそこに導くと、義久はいくらか閉口したように言った。

「斯様なものをこしらえずとも、百姓家の離れを借りれば良かったろうに」

確かにそのとおりだが、この人は少しばかり堅物かも知れない。

「そういう訳には参らぬのです」

歩みを止めずに返し、陣屋の奥へと進む。部屋の数は玄関から右手に二つ、左手に二つ、正面の奥にひとつある。その奥の間に至ると、跪いて障子の向こうに声をかけた。

「島津家指南役、石田治部にござる」

すっと障子を開ける。部屋の中を見て義久が目を丸くした。

「亀寿……」

人質として上方に遣られる姫であった。父とは別に船で送られていたところを、三成から秀吉に頼んでこの地に留まらせていた。

「父上」

姫は父の顔を見るなり、切れ長の眼から大粒の涙を零した。見知らぬ地に人質として赴くことを心細く思っていたのだろう。涙は父・義久も同じである。感極まって嗚咽を漏らし、その場に平伏して謝辞を述べた。

「これほどの、ご厚情を、く、くださるとは」

三成は柔らかく首を横に振った。

「関白殿下のお情にござる。末永く忠節を明らかになされませ」

「お誓い申し上げる。申し……上げもす！」

涙に暮れる父と娘を残し、静かに陣屋を辞した。二日後、義久と亀寿姫を伴い、三成は大坂への帰路に就いた。

大坂に戻って自邸で一夜を明かし、翌朝一番で城に上がる。何やら騒がしかった。訝しく思いながら天守の中之間に至ると、秀吉が開口一番、ことの外満足げに言った。

＊

「戻ったか。島津がえらく感じ入っとったぞ」

三成は主君の前に座り、いったん平伏してから応じた。

「姫のことにござりますか。もうお耳に入っているとは」

「おみゃあは人の好き嫌いが激しいが、好いた相手への情はこの上ないわい。それほど島津が気に入ったんか。あ、いや。姫かや。何ならわしが口利いて、側室に宛がってやってもええが」

「左様なことでは。大口城で新納忠元が駄々を捏《こ》ねた折、島津様は蹴散らしてくれと仰せになられましたろう。一度は殿下に楯突いた御仁なれど、その実、我らの思うところを解するお方と思うたゆえ、手厚くもてなしたまで」

真顔で返すと、秀吉はつまらなそうに「そうかや」と応じた。三成は改めて問う。

「それより、城の中が騒々しいのは？」

「これか。京の聚楽第《じゅらくだい》がそろそろ仕上がるでよ、あれこれ運ぶためじゃ」

朝臣としての、関白公邸である。第、つまり邸宅と言いつつ、造りは城そのものだった。昨年の二月に縄張りしていたが、あと三ヵ月して九月には落成するという。三成は「ああ」と頷いた。

「然らば政は京に移りまするが」

秀吉は「うん？」と首を傾げた。

「何ぞ、言いたいことがありそうじゃのう」

「諸々が慌しくなる前に、ご一考願いたいことがござりまして」

眼差しで促す主君に向け、おもむろに切り出した。

「伴天連に何かしらの枷を嵌めるべしと存じます」

「あ？　いや、ちょっと待て。全く分からんがや。終いの話だけで『何でか』を飛ばすんは、おみゃあの悪い癖じゃ」

渋い顔を向けられて俯いた。大谷吉継にも同じことを言われた覚えがある。

「実は博多を発つ前に、嶋井宗室殿から聞いたのですが」

町衆への掟をまとめている頃、今後の博多の商いについて話をした。宗室は、誰でも商いができる町にするのは良いが、息浜の交易は頭打ちになるかも知れぬと言うのだ。

「息浜が焼け野原になり、海の向こうとの商いは長崎《ながさき》が専《もっぱ》らとなっております。されど長崎の取引には耶蘇会《やそかい》が絡んでおり、絹糸の値を左右するほどに口を出しておるそうで」

絹糸と聞いて、秀吉は自らの着物に目を落とした。三成は「つまり」と続けた。

「取引の大元を握られているようなものなれば、息浜の湊を旧に復したとて、交易でどれほどの益が得られるかとご懸念でした」

日の本で使う生糸は全て唐土の明《みん》帝国で産したもので、海の向こうの天川《マカオ》を介してもたらされる。長崎での生糸の交易には耶蘇会――イエズス会が財を出して勧奨し、これで得られる利益を布教に使っていた。彼らにしてみれば必要なことだろうが、日の本にとっては商いの障りである。

「広く世を見てこられた殿下にはお分かりいただけるかと存じますが、民百姓は目先のものに弱く、自らを潤してくれる者にこそ従うものにて――」

己にも分かる。浅井家が滅んだ折、故郷の百姓が父や兄の下知に従わなかったのは、主家を失った石田家が力を、民を安んじるという分かりやすい益を示せなかったからだ。

「ことは商人が益を損なうのみに非ず、伴天連が肥え太れば殿下をも凌ぐ力を得るやも知れませぬ」

そうなれば博多の復興も大きく阻まれるだろう。商いによる財貨の流れを抜きに、政は語れない。説明を加えると、秀吉は瞬時に烈火の如き怒りを発した。

「ふざけんな！　日の本は豊臣の天下じゃ。紅毛人になぞ、好き勝手にされてたまるかい」

「あ……。はあ」

間の抜けた返事になってしまった。身は軽く仰け反っている。それほどに驚いていた。この剣幕は、これまで秀吉が見せたどれより凄まじく、猛烈な圧迫を伴っていた。

「わしゃ決めたぞ。こんなことで足踏みなんぞしちゃおれん！　治部、伴天連を追い出す法度をまとめい。今すぐじゃ」

「は、はっ」

今度は慌てて頭を下げた。胸には、何とも言いようのない不安があった。己は何か悪いことを言ったのだろうか。この国の商いを守って民を潤し、下々を従わせる方策を進言しただけなのだ。確かに秀吉は意を汲んでくれたのだろうが、いきなり「追い出す」とは穏やかでない。もっとも己とて、修羅《しゅら》の如き面相に逆らう気にはなれなかったが。

危ういものを覚えながら、三成は法度の案をまとめた。

伴天連は門徒に神社仏閣の打ち壊しを命じ、仏法を破り、捻じ曲げてきた。ゆえに日の本にあってはならない。今日より二十日の間に帰国すべし。ただし商いで訪れる者には格別の沙汰を下す。商人に限らず、仏法を妨げなければ切支丹《きりしたん》の国と行き来することも咎めない——この国の実際と秀吉の勘気をぎりぎりの線で摺り合わせ、要旨を五箇条に書き連ねた。

案の定、秀吉はこれを見て再びの怒りを滾らせた。

「何じゃこりゃ。切支丹に帰依《きえ》しとる者に、仏法に戻れって言わにゃならんがや」

三成は胸を詰まらせながら「されど」と応じた。

「殿下に従う者にも切支丹は多うござりますれば。特に黒田孝高殿、高山右近殿、小西行長殿は豊臣のために尽力した面々にて」

これらの心情を害してはならぬ。どれも力を持つ者であり、離反したら定まりかけた世が揺らぐやも知れぬ。

「どうかご寛容を。天下のためにござります」

平伏して懇願すると、秀吉は憤懣やる方ないという風に荒く鼻息を抜いた。

「しょうがにゃあ。もう切支丹に帰依しとる者は、そのままでええ」

どうにか説き伏せると、どっと汗が噴き出した。

六月十九日、秀吉の名で伴天連追放令が発せられた。

いつか、あの男が来る。六日めか、七日めか。懊悩して過ごすこと五日、三成が思ったよりも早く黒田が大坂に上がった。先の法度を知り、博多町割を家中の者に委ねての上坂であった。

「個々の信仰にまで口を出すなど、天下人の行ないに非ず。斯様な沙汰は下々を縛る無法と言わざるを得ませぬ」

黒田は面を冒して諫言を吐く。秀吉は明らかな不機嫌を撒き散らしながら返した。

「そう申すな。新しく切支丹になってはならん、ちゅうだけの話よ」

三成は秀吉の傍らで、額にじわりと脂汗を浮かせる。黒田がその顔を睨み、然る後に秀吉へと目を戻した。

「我らが八百万《やおよろず》の神々も御仏も、切支丹のデウスも、いずれも同じく目に見えず、この世にないものにござります。心の拠りどころをいずこに求めるか、それすら押さえ込むとあらば、かつて信長公が本願寺《ほんがんじ》と一向宗を敵に回した轍《てつ》を踏むのではと案じる次第」

三成は、堪らずに口を挟んだ。

「黒田殿、お控えを。これは信仰の話のみに非ず、ご辺がお進めある博多町割、商人の益にも関わる話にござりますれば」

黒田は「ふふん」と鼻で笑った。

「お主であったか」

そうではない。だが、どう返せば良い。分からない——。

「黙れや官兵衛。豊臣に背くちゅうんかい」

秀吉が静かに発した。黒田は苦渋の面持ちで居住まいを正す。

「殿下がこの国を安寧にお治めくだされますよう、切に願うがゆえの諫言にござります」

「なら、わしの決めたことに従え。それができんなら、おみゃあは豊臣の敵じゃ」

黒田が絶句する。三成とて耳を疑った。骨身を惜しまず奔走してきた男に「敵」などと。

「どうなんじゃ。答えんかい」

「殿下に背こうなどとは、露ほども思うておりませぬ」

駄目を押した秀吉に深く頭を下げ、黒田は広間を辞した。秀吉は苛立たしい思いを隠しもせずに立ち上がった。

「のう治部。おみゃあ、前に、官兵衛は政を知らんて言うとったのう。そのとおりだがや。切支丹なんぞにかぶれて、日の本の行く末が分からん阿呆じゃ、あやつは」

吐き捨てて、中之間へと下がって行く。三成は、がばと立って小走りに黒田を追った。

「お待ちを」

五間ほど向こう、左足を引き摺る背に声をかける。黒田は静かに応じた。

「この国が栄える……伴天連が障りになる、か。治部よ、お主は全く正しい」

肩越しにこちらを向く。冷ややかに見据えられ、固唾《かたず》を呑んだところに大声が飛んだ。

「だが正しすぎる！　人とはな、誰もが正しからぬものを胸の内に飼《こ》うておるのだ。息苦しく思えば乱れ、気に入らねば荒れる。殿下のお姿を見て、それを知れ」

何も返せないでいると、黒田は、恐らく自身への嘲笑を浮かべて去って行った。

その後、秀吉は黒田を豊前十二万石の国主に据えた。それまでは播磨に四万石であったから、大幅な加増である。博多町割のためには近隣に領がある方が良く、九州征伐後の押さえとしても、島津を下した男は適任と言えた。だが秀吉の真意は、そこにはない。黒田を大坂から遠ざけたいのは火を見るよりも明らかだった。国許を代官に任せ、自身は主君の許にいても構わぬのが大名である。しかし領国が遠いことで生まれる不便は、そのまま主君との距離を意味していた。

「黒田孝高殿。豊前への国替え、十二万石への加増を沙汰するものにござります」

固い面持ちで三成は発する。黒田は日頃見せぬほどのすまし顔で聞き、溜息をついた。

「謹《つつし》んでお受けすると、殿下に伝えられよ」

それこそが主君の信を取り戻す道と判じたのか。何と遣る瀬ない話だろう。長らくいがみ合っていた相手と、歩み寄れるはずだったのに。

心中の煩悶《はんもん》を顔に出すまいとする三成に、黒田も面持ちを崩さぬまま一礼し、ぼそりと発して立ち去った。

「治部。お主の勝ちだ」

どうして、斯様なことに。胸中の重苦しさを持て余し、三成は目を閉じて眉をひそめた。遠ざかる黒田の足音が悲しく響いた。

三　肥後一揆

六月末、秀吉に目通りする二人の男があった。ひとりは先に豊前六郡への国替えとなった黒田孝高である。

「これより領国に赴きまする。ひととおりの差配が終わり次第、殿下のお側に戻るつもりにて」

秀吉が「うむ」と頷く。続いてもうひとりが平伏した。佐々成政である。

「殿下に弓引いたそれがしに肥後一国をお任せくださること、忝きお沙汰と存じ奉ります」

佐々はかつて柴田勝家の寄騎として秀吉の障りとなり、小牧・長久手の戦いでも徳川家康に与していた。織田信雄の取り成しで降伏してからは秀吉の御伽衆《おとぎしゅう》となっていたが、いずれ隠れなき猛将である。国主のいない肥後を任せるには適任という判断であった。

秀吉の傍らに侍し、三成は二人に向けて尊大に発した。

「殿下のご信任に応えるべく、各々力を尽くすべし」

平伏を解いた黒田の眉が、ぴくりと動く。三成は敢えて、胸を反らして見せた。

黒田との間にできた溝は当分、或いは永劫《えいごう》に埋まらぬだろう。ならばこそ、いつまでも悩んでいる訳にはいかない。今はただ、黒田と佐々を九州に置く差配の正しさを思うのみだった。

ところが――。

二人が任地に赴いて間もなくの七月、肥後の異変が報じられた。佐々が検地を行なおうとしたところ、秀吉の発した本領安堵の朱印を盾に国衆が拒み、火の手を挙げたという。信に応えんとする佐々の意気込みが空回りした格好であった。

九月、その佐々が援兵を請うてきた。三成は書状を一瞥すると、他に寄せられた陳情の数々を捨て置いて、すぐにこれを取次いだ。廊下に跪いて「失礼仕ります」と一礼する。秀吉は粗方を察しているようであった。

「肥後かや」

「佐々殿も手を尽くしておられるようですが、一揆衆は三万五千を揃えているとか」

「そんなにか。成政が大袈裟に言うとるんじゃにゃあか？」

目を丸くするのも分かる。兵は一万石につき四百ほどを目安に抱えるものだ。三万五千なら八十八万石ということになるが、肥後一国は五十万石ほどでしかない。

「真偽は、調べてみないことには。国衆が百姓を無理やり駆り出しているなら辻褄は合いまする」

ひと頻り唸る間に、秀吉の顔は見る見る憤怒の朱に染まった。

「温情を逆手に取って歯向かうとは、肥後の奴らは関白を舐めとるんかいや！　治部！　すぐに四国と九州の大名衆に援軍を下知せい。九州は唐入りの足掛かりにするんじゃ。今年中に鎮めるよう、きつく申し伝えろ」

「……はっ」

一揆を鎮めることに異論はない。そうせねば、未だ平らげていない関東と奥羽への睨みも利かないからだ。しかし我が主君はまたも唐入り――海の向こうに兵を出すと言った。返事がやや遅れたのは、それゆえであった。

秀吉の下知に従い、四国・九州勢に援軍を指示する。立花宗茂《たちばなむねしげ》、筑紫広門《つくしひろかど》、鍋島直茂《なべしまなおしげ》らを差し向け、毛利麾下の小早川秀包《ひでかね》に総大将を任せた上、黒田孝高と安国寺恵瓊に参軍を任せた。名にし負う猛将と戦上手が肥後を囲むように攻め立てたことで、一揆はどうにか年内に鎮まった。

明けて天正十六年（一五八八年）二月、佐々成政が先の不始末を詫びるべく大坂に上がった。秀吉は既に京の聚楽第に移っていたが、佐々に目通りを許さず大坂に留め置き、三成を遣って下命を伝えさせた。

大坂城天守、中之間で佐々を引見し、三成は居丈高に声を張り上げた。

「佐々成政。領国に一揆を招いたこと、甚だ不届きである。殿下より追っての沙汰が下るまで、摂津尼崎の法園寺《ほうおんじ》にて蟄居《ちっきょ》すべし」

佐々は「謹んで」と平伏する。だが、少しすると肩を揺らし始めた。

「何を笑う」

見咎めた三成に、佐々は苦笑を向けた。

「其許、なぜ左様に肩肘張った物言いをする」

「異なことを申す」

「わしは厳しいお沙汰も覚悟しておるのだ。ことさらに厭味な振る舞いをせずとも良かろう」

佐々は齢五十三、古くは信長側近の黒母衣衆《くろほろしゅう》にも取り立てられた猛者である。経験の差、年の功というものか、未だ二十九の我が心中など見透かしているようであった。溜息ひとつ、三成は言葉を改めた。

「さすがは、と申すべきでしょうや」

秀吉が関白に就いたばかりの頃に進言した。位人臣を極めたからとて何でも好き勝手にできるものではないが、天下のためには強引な沙汰を要することもあると。

「殿下が恨みを買い、或いは見くびられたら、豊臣の天下は揺らぐのです」

主君の泥除けになろうと、非礼を貫いたに過ぎない。それを悟ったか、佐々は何度も頷いた。

「伴天連云々の頃から、殿下のお気が短くなられたように思うておった。其許も苦しいのだな」

「それがしは何とも。佐々殿が検地を急いだのは、そのためにござるか」

穏やかな声が返された。

「時をかけてはならぬと思うた。が、それが間違いだったようだ」

「それでも、貴殿が遅れを取る相手ではなかったはず」

「国衆だけならな。だが、奴らは百姓まで総出で駆り出しておった」

百姓は賦役衆として戦場の雑用を命じられるが、戦そのものをすることはまずない。刀や槍、弓を常から鍛錬していない者では、ものの役に立たぬからだ。そのような者に、佐々ほどの男が負けた理由は――。

「百姓を討ち死にさせれば、一揆を鎮めたとて米が作れなくなる……ですか」

「国衆の思う壺よな。奴らめ、検地など受けたら百姓の取り分が減ると触れ回っておった。肥後に何の縁もない領主など信じてはならぬと」

百姓に限らず、大半の人は目先の益しか考えられない。肥後国衆も然り、秀吉に従う上は、いずれ検地も受け入れねばならぬことに思い至らなかったようだ。

「確かに貴殿は急ぎすぎたのでしょう。されど、それを以て歯向かうのは間違っている」

三成の押し潰した声に、佐々は俯き勝ちに「いいや」と応じた。

「柴田の寄騎として越前を平らげた折も、国衆には手こずった。この日の本、恐らくどこへ行っても同じだろう。誰も、自らに縁のある地を少しでも失いたがらぬ。人とは、そういうものぞ」

分からぬでもない。だが、と頭を振って応じた。

「曲げてでも左様な心根を変えねば、この国はいつまで経っても戦乱のままにござる」

佐々は微笑を湛えて「そうか」とだけ応じた。

翌日、三成は京に取って返し、聚楽第へと上がった。秀吉は自室で秀長に会っているという。

「さは仰せられますが、国衆の力なくしては兵を束ねるにも苦労いたしますぞ。何とぞご寛容を」

主君の居室に至るなり、秀長の切羽詰《せっぱ》った声が聞こえた。障子の開け放たれた中には千利休も共にあり、もうひとり、別の男の背も見えた。

「失礼を。石田治部、大坂より戻りましてございます」

廊下に跪いて声をかける。秀吉が「ご苦労」と寄越し、秀長と利休が振り向く。そして、もうひとりもこちらを向いた。島清興——かつて大和の筒井順慶を説き伏せに向かった折、こちらの言い分に味方してくれた男だった。四年ほど前に順慶が病で早逝すると、後を継いだ筒井定次《さだつぐ》と折り合いが悪く、出奔したと聞いていた。その男がここにあるとは少なからず驚いたが、三成は軽く会釈だけして部屋に入り、秀長、利休と対面する秀吉の右手前に腰を下ろした。

秀吉が苦りきった顔で問うた。

「小一郎がよ、肥後の国衆を許してやれって言うんだがや。おみゃあどう思う」

主君の思いは確かめるまでもない。三成は秀長に向けて声を張った。

「佐々殿に会うて一揆の仔細を聞き申した。彼の者共は殿下のご恩に胡坐をかき、ご寛容を良いことに弓引いた謀叛人にござる。百姓を脅し、無理に従えて兵としておったとか。斯様な心得違いの者共に再びの寛容を示さば、豊臣の天下こそ見くびられましょう。並の罰では足りぬと存じます」

秀長と利休は眉をひそめ、口々に返した。

「其方の申すとおり、国衆には百姓を動かす力がある。なればこそ、厳しすぎてはならぬ」

「左様、百姓が心置きなく働けるよう、生かして恩を与えるべきかと存じますが」

三成は哄笑を上げた。

「馬鹿も休み休み申されよ。そも検地を拒むは不正あるゆえにござろう。私利私欲の挙句、狼藉に及ぶような者共が、百姓を安寧に治められるとお思いか。弓引いた者は元より、佐々殿に助力せなんだ者にも厳罰を以て臨むべしと存ずる」

不遜《ふそん》な物言いに、温厚な秀長が珍しく目を吊り上げた。

「黙れ横着者。人と土地の繋がりを断って何とする。左様な沙汰を下さば乱れを生むのみぞ」

秀長にこのような顔をさせるのは辛い。だが秀長だからこそ、秀吉への反発を抱かせてはならぬのだ。思いを定め、三成は「さにあらず」と返した。

「土地の縁に縛られれば、人はこうまで頑なになるという良い見本ではござらぬか。

これを許さば検地のたびに謀叛を企てる者が現れ、かえって乱れを生むに相違ない。

天下人のご裁定は左様にあやふやではなりませぬ。生ぬるい。その一語に尽き申す」

胸を張って捲し立てる。秀吉が「良くぞ申した」と手を叩いた。

「小一郎、利休。治部の申すとおりじゃわい。わしゃ決めたぞ。肥後国衆五十二人のうち、一揆に与した奴、成政に味方せなんだ奴、四十八人の首を刎《は》ねる。分かったら下がれ」

「されど殿下」

「下がれ！」

なお食い下がる秀長を、秀吉が一喝した。秀長と利休は深く溜息をつき、ひとつ平伏して立ち去った。去り際の秀長は、怒りを湛えた目で三成を睨んでいた。

二人が下がると、秀吉は上機嫌で問うた。

「ところで、おみゃあの用は？　成政のことかや」

「その件も含め、先の話で用は済みました」

三成は深々と頭を下げ、秀吉の前を辞した。戻ったその足で参じたゆえ、着物も替えていない。いったん城下の自邸に下がろうと、本丸から二之丸へと抜ける門をくぐった。

「石田殿」

門の陰、右手から声がかかる。島清興だった。

「これは清興殿。先ほどは驚きましたぞ。筒井家を出たとは聞いており申したが」

清興はこれまでの経緯を手短に話した。出奔の後は秀吉麾下の蒲生氏郷《がもううじさと》に仕えたが、このほど秀長の知遇を得て主家を変えたそうだ。

「今日は主君の供として、殿下へのお目通りが叶った次第にござる」

三成は「ほう」と長く息を漏らした。

「それがしにもっと力があれば、先んじて貴公を迎えておったものを」

しかし清興は、少し険しい顔を見せた。

「果たして、それがしは貴殿のお誘いがあっても、ご家中には参じませなんだろう」

「何ゆえか。筒井順慶殿を説き伏せた折、貴公とは意を通じたと思うておったが」

「……それがしも、あの折は左様に思うており申した。されど、先ほどの秀長様との問答が全てです。貴殿は頭が固い。しかも殿下のご威光を笠に着ておられる」

清興は吐き捨てるように言うと、一礼して立ち去った。

無念であった。正しいことを述べ、正しい差配を願っただけなのに。秀長の怒りを、秀吉でなくこちらに向けるためだったのに。

「わしは、阿呆か」

清興は秀長の家中なのだ。主君をやり込められ、心平らかにいられるはずもない。

『世には、お主のやり様が分からぬ者とて多い』

かつて吉継に言われたことが脳裏に蘇る。そのとおりだ、と自嘲して両手の拳を固く握った。

秀吉は肥後国衆を処断し、また佐々成政にも切腹を命じた。天正十六年閏《うるう》五月十四日、佐々は五十三歳の生涯を閉じた。三成にとって、佐々に下った沙汰は痛恨だった。生き延びれば、必ずや恥を雪ぐ働きを見せたはずの人なのだ。しかし一揆を招いた責任の一半は、確かに佐々にある。認めざるを得ない結末であった。

＊

佐々成政亡き後の肥後は、北半国が加藤清正に、南半国が小西行長に与えられた。沙汰を伝えるのは三成の役目である。小西は博多町割で九州にあるため書状で伝えたが、清正には会って話さねばならなかった。

「——以上。異存はあるか」

読み上げた朱印状を畳の上に置いて発する。清正はそちらには目もくれず、小馬鹿にしたような笑みを浮かべた。

「殿下から聞いたぞ。お主、わしを九州に置けと進言しておったそうだな」

「したが、何か？」

「横柄なお主が、やっと自らの非才を認めた。まあ、良いことであろうな。この先も出世して、お主如きは置き去りにしてくれるわい」

「そうか。励むが良かろう」

三成は抑揚のない声で返した。

それから一ヵ月余りが過ぎた。豊臣麾下に入る者が増えるほど、届く書状の数も増え、三成は連日その仕分けに追われている。昨今では肥後国衆の誰を斬っただの、逃れて来た誰の首を刎ねただのという話が多い。

「ふう……」

ひととおりを終えて目を閉じると、瞼の裏にじわりと熱を感じた。

「三成」

声をかけられ、疲れた目を向ける。大谷吉継が次の書状を持って来ていた。さすがに、うんざりして無言で手を伸ばす。差し出された吉継の手首に径二寸ほどの薄赤い斑紋が見えた。

「どうした、それは」

問うと、吉継は「はて」という顔をする。三成は顎で手首を示しつつ問うた。

「どこかに、ぶつけたのか」

「そうかも知れん。気付かなかった」

吉継は素晴らしい男だが、ただひとつ、寝相の悪さだけは頂けない。知り合ったばかりの頃、寺の小僧として遣いに出された折、吉継の家に宿を頼んで隣に眠ったことがある。夜中、頭を叩かれて目を覚ますと、吉継の頭と足は逆さに向いていた。少し離れて眠り直したのだが、朝になると吉継は向こうの壁際まで転がっていたものだ。大方そういう事情で作った痣だろうが、慣れっこになって痛みも感じないのか。

暢気な奴よと呆れながら書状を受け取る。小西と清正からであった。どちらも先の一揆で被った害の報告だが、小西の書状には「おや」と思った。

「宇土城は蔵を襲われたが……槍はそのまま、奪われたのは米のみだと？」

吉継は「そんなことか」とばかりに応じた。

「百姓とて、自前で揉めごとを片付けるからには刀くらい持っている。駆り出された百姓は三万を下らぬと言うが、お主の掟書を早々に発してやった方が良いかも知れぬな」

確かにそうだ。近江に発した後、各地に広めている法度には、百姓が近隣との諍いを自ら戦って解決することを禁じ、領主の裁定に任せよと定めた一条がある。

（うん？）

胸の中に得体の知れぬものが浮かび上がり、眼差しを宙に泳がせる。しばしそうしていたが、やがて三成は不意に叫んだ。

「それだ！」

「うわ。何だ、急に」

「お主の申したことが答だと言うておる。すぐに殿下にお目通りせねば」

三成はすくと立ち、廊下へと駆け出した。が、いったん戻って言った。

「手首のよりは薄いが、額にも痣ができておるぞ。気を付けろよ」

忠言を残し、秀吉の居室へと走る。主君は自前で茶を点てていたが、こちらの様子にきょとんとした風であった。

「どうしたんじゃ、慌てて」

「刀狩を行なってくだされ」

「あ？」

紀州征伐の後、雑賀衆の残党に手を貸さぬよう、百姓から刀や槍を取り上げたことがあった。それは秀吉も承知しているが、唐突に言われて面食らったようであった。

三成は腰を下ろしつつ「しばらく」と発し、行長からの書状に記されていたこと、そして吉継とのやり取りを話して聞かせた。

秀吉は「ふむ」と頷いた。

「三万からの百姓に槍を回すなんぞ、まあ国衆の力じゃできんわい。まず自前の刀よ」

「そこで、遍《あまね》く百姓衆から刀を召し上げてはと考えたのですが」

勝手に振る舞う力を奪い、騒乱の元を断てば、自ずと一揆や小競り合いもなくなる。百姓は田畑のことのみ考えるようになるだろう。三成の意図を悟った秀吉は、すぐに頷いた。

「よし。検地と併せて念入りにやれ。……と、そうじゃな、召し上げた刀は東山《ひがしやま》の大仏に使うとでも言うがええ。従えば御仏のご加護あり、逆らえば仏罰が下るとな」

三成は「はっ」と頭を下げ、法度の案をまとめるため、すぐに下がった。

天正十六年七月二十八日、全国に刀狩令が発せられた。秀吉の言う「東山の大仏」とは二年前から建立に掛かった方広寺《ほうこうじ》の大仏である。木像に金箔を当てる形で進められており、鉄を使うところは釘くらい、完全に名目だけの話であった。だが信仰とは盲目である。その昔、一向宗の門徒が織田信長に反旗を翻し、何人が討たれようと一揆に与する者は後を絶たなかった。切支丹の門徒とて、それまで帰依していたはずの寺社を打ち壊している。御仏の加護と仏罰という喧伝には効き目があり、百姓や町人は大して抵抗せずに刀を差し出した。

＊

八月、秀吉は諸将を聚楽第に集めた。何を言い渡すのかは、取次を役目とする三成にさえ知らされていない。悪いことではないゆえ、とにかく集められる者は集めよと言われ、そのとおりにしていた。天守の広間には二百余の家臣が参じている。そこへと向かう主君に続き、三成も歩を進めた。前を行く小さな背が、揚々と浮き立っているように見えた。

「皆の者、待たせたのう」

大きな明るい声と共に、秀吉が広間へと進む。高価な畳を一面に敷き詰めた中、家臣たちが一斉に平伏する様は壮観であった。一段高い板張りの主座は、全て朱漆《しゅうるし》で華やかに塗られている。朱色の中央には、四方の縁を錦の布で覆った畳が重ね敷きされ、紫地を金糸銀糸で彩った座布団が置かれていた。

秀吉が座るのを見届け、自らも朱色の板張りに腰を下ろすと、三成は満座に向けて発した。

「各々方、面を上げられよ」

従って上げられた顔、顔、顔、最も前には豊臣秀長や徳川家康、前田利家、毛利輝元、上杉景勝、宇喜多秀家らの大物が一列を為し、その後ろには黒田孝高や安国寺恵瓊、島津義久、鍋島直茂らが並ぶ。中ほどから後ろの辺りには福島正則や加藤清正、加藤嘉明ら秀吉の子飼いが座を取り、同じ辺りに小西行長や長束正家、増田長盛、前田玄以らの奉行衆が席を連ねた。

ふと、大谷吉継の顔が見えた。二十日も前に見た顔の痣が消えていない。それどころか大小の斑紋はむしろ増えており、薄っすらと赤い辺りが脂ぎって見えた。

気懸かりな思いを、秀吉の言葉が断ち切った。

「話は他でもない。常陸《ひたち》の佐竹《さたけ》、奥羽《おうう》の蘆名《あしな》は書状で誼《よしみ》を通じにきたが、他は関白に従う構えを見せておらぬ。この日の本を鎮めるためには、これらを何とかせねばなるまい」

日頃の尾張弁ではなく、関白としての威儀を正している。三成は心中に「おお」と感嘆の声を上げた。我が主君は、ついにこの国をひとつにまとめようとしているのだ。

「ついては、まず関東の北条をと思うて上洛を命じた。されど北条め、はぐらかし続けておる。この上は、攻め下す他なしと憂えるばかりじゃ」

陣触れを思わせる言葉に、一同がざわめいた。北条の本拠・相模の小田原《おだわら》城は、かつてあの上杉謙信《けんしん》ですら攻めあぐねた堅城である。豊臣家中の兵を糾合したら三十万は下るまいが、それだけの数を要する戦ということか。

「あいや、しばらく」

声を上げた者がある。黒田であった。

「殿下がひと声お命じあらば、皆々勇んで動きましょう。されど、それは北条とて分かっておるはず。まずは今一度、膝を屈するよう申し送られては如何かと」

三成は、背に冷やりとしたものを感じた。またぞろ秀吉が癇癪《かんしゃく》を起こすのではないか——。

「妙案があると見て良いのか」

だが秀吉は上機嫌で応じた。三成の眉がぴくりと動く。そうした戸惑いを余所に、最前列の家康が鷹揚な声で発した。

「黒田殿は類稀《たぐいまれ》なる戦上手と聞き及びますが、まずはこの家康にお任せくださりませぬか。北条の当主、氏直《うじなお》殿は我が娘婿にござりますれば」

「おお。其許がそう申してくれるとは有難い。是非に頼む」

秀吉は先にも増してにこやかな声を上げた。なるほど、これを待っていたようだ。

「北条が殿下に降れば、奥羽も雪崩《なだれ》を打って参じるに相違ござりませぬ」

応じた家康に「うむ」と頷き、秀吉は声を張った。

「日の本を平らげる日は近いのう。ならば、その先も話しておかねばなるまいて」

ぎくりとした。思わず目が主座を向く。こちらの眼差しに気付いた秀吉は、にやりと笑い、皆に顔を向け直した。

「日の本の次は唐入りじゃ。海の向こうを我らが下に置き、この国をさらに大きく、強くする。皆そのつもりでおるように。北条や奥羽如きで足踏みはしておられぬぞ」

先からのざわめきが変わった。福島正則や加藤清正などは歓喜の声を上げているが、小西行長は困惑顔で、黒田孝高や安国寺恵瓊に至っては渋面を晒している。

三成は、小西の空気をこそ最も懸念した。小西の父・隆佐は唐土との交易に通じている。子である小西も海の向こうの仔細に明るい。それが、恐れるような、苦しいような顔色を見せているとなれば——。

「まこと、良きお考えと存じます」

誰よりも早く、家康の声が上がった。こうなると他の者は何も言えない。三成は、深い警戒を胸に目を向けた。秀吉に臣礼を取るまで散々に譲らせた、海千山千の古狸は何を考えている。

(……分からぬ)

家康の顔は初めて上洛した日と同じ、一点の曇りもない笑みであった。

「恐れな——」

「いやはや、全てを呑み込む気概なくして天下人とは申せますまい。この家康、どこまでも殿下に付いて参る覚悟にござりますぞ」

　黒田が発しかけた諫言を、家康の明朗な言葉が遮る。秀吉は黒田をちらと一瞥してから家康に向いた。

「嬉しいことを申す。然らば、まずは急ぎ北条を説き伏せてくれい。皆の者、しかと心得て励むように。それから義久、唐入りの前に琉球《りゆうきゆう》も従えねばならんぞ。豊臣の臣下となるよう、其方から命じておけ」

　島津義久は少し驚いた顔を見せるも、主君の下命は絶対とばかり、堅苦しい大声で「ははっ」と応じた。満足そうに座を立つ秀吉に従い、三成も共に下がった。

　北条が上洛に応じねば戦になる。それを知らしめるだけでも、諸将を集めた意味はあったのだろう。だが唐入りの一件は危うい。秀吉の居室へと続く廊下の中ほどで、三成は「小用を」と言い訳して、来た道を戻った。

　広間からは、皆がぞろぞろと出て行くところであった。その中に家康の姿を見て「大納言様」と声をかける。

「治部殿か。如何なされた」

　柔和な笑みが向けられた。三成は奥歯を嚙み、腹に力を入れて、静かに問うた。

「なぜ、あのようなことを仰せになられました」

　家康は「ああ」と、ゆったり二度頷いた。

「あれか。身の処し方と申すものよ。諫言ばかり繰り返せば、黒田殿のように疎まれてしまうからのう。それでなくとも徳川は、かつて殿下に弓引いておる」

「されど、あれで唐入りは決まったに等しいのですぞ」

「いやいや、我が身かわいさだけではない。故《ゆえ》なき思し召しでもないぞ、あれは」

三成は眉をひそめた。今この国に必要なのは、外に打って出ることではない。戦乱で磨り減った力を取り戻し、さらに栄えさせることであるはずだ。

こちらの顔つきと無言に、家康はにやりと目元を動かした。

「分からぬか。其許は頭が固いようじゃの」

かちんと来た。分かっていないのは、どちらなのか。

「故のある、なしではござらぬ。小西摂津殿や対馬《つしま》の宗義智《そうよしとし》殿、商人衆も然り、彼の地に明るい者に諮《はか》る機会すら、貴殿は断ってしまわれた」

すると家康は、小馬鹿にしたように目を丸くした。

「何とまあ。殿下には従えぬと申すか」

「左様なことは！」

顔が強張る。家康は、ふふんと鼻を鳴らして返した。

「ならぬと思うなら、殿下を御するべし。それも其許の役目ぞ」

何も返せない。家康が会釈して立ち去る。三成は俯き、額に手を当てた。

秀吉の思いを、どう捉えたら良い。仕えて十一年、己はずっとあの人に惚れ込んできた。信長の遺児から天下を奪ってでも——その大義に感じ、日の本の明日を造るために働いてきたつもりだ。

(殿下を御する……)

それも己が役目だと家康は言った。正しいだろう。

昨今の秀吉は、明らかにおかしい。先には伴天連に苛烈な対処を行ない、黒田ほど功ある者に冷たい差配を決した。そして今、明帝国が如何なる国か、どれほどの力を持つのかも調べずに渡海を決めてしまうとは。この迷走をどう捉えたら良いのか。昔は諫言にも素直に耳を貸す人だった。本能寺の後の大返しにせよ、あの賤ヶ岳の戦いにせよ、大掛かりなことほどきめ細かに打つ手を定めてきたではないか。

「治部、何を突っ立っておる」

声をかけられた。秀長である。目を向けると溜息が返された。

「唐入りの話か」

無言を以て肯定すると、秀長は幾らか嫌そうに続けた。

「殿下があのようなことを仰せられるのも、お主や家康殿のように、良い顔ばかり見せる者があるからだ」

「左様なこと。それがしは」

秀長は、先とは意味合いの違う溜息をついた。

「お主が何を考えてきたのかは、まあ分からぬでもない。だが、あれで殿下は逆に、何を我慢せずとも良いと思われてしまったのではないか」

言葉が出なくなった。秀吉に瑕を付けぬよう、己は甘んじて憎まれ役となり、目の前の秀長でさえ敵に回すことを厭わなかった。それこそが主君を歪め、慢心させたと言うのか。

「どれほど効き目があるかは分からぬが、わしからも諫言する」

憂える声を残して秀長が去る。誰もいなくなった廊下に立ち尽くした。がらんとした広間の大きさ、主座の朱色、各々の部屋を仕切る金襖の輝き、秀吉の力を示す全てが己を責めているように思えた。

*

諸将に唐入りを宣言したのと同じ八月、秀吉はついに浅井の姫——茶々を側室に据えることを決した。三成が難色を示すと、秀吉は身を乗り出してしかめ面を見せた。

「何が、あかんちゅうんじゃ」

「未だ、良いお返事を頂戴しておりませぬ上は」

「おみゃあに任せとったら、いつまで経っても埒が明かんわい。わしゃ関白じゃぞ」

女人に無理やり言うことを聞かせるなど、これまでの秀吉なら決してしなかった。

三成はなお渋い物言いを繰り返した。

「政なら無理を通すべき時もありましょうが、これは話が別ではございませぬか」

秀吉は「いいや」と真顔で頭を振った。

「今や、織田じゃ何じゃ言うとっても始まらんわい。茶々はわしの寵を受けて、悩むことなく暮らせばええんじゃ」

「世の者たちが何と言うか、お考えくだされ。ただでさえ、織田の天下を奪ったと、北条が騒ぎ立てておるのですぞ」

「おみゃあには言うたがや。信用なんぞ後から付いて来ればええんじゃ。それに、わしが茶々を娶《めと》れば、織田の血筋まで従えたって見せ付けられるわい。もう豊臣にゃあ逆らえん、ってよ」

三成はそれ以上を言うことができずに、取次番の部屋へと下がった。

ひとりになると、胸が疼くように痛んだ。

以前からその気配はあったが、こと茶々については、秀吉は人の言うことを聞かない。だが、それだけか。秀長が言うように、慢心して天下人の立場に蝕まれてしまったのではあるまいか。

（そう仕向けたのは）

他ならぬ己だと秀長は言った。正しいのかも知れない。秀吉の思惑、秀長の言い分、頭がおかしくなりそうだ。この上、家康ほど力を持つ者が勝手を――。

『ならぬと思うなら、殿下を御するべし。それも其許の役目ぞ』

家康、と思ったことで、先に交わした言葉が思い出された。

「まさか」

果たして「勝手」なのだろうか。ならば、なぜ御せよなどと言った。あの日の家康は、全てを見通しているという風であった。その上での追従は、秀吉の我儘を抑える算段があるということだろう。つまり家康は、己にも同じことができると言っているのか。

考えろ。家康は何を求めて秀吉の下に付き、己は何をしたくて秀吉に従っている。全く違う二つが、どこかで交わるはずなのだ。

「……分からん。が」

俯き加減の目に右の掌が映る。握り固めて額をごつんと叩いた。分からなければ、分かるまで考え続ければ良い。目の前にある書状の山を仕分けながらでも、それはできることであった。

一ヵ月して九月、秀吉は茶々を正式に側室とした。壮麗な婚儀から十日ほど過ぎた頃、三成は茶々の機嫌を伺うべく、秀吉の許しを得て目通りした。聚楽第の本丸、天守とは別に築かれた御殿の一室へ進んで平伏する。

「お方様に於かれましては、ご機嫌麗しくあられ、何よりと存じ奉ります」

「おまえには、そう見えるか」

部屋に入った時の仏頂面で分かってはいたが、案の定、鬱々とした声が返された。三成が顔を上げると、茶々は深く溜息をついた。

「織田の血を引く身が臣下の者に辱められて、機嫌が良いなどと……」

目元を押さえる。三成は胸の中に何を抱くこともなく、淡々と応じた。

「左様に思われるなら、お方様が天下をお取りになればよろしい」

「埒もないことを申す」

つまらぬ、くだらぬという思いを隠しもせずに吐き捨てる。確かに、女の身が天下を取るなど思いも寄らぬところだろう。

（されど）

三成の胸に炎が灯った。あなたは何のために、今までを生きてきたのか。どうしてこれからも生を永らえようとするのか。この一ヵ月ほど自らに問うたと同じことを眼差しに宿し、茶々を見据えて、静かに、しかし強く言った。

「是非とも殿下のお世継ぎを産まれませ。織田と浅井の血を引く和子様にござれば、それを以て天下を奪い返すと考えればよろしい。これは、お方様の戦いにございます」

茶々は、ぎょっとした面持ちを見せた。息はやや荒く、苦しそうにも映る。

秀吉は五十二を数えながら実の子がない。甥の秀次を養子としているが、和子を生めば、どちらが豊臣の世継ぎかは明らかである。それは茶々にも分かるだろうが、こちらの言葉があまりに意外だったか、しばし何も言えないようであった。

やがて、掠れる声をさらに潜めて問いが投げ掛けられた。

「治部には殿下への義がないのか。これほどに取り立てられながら」

小さく首を振って見せる。

家康の言葉を思い出して以来、己が進むべき道を深く自問し続けた。ようやく行き当たった答を思うと、胸に灯った炎が、かっと大きくなった。

「返しきれぬほどのご恩を頂戴した身ではあれ、我が役目はまた別の話にて。戦乱に喘《あえ》ぐ世を鎮め、日の本を導き、富ませ、強く確かな国に造り変える。それこそ我が役目にして望みなれば、己ひとりの義など小さきことにござる」

茶々は呑まれたように声を震わせた。

「豊臣の天下には……拘らぬと？」

「いささか違い申す。国のためを思わば、豊臣を支えるが早道でしょう。殿下をお慕いする思いにも沿うことにござる。されど必要とあらば心を殺し、陰ではお言い付けを違えるも厭わずと覚悟を決めた次第。かつて殿下は仰せられました。信長公の天下布武を継ぐため、自らの義は心に仕舞い込んだと。生涯これに倣うのが治部の道にござります」

豊臣の家、主君・秀吉、そしてもし茶々が世継ぎを産むのなら、その子とて同じである。全てが天下をまとめるため、世にあるに過ぎない。曲げてでも自らに言い聞かせ、秀吉に仕える意味を全うすべし。それが、三成の辿り着いた心の頂であった。

茶々はしばし黙っていたが、やがて「ふう」と長く息を吐いた。

「前に申したな。自らに連なる者を思わねばならぬと」

そして、また黙る。物音ひとつ立たぬ中、三成は欠伸が出そうなほどの時を待った。茶々の顔は時に苦悶に歪み、何かを呑み下したように落ち着き、そうかと思うと悲しげなものになる。最後に、恨みがましいものを流し去って安らいだ面持ちを見せた。

「もしも……殿下のお世継ぎを産むことができたら、その子をおまえに託しましょう」

秀吉を拒み続ければ、周りの全てが泣きを見る――そうならぬようにと案じた末、自らを守ろうとするだけの頑なな思いを捨てたのだろう。心根の美しさに感じ、三成は「謹んで」と恭《うやうや》しく頭を下げた。

気持ちの折り合いが大きかったのか、それからわずか一ヵ月と少しの十一月、茶々は秀吉の子を宿した。これまで子に恵まれなかった秀吉は驚喜して、京の南にある淀城を改修し、茶々の居所として与えると決めた。改修は年明け天正十七年（一五八九年）三月に終わった。茶々は子を産むためこの城に入り、以後「淀の方」と呼ばれるようになった。

五月二十七日、淀の方は子を産んだ。待望の和子・鶴松《つるまつ》であった。

四　小田原征伐

「治部、お召しに従い参上仕りました」

秀吉の居室を訪ねて廊下に跪く。天正十七年七月、秋にしては酷く蒸し暑い日で、秀吉は部屋の奥の仄暗い一角に引っ込んでいた。三成は日の明るさを遮るように、入り口近くに座った。

「見てみい」

畳まれた書状が放って寄越された。差出人は北条氏直である。読み進むほどに、眉間に皺が寄った。家康を通じて再三の指示を与えるも、北条は上洛しようとしなかった。秀吉は待望の和子・鶴松を得て上機嫌だったのか、それでも辛抱強く説得を続けたのだが――。

「真田から上野《こうずけ》を召し上げて北条に寄越せと……これは徳川様のお取次で？」

「そうよ。氏直の名じゃが、親父の氏政《うじまさ》の肚じゃろうな」

秀吉が天下人の座を固める前、徳川と北条の間で、上野は北条、信濃は徳川が領するという取り決めがあった。当時徳川傘下だった真田昌幸は、両国に跨る領を持つがゆえ、この裁定を不服として離反している。以後は上杉景勝を頼り、その伝手で豊臣の臣となっていた。当然ながら真田の上野領は北条に引き渡されていない。

「北条め……上洛に従う代わりに、豊臣の領を差し出せって言うとるようなもんよ」

秀吉は忌々しそうに溜息をつき、右手の拳で苛々と膝頭を叩いた。気持ちは分かる。天下惣無事の本義、私闘に訴えず天下人の裁定を仰げというのを逆手に取られたのだ。聞いてやらねば法度の理を曲げることになり、聞いてやれば豊臣は足許を見られる。

三成はすぐに答えた。

「難しい話なれど、聞いてやる方が早いかと」

「それも、ひとつの道じゃろうがの。真田はどうする。おみゃあの義兄者《あにじゃ》は、家康で

ている。

四年前、真田昌幸はたった千二百の兵を駆使し、徳川軍七千を完膚《かんぷ》なきまでに叩いた。別意を抱かせてはならぬ男という警戒ゆえか、秀吉の面は険しく固まっている。

「それとも、妙案でもあるんか」

背を丸め、首だけを突き出して問う。三成は「ふふ」と含み笑いで応じた。

「半分だけ聞いてやれば良いのではござりませぬか。真田は殿下のご裁定に従う外はなし、されど上野の領を全て手放せと言えば不服といたしましょう。半分までなら、それがしが何とか説き伏せてご覧に入れますが」

「半端な話じゃのう。真田はそれで何とかなるとして、北条がおとなしく従う――」

従うはずはあるまい。続く言葉を押し止め、秀吉は目を丸く見開いた。少しすると、にんまりと不敵な笑みを浮かべる。

「すぐに一筆したためて、昌幸に送れ」

下命に従い、三成は真田に書状を発した。上野領の東端に当たる沼田《ぬまた》を北条に譲るべし、それが関白の裁定であると。実際のところ真田の上野領は山ばかりで、まともに米を作れる地は沼田を措いて他にない。それを考えれば全てを割譲するに等しい話である。だが真田昌幸は、沼田城西方の支城・名胡桃《なぐるみ》だけは故地ゆえ手元に残したいという条件付きで下達を受け入れた。

返答を聞かせると、秀吉はくすくすと肩を揺らした。

「さすがは武田信玄の秘蔵っ子じゃ。これでええ。北条に伝えい」

三成は裁定の要旨をまとめ、秀吉の朱印を受けると、取次役の徳川家康に託した。

北条氏直はこの朱印状を受け、父・氏政を上洛させると返答してきた。しかし支度に時がかかると言い、老父に冬場の上洛はさせ難いと言い、引き続き逃げ回っている。

そして十一月の末、その報せが届いた。

「北条が真田の城を落としたそうじゃ。名胡桃をな」

聚楽第の天守、中之間で秀吉が静かに言う。三成は増田長盛と共に主座の右手に侍し、一間の先で平伏する家康をじっと見つめた。

「まことに申し訳なき仕儀にて。取次としての、我が力の不足にございます」

家康は痛恨の極みという風に言葉を搾り出した。だが三成には何とも空々しい態度に見えた。唐入りを云々した時の如く、肚に一物ありそうな気がする。

秀吉は鷹揚に「いやいや」と応じた。

「家康殿が悪いのではない。じゃがのう、これで其許の婿殿を攻めねばならぬようになった」

「否やを申し上げられるものではなく」

秀吉は胸中を覆い隠すように、押し潰した溜息をついた。

「陣触れをせねばならん。右衛門は浅野弾正、長束大蔵、大谷刑部を集めて、半時したらわしの許へ参れ。治部も同じ頃に来るようにの」

増田と三成が「はっ」と頭を下げる。秀吉は悠然と座を立ち、去って行った。増田も「御用を仰せつかったゆえ」と一礼し、慌しい足取りで下がった。中之間に残ったのが二人だけになると、家康はやっと平伏を解いた。主座の金屏風と金の襖で囲まれ、空気そのものが光って見える中、ゆっくりと顔を上げる。

「婿殿も、厳しいお沙汰は免れまいて」

独り言のように泰然と発する。北条氏直を説き伏せられなかった悔恨など、微塵《みじん》も感じられなかった。

「のう、治部殿」

きょろりとした目がこちらに向く。穏やかな眼差しに心を抉られる思いがして、ぞくりと背が寒くなった。

「これ以上の取り成しはなさらぬと？」

努めて平らかに問う。家康は軽く目を伏せ、ゆるりと頭を振った。

「無駄であろうゆえ」

「左様にございますか」

返して、ごくりと唾を呑んだ。もしや――。

「それより治部殿、真田をどうやって説き伏せられた。昌幸はかつて徳川麾下にありながら、わしの下知に背いてばかりだったからのう。後学のために聞いておきたいが」

興味深そうな眼差しが向けられた。

(この男……)

ひととおりを見抜いていたか。三成は心中に舌打ちしつつ、常と変わらぬ態度で答えた。

「何も。殿下のご威光の為せる業にございます」

家康は「そうか」と笑顔を残し、会釈して去った。

＊

黎明の笠懸《かさがけ》山に木を叩く音が響く。ひとつや二つではない。引き連れた二十万の兵から多くを駆り出し、一斉に斧を振るわせていた。八方からがんがんと届く喧騒の中、三成は北東に目を向ける。やがて木々がめりめりと湿った音を立てた。

「そうれ」

正面の一角で多くの兵が声を揃えた。少しすると、みしりと、ひと際大きな軋みを残して木が倒れた。前後して周囲も次々と倒され、目の前の緑がばらりと払われる。木の幹が山肌に叩き付けられてドスンと腹に響き、足許がぐらりと揺れた。

眼下遠く、五里の先に小田原城が丸見えになった。周囲十三里という壮大な総構えの内には、迷い道の如く郭《くるわ》の群れが配されている。それらの中央に堂々と天守が聳え立つ様は、およそ鄙《ひな》の地に似つかわしくない佇まいであった。城の右手、南方には相模湾の水がちらちらと光る。木々の幹に潰された新緑の青臭さに、潮の香りが混じって漂うようになった。

小田原征伐の陣触れは昨天正十七年の十二月十三日に発せられた。直後から兵糧や馬匹《ばひつ》を集めて、年明け天正十八年（一五九〇年）春、豊臣軍は東海道を下った。軍は秀吉の到着を待って三月二十九日に沼津《ぬまづ》へと進み、駿河・伊豆《いず》国境の山中《やまなか》城を皮切りに、伊豆の首根に当たる韮山《にらやま》城、半島南端の下田《しもだ》城を落とし、北条の本拠を睨むに至っている。

引き連れた兵は総勢二十万、壮大な小田原城を二重三重に取り囲み、笠懸山から見える限り、蟻の這い出る隙もない。城から兵が出ようにも、外から人が入ろうにも、必ず幾つかの陣に阻まれるという風であった。

「見たか北条め。これが関白の力じゃい」

三成の二十数歩も後ろ、本丸館の廊下に立つ秀吉が愉快そうに哄笑を上げた。こちらの姿を認めると、御殿から歩を進めて来る。

「どうじゃ治部。小田原の奴らにゃあ、一夜で城ができたと見えるじゃろうて」

三成は軽く頭を下げて「はっ」と応じた。

「殿下のお力を目の当たりにし、意気を挫《くじ》かれるかと存じます」

改めて、ぐるりと見回す。この石垣山城《いしがきやま》は、城攻めのために築かれる簡素な付け城とは訳が違った。今いる本丸から北東に向け、尾根が下るのに従って二之丸と井戸郭が見下ろせる。他にも南郭と西郭を備え、西郭の先には空堀を巡らして、一方の主城として十分な体裁を整えていた。秀吉の陣城だけに各々の郭も土塁ではなく石垣で固められ、真新しい本丸御殿には金箔を貼った瓦を配していた。初夏五月の陽光を眩く跳ね返す様は、地上か天上かと見紛うばかりの光景であった。

これほどの城、しかも昨日まで木立に隠れて見えなかったものが、一夜明けたらそこにあるのだ。北条でなくとも度肝を抜かれるだろう。昨今では気短になり、癇癪を起こすことも多かったが、やはり我が主君は余人が思いも寄らぬことをする。金瓦の煌《きらめ》きに少し目をしばたたき、三成は感嘆の溜息に交ぜて問うた。

「して、如何に攻めるのでしょうや」

秀吉は口の端を歪め、こともなげに返した。

「小田原は攻めん。関東六国、北条の出城を落としてやりゃあええ。わしは、ここで毎夜どんちゃん騒ぎを繰り返す。すっかり囲まれた上に、関白がどれだけの力を持っとるかを見りゃあ、小田原の奴らも戦なんぞする気をなくすじゃろ。そうなったところで、降れと遣いを出す」

「御意のままに」

まさに関白にしかできぬ戦だ。小田原を囲む諸将の長陣を賄っていくことが成否を左右する。裏方の力の見せどころと、三成は肚を据えた。

ところが、それから十日ほど経った五月半ば、三成は出陣を求められた。長束正家と共に城の本丸御殿に召し出され、広間に並んで座る。本当は大谷吉継も召されていたのだが、急な病とのことで参じていない。左手遠くに小田原城を望み、三成は「どうしたのだろう」と面持ちを曇らせた。

吉継とは、かれこれ半年も顔を合わせていなかった。昨年末の陣触れから、吉継は自領に戻って兵を整えていた。三成はその間、長束が調達した兵糧や馬匹を取りまとめ、一方では各地の大名に参陣を命じるべく奔走し、自らの知行地で兵を整えることすら父に任せきりだった。石垣山城の普請でも、吉継は兵を督して築城そのものに携わり、三成は秀吉の側に詰めて勘定に任じていた。

「わしらが戦とはのう」

長束が心許なげな小声を寄越す。三成は目を前に戻した。

「訳があろう」

この「一夜城」を築いた目的、その後の包囲、秀吉の戦は理に適っている。その上で、これまで戦功のひとつもない己や長束に任せるとなれば――。

「待たせたのう」

秀吉が、からからと笑いながら入って来た。そして畳を重ね敷きした主座に、どさりと腰を下ろす。三成と長束は揃って平伏した。

「ああ、構わん構わん。面を上げい」

促されて平伏を解くなり、命じられた。

「おみゃあら、武蔵《むさし》の忍《おし》城ちゅうのを落として来い。治部が大将、大蔵が副将じゃ」

「彼の地は、浅野弾正殿が攻める手筈にござりましたが」

分かりかねる、という長束に向け、秀吉は子供のように首を傾げた。三成は察した。徳川家康を上洛させるべく、策を練った時と同じ悪意が漏れ出でている。秀吉は右手の扇子でちょいちょいと手招きした。三成と長束が一尺ほどにじり寄る。誰憚ることのない陣城の中、主君は楽しそうに声を潜めた。

「ええことを思い付いたんじゃ。この戦で、関東から奥羽から、次々とわしに膝を折る奴が出てきておろう」

「それらの者を使うのでしょうや」

長束らしい真っ正直な問いである。秀吉はやや焦れったそうに、顔の前で扇子を横に振った。

「違う違う。奴らにもよ、関白の力を見せ付けるんじゃ。そこで、おみゃあらの出番ちゅう訳よ」

「裏方の力で戦をする」

三成が発すると、秀吉は我が意を得たりと大きく頷いた。

「それよ。水攻めじゃ」

折り畳まれた紙を懐から取り出し、ぽんと放って寄越す。忍城近くの地図であった。

「これはまた……」

広げてみて、三成は目を丸くした。忍城は南に荒川《あら》が流れ、荒川支流の忍川に北と東を囲まれている。しかもその北には利根川《とね》、さらに各々の川から網の目の如く支流が枝分かれして、どこもかしこも川ばかりの地であった。

秀吉は相変わらず声を潜めて言う。

「弾正がよ、城の周りは田圃の泥ばっかりで攻めにくいて言うんじゃ。そんなら堤を作って、川を堰き止めて、水攻めじゃろう」

「それで、勘定が専らの我らですか」

長束も得心し、膝許に広げられた地図に目を落とした。賦役の人数や必要な財など、細かいところは彼の地に行ってからだが、まずは大まかに見積もっているらしい。

「関東の野に、でかい湖を作って忍城を落とせ。関白の力を思い知りゃ、新参の奴らも二度と逆らう気にゃなるまいて。刑部にも、しかと伝えとけよ」

下命を拝して辞すると、三成は吉継の陣所を見舞うことにした。石垣山城と小田原城の間、早川《はや》の流れを前にした辺りである。陣所そのものは三成と隣合っているが、これまで常に秀吉の側にあったため、自らの陣に来ることすら初めてであった。

三成は吉継の陣へと向かった。留守を預かっていた家臣に労いの言葉をかけ、三成は吉継の陣へと向かった。陣幕の周囲に杭を打ち込み、低い板塀を巡らした入り口で、大谷家中の者に取次ぎを頼む。だが、様子がおかしかった。

「その……何方が来られてもお通しするなと、命じられておりまして」

三成は眉をひそめた。

「病と聞いたが、それほど悪いのか。されど殿下のご下命を奉じておるからには、会わねばならぬ。長居はせぬゆえ」

どうにか押し切って、その者と共に塀の内へ進む。陣幕の入り口はすっかり閉じられていた。

「殿、治部様がお見えですが」

陣幕の内から、くぐもった声が返ってきた。

「三成か。話は、そこでしてくれ」

声を聞き、ぎょっとして半歩退いた。声は確かに吉継だが、どうにも口が回らないような響きである。

「殿下のお下知を伝えに来たのだ。ここで話す訳にもいかぬ。入るぞ」

「入るな！」

閉じられた陣幕に伸びた右手が止まる。嫌な予感がした。三成はいったん拳を握り、然る後に手を開いて再び伸ばし、体ひとつ分の隙間を開けてさっと入った。

「入るなと……申したに」

発した吉継の顔に戦慄した。額には縦横に深い皺が寄り、それに囲まれた肌が、ぼってりと厚く盛り上がっている。口元や顎も同じような有様であった。そうかと思えば鼻や頬は酷く爛《ただ》れ、じくじくと膿《うみ》を持っている。縦に長くすっきりした四角い顔だったのに、見る影もない。

「お主、まさか」

「そうだ」

面相や体が崩れ、朽ちていく病――古来ごく稀に見られたという業病であった。

「医師《くすし》には……」

言いかけて止まった。この病を治す術を、医師は持たないはずだ。そのまま何も言えずにいると、吉継は窮屈そうに口を動かした。

「お主に伝染ったら大ごとだ。すぐに出ろ」

しかし三成は、ぶんぶんと大きく頭を振って、胸を張った。

「わしが大将、長束大蔵殿が副将となり、忍城攻めに向かうこととなった。お主も参陣せよと、殿下の思し召しである」

「馬鹿な。わしは――」

「顔にそれだけの腫れものがあれば、確かに人前に出るのは憚られよう。気になるなら、醜い腫れは布で巻いて隠せば良い」

外に聞こえるように大声を出し、三成は迷うことなく朋友の許へと歩を進めた。そして互いの息がかかるくらいまで顔を寄せる。膿から生臭いものが漂った。余の者なら腰が引けるところだろうが、それがどうしたと小声で問うた。

「体は動くのか」

「……今のところは。だが、顔と同じようになっておる。いずれは……な」

「いつからだ」

「今年に入ってから、じわじわと。だから寄るな。本当に伝染るぞ」

「それは医師の判ずるところぞ」

吉継は俯いて溜息をついた。肌の分厚くなった額は見るからに固そうで、それが頭に至った辺りは髪もまばらになっていた。

「殿下には、言わんでくれ」

「いつまでも隠し果せるものではない。此度の忍城攻めとて、病で出られぬと言ったら、殿下は何を措いても見舞いにお出でなさる。そういうお方だ。門前払いにするつもりか」

「運を……天に、任せるか」

「案ずるな。悪くとも、国許での養生を命じられるだけだろう」

言い残して陣幕を出ると、三成はすぐに主君の許に戻った。

訳を聞くと秀吉は仰天し、陣に伴った数人の医師を召し出して、吉継の病について訪ねた。やはりこの病を快癒させる手立てはなく、湯浴みをして進みを遅らせるしかないそうだ。だが一方で、人から人に伝染ることは稀だとも聞かされた。

秀吉は自ら吉継の許に足を運んで陣幕に入り、三成がしたのと同じように歩み寄って肩に手を置いた。そして、容易く人に伝染る病ではないこと、湯浴みを欠かさぬようにすることを話して聞かせ、忍城攻めにも加わるよう命じた。

信は、変わらない。感涙を落とす吉継の姿に、三成も目頭を熱くした。

＊

上野館林《たてばやし》城の御厩郭、足軽の盾に守られた床机にあって、三成は兵に号令した。

「掛かれ」

もっとも、通りの良い声ではない。床机の前に立つ馬廻衆・渡辺甚平《わたなべじんぺい》が大声で復唱する。兵たちはこれに従って喊声を上げ、前に出た。忍城の水攻めに先立ち、一昨日、五月二十七日からこの城を攻めている。北条方の城を片端から落とすべく関東各地に散った者と、ここで合流するためであった。

「撃てい！」

本丸から声が上がり、壁の狭間《さま》から鉄砲が放たれた。ものの一町という至近からである。さすがに足軽も出足を止めたものの、斃れた者は四、五人しかいない。まばらな鉄砲の音は精々が二十挺ほどと思われた。何しろ、そもそもの数が違う。城方は三百余、対して味方は三成と吉継がそれぞれ千五百、長束も二千五百を率いていた。

「矢のみに用心せよ」

　三成は再び声を上げた。先と同じく、下知は渡辺の大声で戦場の兵に届けられた。いったん足を緩めた兵は、これを以て再び城門へと突っ掛けた。この二日、小競り合いを仕掛けたことで、兵たちも館林城の鉄砲が然して怖くないと承知している。そうした兵の姿に「己があの場にいたら」と思う。賤ヶ岳の戦いと同じく、きっと何もできぬだろう。だが不思議なもので、広く戦場を眺められる場にいれば、兵をどう使えば良いかは容易く見当が付いた。

「……西の備えが薄い」

　館林城は沼の中に聳える堅城だが、兵の少なさゆえに十全な備えを布けていなかった。一昨日は西の二之丸、昨日は南の御厩郭と東の八幡郭《はちまん》を制している。残すは本丸のみだが、大半の兵が本丸の門を固めるべく東側に寄っているのだろう、一町と少し西、三重の天守が聳える辺りからの矢が少なかった。

「大蔵殿に伝えよ。二之丸から兵に堀を渡らせ、石垣を登って鬨の声を上げさせるべし」

　伝令番の磯野《いその》平三郎《へいざぶろう》が「はっ」と返して走り去った。

　一刻ほどの後、本丸の西側で長束の兵が喊声を上げた。すると、本丸の空気が変わった。何かがすっと縮こまった感じである。そして西側の堀目掛けて飛ぶ矢が増え、門の内から御厩郭へと向く矢玉が明らかに減った。

「今ぞ」

三成はここで吉継の兵を動かし、丸太で門扉を叩かせた。すると抗う気もなくなったか、城方は半時もせぬ間に降を願い出た。

館林城を落とすと、常陸の佐竹義宣《よしのぶ》、下総の多賀谷《たがや》重経《しげつね》、信濃の真田昌幸・信繁《のぶしげ》父子ら、関東にある豊臣方の大名を加えて武蔵国へと向かった。六月十七日、三成は二万余に膨れ上がった兵を率い、忍城の東にある丸墓山《まるはかやま》に着陣した。

丸墓山は、その名のとおり円形の古い墳墓である。周囲三町、高さは十間ほどで山と言うには小さいが、西方、騎馬がひと息に駆け抜けられるほどの先にある忍城を望むには適していた。ここに物見櫓を築き、城と周囲の土地を眺める。

八年前、高松城の水攻めで黒田孝高が造り出した湖の大きさを思う。このくらいの大きさだったかと、見遣る野の上に、すう、と右手で線を引いた。

「骨が折れる」

独りごちて溜息をついた。高松城は北と東を山が塞ぎ、残る二方も川という地であったゆえ、堤の長さは五里で済んだ。然るに――。

「これは、相当に長い堤が要るな」

声に振り向く。吉継であった。変わってしまった面相を隠し、爛れから染み出す膿を押さえるために、目と口、鼻先以外の総身を麻布で巻いている。三成は「ああ」と応じて顔を曇らせた。

「殿下の財があらば堤は造れる。が……」

言葉尻を濁して忍城を指差す。一面の田圃と湿地の中、地盤を固めるための盛り土の上に築かれた城は、思いの外手強い。吉継もそこに思い至ったようで「むう」と唸った。

「やってみなければ分からぬ。殿下の思し召しぞ」

「分かっておる」

三成はひとり、丸墓山の南半里にある陣屋へと向かった。百姓家の離れを借り上げたものである。周囲には自らの手勢千五百が屯して、戦の下知を待つ間の慰みにと賭けごとに興じていた。

見張り番に軽く頷いて進み、陣屋へと至る。土壁に設えられた粗末な木戸を開くと、向かって左の明かり取りから差し込む陽光が、既に参じている長束正家と佐竹義宣の背を照らした。水桶と小さな竈だけがある狭い土間を通り、奥の板間へと上がる。畳敷きなら八畳といったところだろうか。三成は「待たせたな」と声をかけ、二人と対面して腰を下ろした。

「早速だが普請についてだ。この水攻めでは、高さ六間の堤を四十里ほど造る」

聞いて、長束と佐竹がぽかんと口を開けた。さもあろう、高松水攻めの堤より一間高く、長さは実に八倍である。三成は具足の胸から地図を引っ張り出して二人の前に広げた。

「ここは一面に平地で、どこが高い、低いということがない。堤をこう築いて」

地図の上、丸墓山の前を南流する忍川に沿って、荒川と合流する辺りへ指を動かした。

「ここを塞げば最も水を溜めやすい」

長束が「いやさ」と声を上げた。

「城まで、かれこれ五里もある。遠過ぎはせぬか」

「だから長い堤が要るのだ」

「とは申せ、かねて考えていたものと隔たりも大きすぎるが」

「政でも、そういうことは多々あったろう。堅苦しく考えずとも良い」

言いつつ、地図の上に指を滑らせる。

「忍川と荒川、二つが合わさる辺りから堤を築き、荒川沿いに西へ延ばし――」

城の北を流れる忍川の上流へ指を伸ばすと、トンと叩いた。

「この川上と繋げる。そうでもせねば、水攻めの形は作れぬ」

長束が難しい顔をしている。予定外に莫大な財を使うことに閉口しているのだろう。佐竹義宣がその傍らで口を開いた。

「これで溜まる水嵩は？」

当年取って二十一、常陸の名家を継いで日の浅い男である。父・義重《よししげ》が三成の取次ぎで豊臣麾下に加わったとあって、やや及び腰の問いだが、目の付けどころは鋭い。

三成は、その問いには答えなかった。

「其許には堤の普請をお任せする。佐竹の当主なれば、この辺りにも顔が利こう。普請に使う財貨は殿下がお認めくださるゆえ、百姓に多くを支払って賦役に駆り出して欲しい」

「……はっ」

釈然としないようだが、気付かぬ風を装って長束に向いた。

「ご辺は入用になる財や米を勘定し直し、佐竹殿に助力されよ。今日より取り掛かるべし」

静かに発する。長束と佐竹は頷いて立ち去った。

ひとりになると、瞑目して長く息を吐いた。丸墓山から見下ろした忍城が瞼の裏に蘇る。至るところ川だらけながら、一面の平野は高低の差がないに等しい。そうした中で城だけが、盛り土で固めた上に築かれている。

「恐らく……水では落ちぬ」

ぼそりと漏らしたひと言が三成の結論であった。共に忍城を遠望した吉継も然り、水嵩を云々した佐竹も見越していたのだろう。それでもなお、大将を任された己は秀吉の下命に従わねばならない。相反するものが胸の中でぶつかり合い、腹がきりきりと痛む。具足の上から右手を当てて背を丸め、幾らか痛みが治まると、三成は自らの手をじっと見た。

「殿下に従い、裏で背くべし」

そして、目を落としていた手で腿を強く張った。

三成が着陣した日から、堤の普請は延々と続いた。高松の時と同じく百姓に土入りの俵を作らせ、これを買い取って積み上げたものを、さらに土で固めてゆく。佐竹の兵にも手伝わせ、一日に一里ずつ延ばした。高松では十二日で五里の堤を築いたが、その倍以上の速さであった。

だが堤の大半が仕上がっても、三成は忍川と荒川の合流を堰き止めようとせず、逆に城を力攻めにした。初秋、七月五日である。

丸墓山近くの下忍口は大将に任ずる三成自身が受け持ち、忍城北方の長野口には援軍に寄越された浅野長政を置く。城のすぐ東にある佐間口は大谷吉継に任せ、三方から攻め立てるよう手筈を定めた。大将の役目は、戦況を睨みつつ浅野と吉継に指示を下すことである。が――。

「進め！　関白殿下に逆らう者に、目にもの見せてくれん」

声を限りに張り上げ、自らも馬を進めて、三成は誰より早く城へ突っ掛けて行った。

「これしきの小城ぞ。攻め立てれば音を上げる。鉄砲、撃てい」

城まで二町の辺りで下知を飛ばすと、三成麾下の鉄砲方二百が斉射を加えた。パン、と乾いた音が束になり、火薬が燃えた後の鼻を突く煙が濃く流れて来る。その煙を手で払いながら、五十の足軽を任せた家臣・塩野清助《しおのせいすけ》が慌てて駆け寄って来た。

「殿、殿！　まだ早うござります」

三成は目を吊り上げ、口から泡を飛ばして返した。

「何が早い。鉄砲は二町離れても届く」

「されど城には堀もあり、石垣もありますれば」

「知ったことか。斯様な城に手こずっては殿下の御名を貶《おとし》めよう。いざ進め」

構わずに鉄砲を撃たせ、足軽を前に出した。だが城の周りは、やはり湿った土が足に重い。それは瞬く間に先手の動きを殺していった。

そこへ、城から鉄砲が放たれた。ぱらぱらという音の軽さ、勢いからして、数はこちらの四半分ほどだろう。だが、弾は泥濘に足を取られた兵の一角にまとめられていた。

この斉射で先手の足軽が十人、二十人、ばたばたと倒れた。そのまま動かぬ者はまだ良い。肩や腿を撃ち抜かれた者は、傷を押さえて泥の中でのた打ち回り、恐怖に満ちた絶叫を上げる。これが辺りの兵を怯ませ、先までの鼓舞で上がった意気や熱をすっかり冷ましてしまった。

「あかん、逃げろ」

誰が発したか、それを機に兵の流れは逆になった。皆が皆、引き攣った顔をこちらに向け、泥から足を引き抜いては、どたどたと走って来る。追い討ちに、城から矢の雨が降らされた。

「南無三」

三成は馬上で刀を振るい、自らに迫った二本の矢を払った。遠矢だけに力はない。

「三成！」

右手遠くに声が聞こえた。吉継である。自身の手勢から百ほどを率い、馳せ付けていた。

「大将が我先にと出すぎて何とする。退け」

四半町向こうから抑揚のおかしな大声を寄越し、手にした刀で東を指す。切っ先の向こうに丸墓山の櫓が示されていた。

三成の動きひとつで、この日の総攻めは惨憺たる敗戦に終わった。

六日後の七月十一日、小田原は開城した。北条が百姓から無理に徴発した兵は無論のこと、士分の者も包囲に耐えかねて戦意を失ったためである。未だ忍城は抗う構えを崩さないが、遠からず城を開くに至るだろう。築いた堤はついに使わなかったが、それでこそ先の総攻めで不細工な戦をした甲斐がある。

開城が決まった日の夕刻、三成はいったん小田原に戻るため、自らの陣屋で旅支度を整えていた。忍城の睨みはしばし長束に任せ、先んじて秀吉に話しておかねばならぬことがあった。

腰兵糧を身に着けて「よし」と腰を浮かせる。そこへ陣屋の見張りが取次ぎの声を寄越した。

「申し上げます。真田安房守《あわのかみ》様がお目通りを願っておられますが」

三成は静かに「お通しせよ」と返し、また腰を下ろした。少しすると、入り口の木戸がぎしりと音を立てた。

「御免」

頬骨の張った精悍な顔が腰を屈めるように中へ入り、静かな足音と共に前へ進んだ。

三成と真田昌幸はそれぞれの妻が姉妹であり、義理の兄弟に当たる。もっとも昌幸が大坂に上がったのは一度だけで、この戦で顔を合わせるまで実に三年もの間、書状のみの付き合いであった。兄弟という感覚は互いに乏しい。

三成は、自らの正面に座を勧めつつ問うた。

「何用にござろう。急ぎ小田原に向かわねばならぬのですが」

「ひとつ、お聞きしたいことがあり申す」

言葉も眼差しも鋭い。三成は頷いて続きを促した。

「水攻めは殿下のお下知なれど、我が見立てでは、それで落ちるような城ではなかったと存じましてな。拘ることはなかったのでは？」

「左様にござるな。ゆえに、先の総攻めを決め申した」

昌幸は、やや苛立ったように応じた。

「その間も堤の普請は続けておられた。無駄な普請を止め、戦慣れした者に大将を任せての総攻めであれば、あのような大敗もなかったはず」

三成は黙って俯いた。戦上手と名高い男の言葉が、無性に嬉しい。

「ご辺の目にも、それがしの拙い戦と見え申したか」

顔を上げて見せる。昌幸が息を呑み、先までの刺々しい気配をがらりと変えた。

「もしや貴殿」

三成は、ゆっくりと首を振って「皆まで言うな」と示した。

この地に湖を造ることは、できたはずだ。だが、それで城が落ちねばどうなるか。関白の威を見せんとしたことが裏目となり、かえって恥をかく。秀吉に瑕を付けぬことが何より大事だった。

昌幸は呆然として発した。

「ゆえに先の攻めは……。いやさ、されど殿下からお叱りを頂戴しましょうぞ」

「殿下も新参の大名衆も、石田治部は戦下手よと思うのみ。何か障りがありましょうや」

さらりと返す。昌幸はしばし黙ったままだったが、やがて深々と頭を下げ、強く発した。

「感服、仕った」

延々と堤を造り続け、水を引き入れぬまま戦を終えたのは何のためか。分かってくれる者がひとりでもいれば、己は報われる。三成は、ふうわりと笑った。

＊

小田原が開城され、北条の先代当主・氏政が切腹して、征伐は終わった。翌十二日夕刻、石垣山城の本陣に参じた三成は秀吉に一喝された。

「この、たわけめ！　おみゃあには二度と大将なんぞ任せんからな」

「申し訳次第もございませぬ」

肚を決めて下知を違えたとは言え、やはりこうして接すると畏怖が先に立つ。具足姿のまま、まさに平身低頭であった。

秀吉の傍らにある秀長が、窘《たしな》めるように「殿下」と声をかける。秀吉は溜息をついた。

「じゃが、まあええわ。真田が早飛脚で書状を寄越しての。治部の堤を転じりゃ、水だらけの土地でも百姓を守ってやれると言うとった。大蔵と刑部、それに佐竹や多賀谷まで名を連ねとるわい」

三成は平伏のまま、軽く目を見開いた。分かってくれたのは、真田安房守のみではないのだ。

「おい、もうええから顔上げい」

恐縮しつつ平伏を解く。秀吉はいつもの笑みであった。

「北条には相模と伊豆だけ安堵するとして、真田に沼田を返してやりゃあ、わしらの筋書きどおりよ。早速そう手配りしとけ」

戦の大将は任せられぬが、政務については別の話、当然という口ぶりであった。その点の信が変わらなかったことは、真田昌幸や長束、吉継らに感謝せねばなるまい。思いつつ、三成はひとつを問うた。

「二ヵ国の安堵は既に御朱印を？」

「いいや。遣いに出した官兵衛の口約束じゃが」

秀吉が首を横に振る。秀長が静かに言い添えた。

「北条は大物ぞ。厳しすぎる沙汰を下して遺恨を残すより、寛容に処するが良かろう。島津に薩摩と大隅を安堵したのと同じく、二ヵ国の安堵は理に適っておると思うが」

「ならぬかと存じます」

三成の言葉に、秀長が顔を強張らせた。

「反故《ほご》にせよと申すのか。それでは関白殿下のご威光に障りがある」

「ゆえに、もう御朱印をお出しあそばされたか、お訊ねしたのです」

平然と返す。秀長の声音が硬くなった。

「偽って降を引き出した卑怯者と見られよう。それに各々の地には我らの知らぬ慣わしというものもある。関東を知る者に治めさせ、豊臣への助力を求めるが最善ではないか」

「さにあらず。殿下のご威光で国の全てを同じに治めねば、またぞろ戦が起きるに相違なく」

「豊臣が天下を取れたは、降る者に寛容だったからだ。うぬが如き若輩が知った風な口を利くな！」

ついに怒鳴り声を上げた秀長を、秀吉が「待て」と制した。

「のう治部。それほどに言うんじゃ。何か訳があるんじゃろ」

三成は「はっ」と頭を下げた。

「ひとつは、奥羽の差配にござります。伊達《だて》と最上《もがみ》を始め、多くが小田原に参じましたが、未だ殿下の威に服さぬ者がありましょう」

「そんなのは取り潰すまでじゃ。何でもないわい」

「殿下に弓引いた北条が寛容に処せられ、小田原に参じなかった者だけを取り潰しては、それこそ誰も得心いたしますまい」

秀長が吐き捨てるように応じた。

「だから殿下に不義理を働けと申すのか。言語道断ぞ」

にやりと口元を歪め、三成は「いいえ」と返した。

「殿下のご裁定を頂戴せず口約束に及んだ、黒田殿の不義理にござりましょう」

これには秀吉も秀長も、あんぐりと口を開けた。我ながら酷いと思う。だが、黒田に泥を被ってもらうのが最も手っ取り早いのだ。

「官兵衛がどう思うかも考えぬとは」

震える秀長の声に、当然とばかりに応じた。

「黒田殿が不平を申されるなら、お話はそれがしが伺います。また治部めが余計なことを申したと思われるのみで、殿下には障りございませぬ」

秀長は黙って、実に重々しい空気を発している。秀吉はしばし唸っていたが、やがて怪訝な顔で問うた。

「おみゃあ、さっき『ひとつは』ちゅうたな。他のも言えや」

居住まいを正して「はい」と返した。

「徳川様にございます」

「家康がどうした」

静かに長く鼻から息を抜き、秀吉と秀長、交互に目を遣りつつ応じた。

「名胡桃城の一件の後、徳川様をお召しあって、小田原攻めを申し渡されましたろう。あの後で二言三言を交わしたのですが、彼の御仁は我らの筋書きを読み切っておられたのでは……と」

真田は北条に沼田を譲りながら、指呼《しこ》の間にある名胡桃だけは手元に残した。横腹に刃を突き付けた格好である。秀吉がこれを容れたのは、敢えて北条の前に餌をぶら下げ、小田原攻めの口実を作るためであった。

「もし徳川様がこちらの思惑を読み、敢えて北条の軽挙を見過ごしたのなら」

じっと主君の目を見つめる。秀吉は歯を剝き出しにして嚙み締め、何とも言えぬ濁った声で、悔しそうに「い、い、い」と唸った。

「家康め……北条の力を殺《そ》ぐ気じゃったんか。己が婿じゃで、徳川の力にできると」

「徳川様の駿河と北条の伊豆・相模は隣国ゆえ」

家康に「娘婿を後見する」という言い分が成り立てば、伊豆と相模は徳川領と変わらなくなろう。ただでさえ豊臣家中で特異な立場の徳川が、ますます力を得ることになる。

秀吉は、キッと目を吊り上げて弟に向いた。

「小一郎、二ヵ国安堵は取り止めじゃ」

「殿下、お待ち――」

「北条の領は全て召し上げ、氏直も高野山《こうやさん》に流す。ええな」

抗しかけた秀長も、ついに口を噤んだ。目はこちらを睨んでいる。だが徳川への警戒は同じであり、怒りのやり場がないという風であった。三成はその眼差しから目を逸らした。

「さて殿下。北条を関東から廃した後は、徳川様にこれをお与えになり、国替えを命じては如何かと存じますが」

秀吉は未だ険しいままの顔で「あ？」と首を傾げた。

「阿呆なことを。北条は二百五十万石じゃぞ。家康の肚を知りながら、百万も加増できるか」

「関東は政が違い申す」

返して、三成は「ふふ」と含み笑いを漏らした。

「徳川の領には未だ検地を施しておらず、年貢は百姓と折半ですが、北条では主が四、百姓が六にございります」

豊臣家中の大名には、検地済みの地と同じく、収穫の三分の二を年貢に召し上げたと考えて軍役を課している。徳川が二百五十万石となれば、その三分の二、百六十万石に相当する軍役を求められるのだ。だが如何に家康とて、国替え直後は北条のやり方を踏まえざるを得ない。当分は収穫の四割、百万石しか実入りがない中での奉公となる。

秀吉の顔から、すう、と怒りが抜けた。

「加増と見せて締め上げる……。家康が関東を巧く差配できなんだら」

その時は関白の威を以て、厳しい沙汰を下すことができよう。ここに思い至った秀吉は、小刻みに肩を揺らし始めた。

「ええぞ……家康から召し上げた東海にゃあ、わしの子飼いを置いてやる。これに常陸の佐竹、越後の上杉、信濃の真田で囲んでやりゃあ手も足も出ん」

家康を囲むべし。秀吉の小さな笑いは豪快な哄笑へと変わった。

が、不意にぴたりと止まった。

「真田、どうすんじゃい。沼田を返してやらにゃあならんじゃろ」

三成は、何でもないとばかりに頷いた。

「そのことですか。国替えとならば、徳川様も家中の知行割りを変えねばなりませぬ。その際、沼田を真田信幸《のぶゆき》殿に与えるよう、殿下からお命じあればよろしいかと」

真田昌幸は豊臣の直臣だが、秀吉の下知で徳川の寄騎に付けられ、長子・信幸を徳川に出仕させている。これに沼田を与えるのなら、不満を抱くこともあるまい。

「ええ考えじゃ」

秀吉はひととおりを認め、にんまりと笑った。

*

「家康殿には関東を治めてもらいたい。二百五十万石じゃぞ」

七月十三日、石垣山城本丸御殿の広間で秀吉が発した。家康は寸時「ほう」と目を丸くしたものの、すぐに相好を崩した。

「これはまた。北条を上洛させられなんだことで、お叱りを頂戴するものとばかり思うておりましたが、まさかご加増とは」

「その北条が騒いだばかりゆえの。其許の如き大物でなければ、鎮まるものも鎮まらん。天下のため、どうか関東をよろしくお頼み申す」

明朗な秀吉の言に家康が「はっ」と平伏する。三成は秀吉の傍らで、その姿に目を凝らした。

「ご信任、忝う存じ奉ります。粉骨砕身《ふんこつさいしん》の労を厭わぬ覚悟にて」

喜悦、恐縮、そういったものをありありと映したように声音が揺れる。だが三成は見た。家康は言葉が終わると口を真一文字に結び、頬を震わせた。奥歯をしっかりと噛み、顎の肉が張ったためである。

（……さすがだ）

加増と見せて実は締め上げ、しかも失政があれば首が寒くなる。転封の狙いを見通しているのだ。刹那に見せた無念の情こそ付け入る隙と、三成は柔らかく声をかけた。

「大納言様、お手をお上げくだされませ」

「そうとも。わしらは共に天下を支える友であろう」

同じものを感じたのだろうか、秀吉も続く。家康は「はっ」と返し、すぐに顔を上げた。

「殿下に友と呼ばれるとは……。光栄の極みと存じ奉ります」

至上の笑み、しかも目を潤ませている。掌で目元を拭い、鼻に掛かった涙声が続いた。

「これより我が陣に戻り、家中に国替えを申し伝えまする。来月、八月の一日には江戸に赴く所存。然らば、これにて失礼仕ります」

再び平伏して家康は広間を辞した。三成も秀吉も無言で、遠ざかる足音を聞いた。家康の気配が遠退くほどに、沈黙は刺々しいものを湛えるようになった。

「糞ったれめ！」

すっかり静かになったと思う間もなく、秀吉は右手の扇子を膝下の畳に叩き付けた。修羅の形相である。

「家康め……何としたたかな奴じゃ。会津からも見張らせにゃならんわい」

荒い息で、ふう、ふうと深く二つ呼吸して続ける。

「誰を置いたらええか……。まずは、わし自ら会津に向かう。治部は忍城を受け取って、その足で陸奥へ行け。弾正に任せた仕置を手伝うんじゃ」

未だ顔は朱に染まっているものの、声は落ち着きを取り戻していた。

三成は即日、忍城へと戻った。この城を七月十七日に接収すると、浅野長政を助けるべく、増田長盛と共に陸奥国へ向かう。奥羽のもう一方、出羽《でわ》国には大谷吉継らが差し向けられ、同じく仕置をすることになった。

北条氏直ほどの大物に厳しい沙汰があったことで、奥羽にも厳正な処置を下しやすくなった。即ち、然したる理由もなく小田原に参じなかった者は領を召し上げ、取り潰してある。参陣した者は領に検地を施した上で安堵し、豊臣の法度を行き渡らせ、また百姓町人から刀狩をするように指南してゆく。

一連の仕置を八月一杯で終え、三成は京へと帰った。会津に向かった秀吉は、同地を蒲生氏郷に任せて徳川に睨みを利かせ、先んじて聚楽第に戻っていた。

そして九月、小田原征伐と奥羽仕置の功により、三成には従前の知行四万石とは別に新恩が下された。近江佐和山、十万石の城代であった。

まずは法度を行き渡らせねばと、三成は佐和山城に入り、城のある山頂から周囲を見回した。

西に見遣る琵琶湖の水面は変わらず清らかで、今日も商人の船が行き来している。浜沿いの街道には三つ、四つと荷を運ぶ車が見えた。北へと伸びる道は、故郷・石田村に続いている。その道と城の間には田畑が広がり、百姓衆がのんびりと声を渡らせていた。

「懐かしい匂いがする」

頬を撫でる晩秋の風が、ひんやりと心地好い。これから治める地を眺めると、役目云々とは違う思いが胸に湧き上がる。三成は柔らかに頬を緩めた。

五　利休切腹

忙しい。三成は聚楽第の中に忙しなく歩を進めた。

奥羽仕置の功で佐和山城代に任じられ、所領の差配を済ませて京に戻ったと思ったら、すぐ奥羽へ舞い戻ることになった。仕置で取り潰された大崎義隆《おおさきよしたか》と葛西晴信《かさいはるのぶ》が一揆を起こしたためである。そこで大事なものを受け取り、また京へと返す。既に十二月も半ばとなっていた。

東、北、西の三方を山に囲まれて盆地の体を成す山城国は底冷えがする。見上げる本丸御殿の金瓦には薄黒い雲が伸し掛かるようであった。雪になるのだろうかと、手に熱い息をかけて擦り合わせた。

「治部殿、お戻りあられたか」

本丸の門をくぐったところで声をかけられた。小西行長である。すがり付くような焦燥の眼差しであった。

「如何なされた」

「お耳に入れたきことありて、これにてお待ちしておりました」

己の留守中、秀吉が大変な差配をしたという。朝鮮《ちょうせん》王国に向け、臣礼を取るように申し送ったのだ。三成は「何と」と発したきり言葉を失った。かねて秀吉は、日の本の次は海の向こうだと公言していた。だが未だ一揆を鎮め終えてもいないのに、何と性急なことか。

沈鬱な思いも顕わに、小西が声をひそめる。

「それがしは元々が商人、父は今でも唐土との商いを続けており、明の国の富強を良く知っております。朝鮮とて明を主と仰ぎ、商いの盛んなことは堺をも凌ぐ由にて。斯様な国を二つ相手に、唐入りなど成るものかどうか……。何とぞ殿下をお諫めくださらぬか」

「無論だ」

短く応じ、御殿へと足を速めた。

玄関で取次ぎを請い、中庭を囲う左手側の廊下の三つめ、控えの間に入る。ほどなく秀吉の小姓が参じ、奥之間に向かうよう告げて立ち去った。暗い曇り空の下でも、左手の金襖があれば幾らか明るい。廊下沿いに進み、中庭を正面に望む一室へと向かう。壁の漆喰に金箔を施し、手前の廊下に朱の毛氈を敷き詰めた奥之間は、煌びやかな聚楽第の中でも一層華やいだ賑やかさを醸し出していた。

「それでは、ならぬのです」

到着するなり、室内から秀長の声が聞こえた。己とは別の、何かの諫言だろうか。

「治部にござります」

障子の向こうへと控えめに声をかける。安堵の息使いに続いて「入れ」と命じられた。どうやら弟の諫言から逃れたくて、話の最中にも拘らず己を通したらしい。

すっと障子を開けて一礼し、中に進んだ。障子を閉め直すと、やや暗い。秀吉と秀長は火鉢を挟んで向かい合っていた。秀長の左脇には利休もいる。部屋の温かな空気に、ほっとひと息ついて、三成は秀吉の左手で腰を下ろした。

「陸奥より帰りましてございます」

「おう、待っとったがや。見聞きしたことを話してくれ」

秀長が「殿下」と強い声を発した。

「それがしの話は、まだ終わっておりませぬ」

「阿呆。先のことより、一揆の方が先決じゃわい。ほれ治部」

秀長は呆れたように溜息をつき、こちらに眼差しを流す。改めて見た顔に、いささか驚いて目を見開いた。奥羽仕置から此度の一揆と多忙の中、秀長の顔は数ヵ月も見ていなかったが、小田原征伐の頃に比べて頬がこけ、目元にも薄っすらと隈が差している。

「どうした。殿下に言上せよ」

その秀長に促され、持ち帰ったもの――ひとつの書状を示した。

「ご覧くだされ。一揆を焚き付けたは、伊達政宗《まさむね》殿にござる。仕置で召し上げられた分の所領を別の形で取り返さんとしたのでしょう。大崎と葛西の旧領に一揆を起こし、これを鎮める。功を偽り、新恩を得るための芝居かと」

「政宗の書状に間違いないんか」

瞬時に苛立った秀吉に対し、静かに応じる。

「かつて取次いだものと、手蹟も花押も同じにござります」

「あの餓鬼《がき》やあ……。決めたぞ。伊達は取り潰す。政宗は打ち首じゃ！」

怒りに任せ、何度も書状を殴り付けている。秀長が、先よりも強く「殿下」と口を挟んだ。

「そも此度の一揆とて、葛西、大崎を取り潰したがゆえ。伊達を潰さば、より大掛かりな一揆が起きぬとも限りませぬ。常々申し上げておるとおり」

大声を出したせいか、秀長はそこまで言って不意に咳き込んだ。口元を押さえ、体をくの字に折り曲げて、苦しそうなことこの上ない。

「ほれ見い。病なんじゃから、おとなしくしとれ」

癇癪半分、慈悲半分、秀吉は怒鳴りながら労わった。ようやく咳が止まると、秀長はがらがらと割れる声で返した。

「そのお慈悲を、なぜ大名衆にお示しあらぬのです。伊達とて先の仕置で多くの所領を召し上げられ、苦しんだ末に斯様な謀に至ったのでしょう。取り潰しなど以ての外、逆に恩徳を示されませ」

秀吉の顔が怒りを湛えた。見る見るうちに、朱に染まっていく。

言わせてはならぬ。三成は先んじて口を開いた。

「寛容など言語道断。伊達殿が殿下を欺かんとしたのなら、厳しき沙汰を申し渡す外はござらぬ」

秀長は、ごくりと喉を動かしてこちらを睨み付けた。

「またそれか。其方はいつも殿下の仰せに頷くばかりぞ。左様な者を佞臣《ねいしん》と言う」

顔から力が抜けていくのが分かる。それをどう受け取ったか、秀長は忌々しそうに「ふん」と鼻を鳴らして秀吉に向き直った。

「話は伊達に留まらず、余の者とて同じです。自らの領が潤えばこそ殿下の恩に感じ、一層の忠勤を励むに相違ござらぬ。唐入りも良いでしょう。されど、まずは各国の領主に思うさま治めさせ、力を蓄えさせねばなりますまい」

苦しそうな声で一気に捲し立てる。利休が落ち着いた声音を続けた。

「そも朝鮮や唐土は、堺衆を始め、商いの相手にて。これを攻めるなど、商人が聞いたら何と思いましょうや」

秀吉は先までの怒りを湛えたまま、心底うんざりしたとばかりに応じた。

「おみゃあらこそ、またそれかいや。小一郎よう、検地をしとるんは何のためじゃ。大名の好き勝手にやらせとったら、豊臣がなめられるんじゃい。それに利休。朝鮮がわしの臣になりゃあ攻めることもにゃあがや。商いの相手じゃちゅうなら、豊臣に従うよう説き伏せんかい」

利休は微笑を以て「いえいえ」と頭を振った。

「それはそれで商人の益を奪うかと。朝鮮や唐土が余所の国なればこそ利得も大きいのです。日の本の一国になってしまえば、海を挟んだ四国や九州の商いと変わらなくなりましょう」

どうやら秀長と利休の本題は、唐入りへの諫言である。それは己も望むところだが、正直なところ落胆の方が大きかった。大名の都合や商人の利益を重んじすぎては、豊臣に次ぐ第二、第三の力を生み兼ねない。思う傍ら、秀吉が苦虫を嚙み潰したような顔を見せた。

「まあ、おみゃあらの言うことも分からんじゃにゃあがよ。戦がなきゃ、大名こそ騒ぎ出すぞ」

「異なことを」

秀長が苦しい顔をさらにしかめる。秀吉は「はあ」と長く溜息をつき、困り顔を見せた。

「戦がなけりゃ、皆、所領をしっかり治めにゃあならん。じゃが、これまで武功じゃ武功じゃでやってきた奴らに、いきなり治めい言うても音を上げるだけじゃわい」

秀吉は、こちらを一瞥してから続けた。

「特にわしの子飼いは武辺者揃いじゃ。頭がおかしくなりそうな政なんぞをやらされて、所領も増えんときたら……。唐入りが戦になるんなら、それでも構わんのよ」

「捌《は》け口であると？」

秀長が渋い顔を見せる。秀吉は「馬鹿を言うな」とばかりに胸を張った。

「それぱっかりと違うわい。何より家康じゃ。あやつめ、国替えまでして締め上げたちゅうに、一向にぼろを出さん。勝手の分からん海の向こうと戦になりゃあ、何かに託《かこつ》けて咎を与えられるかも知れんじゃろ」

三成は少し眉を動かした。

『故なき思し召しでもないぞ、あれは』

初めて唐入りが公言された後の、家康の言葉が思い出される。

もしや、ここまで見抜いていたのか。豊臣麾下の大名が不平を抱き、それを逸らしてやらねばならぬことを。考えられぬ話ではない。何しろ徳川家中の譜代は気の荒い三河武士で、商いや計数にも暗いと聞く。秀吉の子飼いと大きく違わないのだ。

（だが）

家康は諸手を挙げて唐入りに賛同した。自らの都合もあろうが、別の理由もあったはずだ。さもなくば、ああいう態度にはならない。

「徳川様を陥れるおつもりですか。まあ……好い面の皮ですな、朝鮮も」

常に落ち着いている利休が、珍しく呆れ顔を見せた。

（待てよ）

海の向こうとの戦なのだ。先に秀吉の言ったことを、逆に家康は狙っているのではないか。

勝手の分からぬ戦なら、誰が失態を演じて咎めを受けるか分からない。もしそれが秀吉の子飼いなら、豊臣家中にわだかまりが生じる恐れも十分にある。家康はこれ幸いと、その隙間に楔を打ち込むだろう。豊臣の天下を揺るがし、自らが取って代わるために。

（もしも、で済まされるのか）

朝鮮や唐土に明るい小西行長が憂えているのだ。遠征が奏功すると考えるのは、虫の好い話なのだろう。家康への罠という一面はあれど、危ない橋だ。かと言って、秀長と利休の後押しもできない。秀吉が内治と唐入りを絡めて話している以上、秀長に味方すれば、諸国ばらばらの内治をも認めることになってしまう。

「……部。治部！」

秀吉に強く声をかけられ、考えが途切れた。

「さっきから何を黙っとる。おみゃあはどう思うかて聞いとんじゃ」

三成は、やや俯き加減に応じた。

「いえ……。それがしの用向きは一揆の一件にて。唐入りは殿下の思し召しに従うべしと思うておりましたれば」

「何じゃ。いつもなら言いたいように言うじゃろうに」

「はあ。ならば、ひとつだけ。殿下の仰せ、秀長様や利休殿の仰せ、共に一理あるかと。朝鮮には降るように申し送ってあるのでしょう。当面、向こうの出方を待てばよろしいのでは？」

ここを訪ねてから初めて、秀長が「おお」と眉を開いた。秀吉も頷き、軽く唸っている。然る後に口を尖らせて言った。

「分かったわい。じゃが、向こうに譲る気がないんなら戦じゃぞ」

「はい。それから、伊達は取り潰しと蒲生殿に伝えてよろしゅうございますか」

秀吉はちらりと秀長を見て、さも嫌そうに答えた。

「同じことよな。まずは詮議の上じゃ。手筈を整えい」

秀長と利休は胸を撫で下ろし、一礼して立ち去る。それを見送り、三成も秀吉の許を辞した。

御殿の玄関を出て城下を見下ろす。聚楽第の周囲を埋めるように、大名の屋敷が建ち並んでいた。それらの多くは秀吉の好みに合わせ、高価な朱や金で屋敷の門や瓦、櫓などを飾り立てている。ここに我があるぞと忠節を誇示するのは、武功の者が中心であった。

「領国の差配に音を上げる……か」

そのとおりだろう。戦のない世でより多くを得るには、自領を富ませねばならない。然るに武功の者は、槍働きの加増だけで今までを賄ってきた。斯様な者たちが頭を抱える姿が目に浮かんだ。

「苦しめば、嫌でも領国に心を砕くようになる」

秀吉、秀長、利休、それぞれの言い分に理がある。だが小西の懸念を見る限り、朝鮮が秀吉の要求を蹴ることは疑いない。ならば、それを転じて福と為すしかなかろう。勝手の分からぬ戦、得るものがあるかどうかも分からぬ戦、その労苦を以て武辺者の考えを改めるべし。

己にも難題が待ち構えている。朝鮮や唐土と戦を構えつつ、交渉を続ける必要があるのだ。両国との関係が悪くならぬように保ち、かつ日の本の益を損なわぬよう、陰で立ち回らねばならぬ。

＊

天正十九年（一五九一年）一月となった。

伊達政宗には、詮議のため聚楽第へ上がるように申し送ってある。この頃には秀吉も取り潰しを口にしなくなっていた。まずは召し出して恫喝《どうかつ》し、一揆が完全に鎮まった後で何かしらの締め付けを加えれば良い。それが秀吉と三成の思惑であった。政宗が裏で手引きしていたのは明らかだが、詮議に及べば、件《くだん》の密書こそ偽りだと申し開きをするに違いない。聞く耳を持たずに取り潰し、豊臣家中に首を傾げる者が出ることは避けたいのだ。が、それだけが理由ではない。

「……小一郎よう」

聚楽第の二之丸に秀長の屋敷を訪ね、その寝所で秀吉が涙声を漏らしている。供として随行した三成は閉め切った障子の外、廊下に座っていた。

昨年来の秀長の病は、年明けからますます重くなっていた。そして今、死の床にある。秀吉が伊達の取り潰しを思い止まったのは、これも大きな一因と思われた。

「殿下、くれぐれも……ご短慮は、なりませぬぞ。伊達のことも、唐入りも……」

掠れ声で、ぽつぽつと聞こえる。そこから先は聞き取れなかった。秀吉は涙でまともに話せなくなっているし、秀長は息が苦しいのか声が小さい。

もっとも、聞こうとも思わなかった。ずっと支え合ってきた兄弟の、最後の時なのだ。むしろ聞くまい。聞こえてしまったとて忘れるべし。三成はただ目を瞑り、無念無想を心がけた。

やがて静かに障子が開いた。音に従って目を開ける。

「治部。帰るぞ」

主君の顔には、はっきりと涙の跡がある。だが声だけは常なるものであった。この人は苦しい時ほど明るく振舞おうとする。小さな体が一層小さく映るほど肩を落としながら、なお取り繕おうとしているのだ。労《いたわ》しいという気持ちを明らかにするのは、かえって無礼であろう。

「はい」

短い返答は、実に素っ気なく響いた。常にすまし顔で気のなさそうな受け答え、我ながら情のない態度だと思うが、今だけは役に立ったかと思えた。

数日後の一月二十二日、豊臣秀長は齢五十二の生涯を閉じた。弟の死を知った秀吉は、それから翌日まで誰とも会わず、正室の寧子が訪ねても顔さえ見せなかった。

三成は秀吉の居室の外に侍し、秀長に黙禱《もくとう》を捧げた。常に大名の益を重んじた秀長とは、意を異にすることも多かった。それでも秀吉や己が豊臣に力を集めんとする中、大名衆が抱え込む不満を和らげてくれる人であった。豊臣にとっては無論、秀長の死は三成にとっても痛手であった。

閏一月を挟んで二月四日、上洛した伊達政宗への詮議が行なわれた。政宗はやはり、先の密書は伊達を陥れんとする何者かの謀だと申し開きをした。秀吉はこれを認めたが、もし秀長が健在であったら別の結末に至っていたかも知れない。

詮議のすぐ後で、三成の許にひとつの陳情が舞い込んだ。京の北大路《きたおおじ》、大徳寺《だいとくじ》からである。

先に寺の門を修繕した折、千利休が私財を寄進してくれた。それは有難いが、代わりに金毛閣楼門《きんもうかくろうもん》の二階に自らの像を置いてしまった。大恩ある檀那《だんな》とは言え、これは如何なものか。当院には主上がおみ足を運ばれることもある。門を進まれるたび、利休の足下を通るとあっては畏れ多い。ついてはこの木像を取り下げるように計らってはくれまいか――。

目を通して、三成は面持ちを曇らせる。他の陳情や報告を後回しにし、すぐに秀吉を訪ねた。

「これが明るみに出れば、利休殿は何かしらの咎を受けましょう」

利休ひとりの話では済まない。家中で重きを為すからには、豊臣にも関わりがある。秀吉の治世が関白の位に基づく、つまり朝政の代行である以上、天皇の心証を害することはできないのだ。

秀吉は顔の前に書状を広げて目を走らせ、小声を漏らした。

「……あやつを」

何を思う間もなく、書状が二つに引き裂かれた。

「あやつを取り立てたは、間違いじゃった」

静かである。それだけに恐ろしい。

秀吉は両手に残った紙を揃え、寸時の後にぐしゃりと丸めて勢い良く畳に叩き付けた。

「あの売僧め、増上慢も甚だしい！　切腹申し付けい」

激怒の情、異様な熱気の奔流を感じた。

「殿下、お待ちを」

「何を待てちゅうんじゃ。門の修繕が済んで、わしも大徳寺に参ったんじゃぞ。利休め、このわしに、己の足の下を通らせたんじゃ。主上に同じことをしてみい、わしも腹を切らにゃならん」

利休の意図は分からない。しかし大徳寺の言い分はもっともな話で、これを是とするなら秀吉が利休の像の下をくぐった事実とて重いだろう。だが秀長が逝った今、利休まで失うことはできない。三成は体をやや前に倒し、秀吉の迫力に吹き飛ばされまいとした。

「秀長様が常々仰せられていたでしょう。寛容、寛典にござります。木像を取り下げて首を落とし、河原に晒しては如何かと」

「やかましいわい。おみゃあ、小一郎とはいつも言い合っとったろうに。こういう時だけ死人を持ち出すなんぞ、下衆《げす》のやるこっちゃ」

違う。そうではないのだ。秀長を云々したのは、彼の人を都合良く使うためではない。だが、寸時怯んだ。天下を取った頃からままあった主君の癇癪は、昨今では次第に激しく、より理不尽さを増している。

秀吉は、なお身を震わせながら捲し立てた。

「だいたい利休は茶頭だがや。政に口を出すのも僭越なんじゃい。堺衆に顔が利くちゅうて図に乗っとるが、その堺衆を手懐けたんは、治部、おみゃあじゃにゃあか。あやつは豊臣の威を借りて名前を売っとるだけじゃ。そうやって名を成し、くだらん茶碗を高値で売り付けとる。わしの力で銭儲けをするとは不届千万よ。おう治部、おみゃあ寛容ちゅうたな。打ち首でなく、切腹を認めてやるだけで十分に寛容じゃ！　違うか」

どう返したら良い。押し切られては、本当に秀長の言う「佞臣」に成り下がってしまう。

「……いえ。違いませぬが」

唐入りを云々した真意も然り、徳川家康への警戒も、先の伊達に対する差配も然り、我が主君には未だ細やかな理智がある。そこを突けば――。

前に傾けた体の腹に力を込め、声を支えた。

「されど、まずは蟄居をお命じあそばされませ。申し開きをするものかと」

秀吉はぎろりと目を剝いた。

「申し開きなんぞ、聞く気はにゃあ」

「伊達殿の申し開きはお聞きあられましたろう。利休殿には認めぬと仰せあらば、豊臣の政、法度の理に反するものかと」

秀吉は少し押し黙った。空気が重く、間を持たせるのにも苦労する。だが先には押し寄せるばかりだった猛烈な熱が、時に引き戻されているようにも感じられた。

やがて狂おしい絶叫が上がった。

「ああ、この、糞ったれが！　畜生め」

沈黙を破った秀吉は、これでもかと膝下の畳を何度も殴り付け、荒々しく言い放った。

「分かったわい。申し開き、十日だけ待つ」

三成は「御意」と頭を下げた。主君の顔から眼差しが外れると、背に冷や汗が噴いた。

利休はまず、泉州堺に蟄居を命じられた。だがどうしたことか、一向に申し開きをしようとしない。そうして十日が過ぎ、秀吉は利休に切腹を命じて京に召し返した。以後数日、前田利家や細川忠興ら、利休の茶道の弟子が助命を嘆願したが、ついにそれは叶わなかった。

二月二十八日、三成は聚楽第三之丸に利休の屋敷を訪ねた。招き入れられた茶室は質素で飾り気がない。侘び寂びを重んじる利休らしい好みであった。

「本日、この後で腹を切ります。今生の別れの招きに応じていただき、忝う存じます」

剃髪した顔が清く澄んでいた。三成は「いえ」と伏し目勝ちに返す。

利休は茶を点てながら、静かな言葉を続けた。

「申し開きのひとつもせなんだこと、訝しく思っておられましょうな」

心中に燻《くすぶ》っていたものを言い当てられ、改めて顔を見る。柔らかな笑みと共に、点て終えた茶が差し出された。

「飲みながらお聞きくだされ。殿下の仰せも、貴殿が申し開きの機を与えてくださったことも、前田様がお聞かせくださいました。思うに……貴殿は拙《せつ》に、殿下の歯止め役を望んでおられたのではございませぬかな」

三成は半ば飲み残した茶碗を置いた。

「ご承知の上で、何ゆえ」

「図らずも殿下が仰せのとおり、拙は茶人、商人に過ぎませぬ。秀長様の代わりなど、とても」

「されど、それでは――」

「貴殿がおられます」

微笑を以て向けられたひと言に、ぶるりと身が震えた。利休はゆったりと頭を振り、懐かしむような目で短く息をついた。

「堺政所の差配、お見事にござりました。検地のこと、九州のこと、忍城のこと、奥羽のこと……貴殿のなさりようを思うにつけ、秀長様や拙に異を唱え続けたご心中が分かる気がいたします」

そして、真っすぐに見据えてくる。

「お咎めの儀、ゆめ主上や殿下を侮る気持ちなどございませなんだ。ただただ、分別が足らなんだゆえ。拙も齢七十を数えましてな、年を取るとは、そういうことなのです。分別が甘くなって、おかしな断を下す」

「殿下も」

そうなりかけているのか。皆まで問う気にはなれない。

利休は、それには答えなかった。

「生き延びたとて、拙はもう長くはお仕えできぬ身にて。殿下の歯止めとなれるのは一時のことにございます。お若い貴殿こそ、その任を負うべきではございませぬかな」

がん、と頭に響いた。だから、敢えて申し開きをしなかったと言うのか。

この人は、それほどに真剣だったのだ。自らの死を賭して——齢七十の老い先短い身だからとて、易々とできる決断ではない。そして、これからは己が秀吉の老いと戦えと言う。我が身を顧みず命懸けであれ。何と重い遺言だろう。今までは秀長がいて、利休がいた。己には果たして、それだけの覚悟があったろうか。利休の意志を胸中に何度も嚙み締め、三成は目を伏せた。

(だが……逃げるものか)

自らの望むものは、その先にしかないのだ。思い定めて薄っすらと目を開き、再び茶碗を取って最後の一滴まで啜り終えた。

「これにて」

万感の思いをひと言に込めて一礼し、茶室を後にする。

「治部殿」

去り際の背に、声がかかった。

「もうひとつ、申し上げておきたいことがございます」

＊

利休が切腹してから一ヵ月余り、四月の声を聞いた頃、三成は近江へと向かった。とある男を家臣として迎えるためであった。

「ここか」

琵琶湖の南、草津《くさつ》と大津《おおつ》の中間辺りという地である。湖から南流する瀬田《せた》川を東の間近に望む一村に、小さな庵があった。竹垣に囲われた茅葺屋根は古く、かつて誰かが住まっていたものを買い取ったのだろうと分かる。外から窺う限り庭も狭い。そこに梅の木が一本、夏を迎えて青々と葉を繁らせた枝には、できかけの実がちらほらと見えた。

竹垣の中央、これも竹を編んだ扉の前で「御免」と声を上げる。やがて二間ほど奥で庵の木戸がごそりと動いた。出て来た男に、三成は深々と頭を下げた。

「お久しゅうござる」

「……ご辺であったか」

いくらか棘《とげ》の立った声音に頭を上げる。庵の主は島清興であった。背丈は向こうが五寸ほど大きいだけだが、ぎょろりとした目の鋭さに、遥か高くから見下ろされているような気がする。少し蓄えられた無精髭《ぶしょうひげ》が、持ち前の凄みを増していた。

「何用あって参られた」

硬い面持ちは、己を快く思っていない証であった。かつて秀長の臣として、己と主君のいがみ合いを目の当たりにしている。天下人の威を笠に着て増長した鼻持ちならぬ男、そう考えているのに違いない。この男を召し抱えることなど、できるのだろうか。

（いいや）

心中に踏ん切りを付けて口を開いた。

「利休殿の遺言に従い、参じた次第」

清興の目が驚きを湛えた。

「……そう聞いては、お引き取り願う訳にも参らぬ。まずは入られよ」

幾分渋った声で歩を進め、手ずから竹垣の扉を開けて三成を招き入れた。中は土間と薄汚れた板間、囲炉裏《いろり》がひとつという、質素そのものの体である。かつては百姓の老夫婦辺りが住まっていた家だろうか。藁を編んだ古い座卓を勧められ、囲炉裏を挟んで向かい合う。明かり取りから入る陽光は乏しく、昼日中にも拘らず薄暗かった。

もっとも互いの顔や佇まいは分かる。不都合はない。

清興は囲炉裏の鉄瓶から柄杓で湯を汲み取り、木の椀に注いでこちらの目の前に置いた。三成は軽く会釈して静かに発した。

「利休殿ご生涯の日、今生の別れに一服を頂戴した。茶室から下がる折、是非にとお勧めいただいたのだ。秀長様が亡くなられた後、ご辺が近江に下がったゆえ、召し抱えてやれと」

清興は戸惑うように返した。

「何ゆえ利休様が、左様な」

「話せば長くなる。ご辺がわしに仕えてくれたら、追い追い話す日もあろう」

「片腹痛いことを。お断り申し上げる」

鼻で笑って返された。だが退けぬ。秀吉の歯止めとなるには、清興のような切れ者を抱え、自らの及ばぬところを補ってもらうのが良い。大いなる先達、千利休が是非にと薦めたのだ。

自らの決意を示すべく、三成は床に両手を突いて頭を下げた。

「できるだけのことはさせていただこう。二万石でどうか」

清興は失笑交じりに応じた。

「安く見られたものよな。同じだけの知行を蹴って、筒井家を出奔した身ぞ」

「左様であったか。されど、わしに出せるのはそれが精一杯だ」

返答がない。頭を上げると、清興が何とも意外そうな顔をしていた。

「その……。不躾《ぶしつけ》な話だが、石田殿はどれほどの知行を頂戴しておられる」

控えめな問いに、二度頷いて答えた。

「四万石。佐和山城代として十万石を差配できるが、これは代官として殿下よりお預かりしたもののゆえ、家臣の知行割りに転じて良いものではない」

「待て、待たれよ」

清興は、今度は愕然とした面持ちを見せた。

「ならば二万とは、半分ではないか。主従の知行が同じなど聞いたことがない。それではご辺が窮するだろうに」

「わしが富を得れば国が良くなるのか。知行など、どう使うかが大事であろう」

平然と返す。身を捨てて世に臨む覚悟を固めたのだ。知行地を治め、兵を雇えるだけのものが手元に残れば良い。清興には確かな見識があり、己と違って人の心を細やかに知っている。昔年のこと、大和郡山城で筒井順慶を説得できたのも、この男があったればこそだ。残る二万石の全てを渡すだけの値打ちがある。

俯いて考えることしばし、清興は「どうにも解せぬ」という顔を上げた。

「四万石の知行ならば、何ゆえ忍城で水攻めなどなされた。四十里の堤を築いたと聞いておる。佐和山の十万石を加えたとて、易々と――」

そこまで言って、今度は「あっ」と口を開いた。三成は軽く頷く。

「佐和山城代は小田原征伐の後、奥羽仕置の功により任じられたもの」

「では……あの水攻めは、ご辺の思い付きではなく」

三成は、ゆるりと笑って見せた。

清興は少し考えて幾分得心したように頷き、やや嫌気を薄れさせた目を向けた。

「ご辺が裏方の任に長けるは、豊臣家中では隠れなきことぞ。殿下のご下命なら財は十二分に使えたはず。早々に水を引き入れて、戦を終えてしまえば良かったろうに」

「あの城は、水では落ちぬ」

頭を振り、説明を加えた。至るところ川だらけの中、忍城だけは盛り土をして高めた地に築かれている。古来「浮き城」と呼ばれたのは、名ばかりではないのだと。

話を聞くほどに、清興の目が輝きを湛え始めた。

「ご辺は……殿下の面目とご自身の面目を引き換えになされたのか」

ひけらかすつもりはなかったが、話の流れである。ここにも分かってくれる者があったことは素直に嬉しい。面映いものを隠すべく、寸時目を逸らした。

「わしが戦下手と蔑まれれば、殿下には瑕が付かぬ」

すると、清興は居住まいを正し、真っすぐこちらを向いた。

「お聞かせ願いたい。ご辺はいったい、何のために働いておられるのか。自らが富むを望まず、功を誇ろうともせず、あまつさえ名を損なっても良いと申される」

三成も居住まいを正し、胸を張って返した。

「利休殿との別れにて、もうひとつを受け取った。我が全て……命すら投げ打つべしと」

清興は、これを聞くと感じ入ったように口を噤んだ。

思いの出どころを伝えておかねばなるまい。三成は幼少の頃の話をした。当時の主家であった浅井が滅び、石田村の百姓が父の下知を聞かぬようになったこと。その有様を見て、寺に預けられていた己が無念に思ったこと――。

「斯様な世を鎮めるには何が要るのか。十八で殿下にお仕えするようになってからも、ずっと考え続け、やっと答を見出した。わしは、天下に秩序を求めて働くのだ」

語り口に、次第に熱が籠もる。

「寛容、寛典。秀長様の仰せは尊い。されど領国ごとに思い思いの差配を認めれば、天下をひとつにした意味は薄れよう。利休殿も商人を守ろうとしておられたが、統べる力がなければ商人の財は私利私欲の域を出ず、世を蝕む毒にしかならぬ。百姓衆とて同じよな」

清興が声を揺らした。

「武士、商人、百姓、全てに秩序を……」

「左様な世で人々が手を携えてこそ、戦乱は終わったと言えるのではないか。わしはただ、幼き日の思いを形にしたい。そのために殿下の泥除けに任じ、殿下の歯止めにならんと欲する」

清興の目が熱く輝いている。三成はじっと見据え、噛んで含めるように付け加えた。

「豊臣は未だ、大名の上に立ったに過ぎぬ」

眼差しを絡めること如何ほどか、不意に清興が板間から後ずさって土間に下りる。そして両手を地に置き、平伏した。

「秀長様とのことも、何もかも、それがしの思い違いだったとは。今までの非礼、このとおりお詫び申し上げまする」

伝わった。何よりそれが嬉しい。それなのに「構わぬ」と返す声音は、相変わらず素っ気ない響きであった。自ら呆れて苦笑を漏らすと、清興が平伏の体から頭だけを上げた。

「お願い申し上げます。それがしを二百石でお抱えくだされませ。我が願いは栄達に非《あら》ず、ただ甲斐のある生を欲するのです」

その姿を真っすぐ見つめ、首を横に振った。

「二万石と申した。それだけ受け取らねば、ご辺の仕官は認めぬ」

「……はっ。殿の仰せのままに」

再び面を伏せる。三成は座を立って自らも土間へ運び、ひれ伏す肩にぽんと手を置いた。

「これにて、お主は石田家中ぞ。されど主従ではない。友として、わしを支えて欲しい」

清興は、びくりと身を震わせ、伏せた顔からぼたぼたと涙を落とした。

＊

七月、葛西晴信と大崎義隆の一揆はようやく鎮まった。伊達政宗には葛西と大崎の旧領、一揆で荒れ果てた地を新恩として与え、引き換えに南陸奥の豊かな地を召し上げることになった。

やっとひと息のはずだが、聚楽第には沈鬱なものが漂っていた。去る八月五日、秀吉の実子・鶴松が淀城で命を落としたためである。病の末であった。

秀吉は聚楽第本丸館の奥之間、自らの居室に籠もりきっていた。三成は毎日を奥之間の外で過ごし、取次ぐべき書状の仕分けもここで行なっていた。

「治部、如何か」

廊下の向こうから、楚々とした声が渡る。淀の方であった。三成は何も発せずに、居住まいを正して頭を下げる。秀吉の様子が変わらぬことは、それだけで伝わったようだ。鼻から抜いたと思しき静かな溜息に、淀の方の痛みが感じられた。

秋八月に紅梅——季節外れの艶かしい香りは懐の匂い袋か。相手が近寄ったと察し、後ろに退いて奥之間の正面を空けた。三成が退いたところへ、淀の方が腰を下ろす。

「殿下」

憂いを含んだ呼びかけであった。子を失った悲しみは、この人とて同じである。

「強い子を産めなんだ、わたくしの咎にございます。どうお詫びして良いものか」

淀の方も涙に声を潤ませた。

「されど、わたくしはまた殿下の和子を産みとうございます。次こそは必ずや」

気丈に続けた呼びかけも、そこで止まる。しくしくと静かな泣き声が続いた。

「……入れ」

部屋の中から声がした。鶴松が死んだ当日、秀吉は奥之間に籠もって、己が声をかければ「やかましい」と怒鳴り、小姓が膳を運べば「いらぬ」と泣き叫んでいた。それからは誰が声をかけようと一切応じなかった。時折漏れる泣き声で、どうにか生きているると確かめたほどである。ただのひと言でも、まともな声を聞いたのは六日ぶりであった。

淀の方は侍女を残し、ひとり中に入った。

やがて、秀吉の泣き叫ぶ声が聞こえた。そこに、淀の方のしゃくり上げる声が重なった。

半時ほどで二つの泣き声は止んだ。障子の滑る音を聞き、三成はまた頭を下げた。

「ご苦労ですが、殿下をよろしく頼みます」

頭上から寄越された声は力ないものであった。頭を下げたまま「御意」とだけ返す。化粧も流れてしまったろう顔を、見てはならぬと思った。

それから四日が過ぎた。今日も秀吉は姿を見せない。日々の膳にも手を付けず、時折運ばれる水だけを口にしている。夕暮れ迫る頃合となって、陳情や報告の書状も読みにくくなった。仕分けたものをまとめ、息をついたところ――。

「治部。おるんじゃろう」

声が聞こえた。己を呼んでいる。三成の目に、じわりと熱いものが滲んだ。

「これに」

返す声音が揺れる。障子の向こうで、秀吉がくすりと笑った。

「大名衆を集めい。京と大坂にいるだけでええ」

した。

今はただ、秀吉が人前に顔を出す気になってくれただけで十分だった。もう虫の声が聞こえんという頃だったが、三成は即座に奥之間を辞し、諸大名を集めるべく奔走した。

「承知、仕りました」

二日後、聚楽第本丸館の広間に大名衆が顔を揃えた。

秀吉に従って広間に進む。居並ぶ面々が一斉に平伏した。前田利家や宇喜多秀家らの大物、加藤清正や福島正則らの子飼い衆、小西行長、大谷吉継、長束正家や増田長盛らの奉行衆、また昨年に隠居して大坂に詰めている黒田孝高を始め、五十人ほどが並んでいた。徳川家康は国許の関東にいて、この席には名代の井伊《いい》直政《なおまさ》が参じている。

三成は朱漆で塗り固められた主座の一段下を進み、大名衆の前に立って、秀吉が中央に進むのを見守った。十日も飯が喉を通らなかっただけに、白地に金糸で鳳凰《ほうおう》を縫い取った羽織も肩の辺りが緩く垂れ下がっている。しかし、その背からは並々ならぬ気迫が滲み出ていた。

二枚重ねの畳に上がると、秀吉はこちらを向いた。

「治部、座れ」

「されど」

主君を差し置いて先に腰を下ろす訳にはいかないと言うと、秀吉は落ち窪んだ目をぎろりと動かして「構わん」と応じた。これに従い、主君の右手前に座を取る。

「皆の者、面を上げい」

立ったまま厳とした関白の声で発し、頭を上げた一同をざっと見回した。

「此度、陸奥の一揆もようやく鎮まった。ことに、援軍を出した徳川殿は大儀であったのう」

家康の名代、井伊が「はっ」と頭を下げた。徳川家中最強の隊・赤備えを率いて「赤鬼」の二つ名を取り、内治や他家との交渉ごとにも実を上げる傑物である。

秀吉は井伊の姿を見て軽く頷き、続けた。

「これにて、この国はひとつにまとまった。次の手を打たねばならん」

三成は主君に目を向けた。見上げる顔は頰がこけて艶を失い、修羅の様相を呈している。ぞくりと悪寒が走った。

「殿下、しばらく！」

広間の真ん中辺り、黒田孝高が声を上げた。同じものを感じたらしい。

だが――。

「黙れ官兵衛！　わしの話を遮るでない」

風が吹けば飛びそうな体から鬼気迫る怒声が飛んだ。殺気、狂気といったものを孕んでいる。誰であろうと逆らう者は殺してやる――本気で思っていない限り、これほど剣呑な空気を発することはできない。さすがの黒田も「ご無礼を」と頭を下げるしかなかった。

それを一瞥し、秀吉は皆に向けて高らかに発した。

「かねて朝鮮には、膝を屈せよと申し送っていた。じゃが！　わしの寛容を良いことに、一向に返事を寄越さぬ。然らば道はひとつぞ。ここな皆に申し伝える。明くる年までに兵を整えい。朝鮮から唐土、明の国に攻め込む。わしは信長公の天下布武を継いだ身じゃ。唐入りの実を上げて信長公を超え、先に黄泉《よみ》へと旅立った鶴松に報いるものとする」

広間が、しんと静まった。誰も何も発せず、秀吉の尖った気配から逃れるように、何とも重苦しい空気を漂わせている。

三成も、違う意味で胸に重さを覚えていた。朝鮮が秀吉の要求を握り潰すことは見えていたのだ。何がどうあろうと、行き着く先は同じだったに違いない。だが鶴松に報いるためとは、唐入りの本義から外れること甚だしい。理不尽の一語に尽きる。

ちらりと目を流せば、多くの者はただ恐れ慄《おのの》いている。そうした中、他と違う顔が幾つかあった。渋面の黒田孝高と宇喜多秀家、血気に逸った福島正則と加藤清正である。

（ここに家康殿がいたら）

　きっと平然としているだろう。そして全てを自らの益と為すために動くはず。

　――と、秀吉が井伊に問うた。

「のう赤鬼。前にわしが唐入りの話をした時、家康殿は大いに喜んでおったが、その後はどうじゃ。何か申しておったか」

「特には。殿下より何らかのお達しあらば、一々を報じよとだけ」

「そうか。つまり家康殿は、何に於いても従うということじゃな」

「左様、言われておりまする」

　このやり取りに、そこはかとなく違和を覚えた。井伊の何と堂々としていることか。猛将ゆえの、肝の太さかも知れぬ。だが、常に面を冒して諫言を吐いてきた黒田でさえ怯んでいるのだ。家康が諸々を言い含めていたとしか考えられない。

「どうじゃ皆の者。異存はないか」

　秀吉の声音は、問うと言うより凄むと言った方が正しい。否やを言える者など、あろうはずもなかった。

　ふと、宇喜多秀家が目に入った。未だ渋面を湛えている。もしや唐入りに反対なのか。

（待てよ……）

宇喜多の本貫・備前は岡山商人の力が強い。堺衆・岡山衆に繋がりのある小西と同じで、海の向こうの事情を知っているのだとしたら。思って、じっと見る。向こうもこちらに気付いて、眼差しが絡んだ。苦悩、そしてひとつの決意が見て取れた。

それは、ならぬ。三成は微かに頭を振って見せた。秀家は呆気に取られた顔になったが、寸時の後に小さく頷き、朗々と声を上げた。

「異存などあろうはずがございませぬ。この秀家、粉骨砕身の労を厭わぬ所存」

幼くして父・宇喜多直家を亡くし、秀吉の養子として長じた男である。これが賛同するのは当然とばかり、秀吉は爛々と光る目に喜悦を湛えた。

「良う申した。それに引き換え、余の者は情けないのう」

すると秀吉の子飼い、先に血気を顕わにしていた加藤清正と福島正則が口々に発した。

「何の、肥後にこの主計があることをお忘れなく」

「それがしとて、後れを取る訳には参り申さず」

こうなると他も追随せざるを得ない。我も、いや我こそと、鍋島直茂や島津義弘らの九州勢、浅野長政の子・幸長《よしなが》らが腰を浮かせた。

「その意気や良し。各々励めよ」

過ぎるほど上気した赤ら顔で呵々《かか》と大笑すると、秀吉は少しふらりとした。しかし転げることなく踏み止まり、またひとつ「はは」と笑って、すたすたと立ち去った。

唐入りは、なし崩しに決まってしまった。浮き立つ熱と淀んだ空気、二つが混じった澱みの中で、三々五々、広間から大名衆が出て行く。

ちらりと秀家に目を遣り、三成も座を立った。広間を出ると、敢えてゆっくり歩みを進める。

「治部殿」

背後から、秀家が声をかける。振り向いて、三成は「ふう」と息をついた。

「唐入りは成就《じょうじゅ》せぬとお考えあられますか」

単刀直入な問いに、秀家は伏し目勝ちに頷いた。

「我が領を見ておると、良う分かり申す。戦乱で荒れ果てた地が安んじられても、なお米は多くが取れず。然るに商人衆からの地子は年々大きくなる」

「摂津殿と同じお見立てにござりますな」

小西の名を聞いて、秀家は「おお」と目を丸くしている。三成は小さく頷いて続けた。

「この国は今、戦乱から泰平に変わろうとしております。どの大名も内治を思うべきところ、それができぬ者共がある。元々は殿下も、それらの血気を逸らすためと仰せでしたが」

「それが、あのような……。ならば我こそ異を唱えねばならなんだ。何ゆえ止めた」

「さすがに今は」

鶴松を失い、秀吉は気を病んでいるに等しい。秀家には皆まで言わずとも伝わったようだ。

「其許に妙案があると思うたのに」

「どうあっても今の殿下は止まりませぬ。ならば、痛い目を見れば良いかと」

「馬鹿な」

以ての外だという顔である。三成は小刻みに頭を振って、続きを聞けと示した。

「何も、負けるまで戦わずとも良うござる。我らが裏で明国や朝鮮と談合し、その前に和議を結んでしまうのです。武功の者共とて、海の向こうで苦しめば血気も冷めるに相違なく」

内治で実を上げるしかないと悟れば、唐入りの当初の目的は、逆の形で達せられる。秀家はそれを察したようだが、頷く顔は先と同じ渋面であった。

「武辺者はそれで良いとして、殿下にはどう得心していただくのだ」

「海を越えての戦なれば、一朝一夕には雌雄を決せられぬもの。それには相違ございますまい」

「そのための、一時の和議とごまかすのか」

「摂津殿に宇喜多様、唐土を知るお二方が揃ってご懸念とあらば、そも唐入りなど絵に描いた餅にござる。ごまかしで結構。時を稼ぐのです。和議が成って交易で実を上げれば、いずれ殿下とてお分かりくださいましょう」

秀家の眼差しには迷いが見られるものの、こちらの言い分を否定してはいない。

「そうせねば、この国が潰えて――」

追い討ちの言葉を向けたところで、秀家の向こうにひとりの姿を見た。井伊直政が広間を出たところで立ち止まり、遠目にこちらを窺っていた。三成とは違う意味で面持ちを崩していない。具足の面頬《めんぽお》が張り付いたような、鋭い顔であった。その面頬が小さく歪み、頷いて立ち去る。秀家は背後に気付いておらぬようで、怪訝そうに声を寄越した。

「如何なされた」

「いえ……。どうか、宇喜多様もお力をお貸しくださされませ」

三成は会釈して立ち去った。胸には井伊の姿が焼き付いている。

秀吉に逆らう姿勢を見せず、裏でこの国を守るという己のやり方に頷いていた。間違いない、家康はかねて家中に言い含めていたのだ。それも己と同じ考え方を。しかし、その意図が立つ土台は違う。家康は豊臣の足を掬わんとしているのだ。その上で、自らが天下を手中にするために、まず国を保つべしと考えている。

己の為すことが家康のお膳立てになってはならない。三成は歩みを止め、右のこめかみに手を当てて強く押さえた。背後遠く、広間の辺りには既に人の気配もない。磨き上げられた廊下と左手に広がる枯山水の庭が金襖の煌きに照らされ、恐ろしいばかりの静寂を醸し出していた。

第三章　混迷

一　文禄の役

「ついに、か」

天正二十年（一五九二年）三月半ば、九州北西・肥前《ひぜん》国の波戸岬《はとみさき》——遠く北に玄界灘《げんかいなだ》の荒波を眺め、三成は独りごちた。唐入りの本陣として築かれた名護屋《なごや》城が、背後、高さ一町足らずの小高い丘に聳えていた。

名護屋城は平山城で、堀と石垣の堅牢な構えに加え、本丸に五重の天守を備えている。本丸御殿は秀吉の好みを色濃く映した煌びやかな仕上がりで、秀吉の居所や広間、諸将の控え室や宿直の間などが屋根を寄せ合い、渡り廊下で繋がっていた。個々の屋根には聚楽第と同じく金箔を施した瓦が用いられ、遠目には折り重なる金の山稜と映った。柱は全て朱に塗られ、どこまでも白い漆喰の壁がそれらの華やかさを引き立てている。

城を囲うこと五里の内には、参陣を命じられた大名衆の陣屋が百二十余もあった。

これを目当てに商人が集まり、仮住まいのあずま家が周囲に広がっている。昨日までの寒村は、城に引き摺られて俄かに活気付いていた。

落成したばかりの城に入って十日余り、三成は唐入りに使う船の支度を整えるため、城の東、名護屋浦の入り江で日々を過ごしている。玄界灘は潮が荒く、紺碧《こんぺき》の中に白く弾ける波濤《はとう》は凪の日でも変わらない。この入り江は格好の船着場であった。

それにしても夥しい数である。ざっと見ただけでも、五十人、百人と乗れそうな船が五百以上あるだろう。空の青を煮詰めたような水の藍色も、船の間にまばらに見えるばかりだった。

と、また船の一団が入り江に入って来た。先導する一艘は然して大きくなく、使い込まれた風を見せていた。これが二十余艘を引き連れている。

「治部様」

岸から半町ほどの辺りまで寄せると、先頭の小船から声が渡った。三成は「ああ」と得心して右手を挙げ、軽く振った。船の調達には西海の水軍衆の他、商人の力も借りている。声の主は博多町割の頃から懇意にしている嶋井宗室であった。

今少し待つと、船が岸に着ける。嶋井は真っ先に飛び降りて波打ち際に飛沫《しぶき》を上げ、懐の手拭いで額を拭いながら歩み寄って来た。

「如何にございますか」

三成は大きく頷いて返した。

「先陣の用には十分かと。されど此度は総勢二十万、船は多いに越したことはない」

嶋井は半ば感心し、半ばは呆れて「ほう」と息をついた。

二人で入り江を眺めながら談判する。博多衆には船ばかりでなく、兵糧の一端をも頼んでいた。泉州堺、備前岡山から博多に運ばれる米、そして博多衆が集める糧秣は、いったん名護屋城に入れられる。これを朝鮮に渡る諸軍へ送るには、集めた船の動かし方が重要だった。朝鮮との往復に何日かかるかを聞き、一度の行き来で運ぶ兵の数を弾き出す。それらが使う武具兵糧には、どの大きさの船をいくつ使えば足りるか。また、どのくらいの間を置いて追加を送れば良いか。考えるべきは多い。

そこへ、背後遠くから声がかかった。振り向いて声を上げる。

「摂津殿か。首尾は？」

小西は小走りに駆け寄ると、三成と嶋井の双方に会釈した。

「どうにか先鋒の一角を勝ち取り申した。治部殿のお口添えの賜物にござる」

軽く頷き、嶋井に目を遣る。

「然らば先の話のとおりに進めてくだされよ」

言外に「外してくれ」と示すと、嶋井はにこりと笑い、深々と一礼して船へと戻って行く。三成は、ふっ、と短く息をついた。小西の顔が、やや緊張を孕んだ。

「されど厄介なことに、先鋒のもう一角が主計殿にござる」

「あやつか」

三成は常なる顔のまま、腕組みをした。小西と共に先鋒を命じられた加藤清正は、豊臣家中でも一、二を争う武功の将である。唐入りについても秀吉から敵地の切り取り次第を認められ、これぞ功の立てどころと腕を撫《ぶ》していた。

「治部殿が仰せのとおり、程良いところで和議に持ち込むのが最善と存じまするが……」

清正のように武張った者が躍起になっては、それも難しい。小西の懸念に「ふむ」と頷き、三成はひとつの策を示した。

「良い手がある」

「それは？」

食い入るような目の小西に手招きし、耳打ちする。ぎょっとした眼差しが返された。

「太閤殿下のご裁定に背けと？」

唐入りに心血を注ぐべく、昨天正十九年末、秀吉は関白の位を養子の秀次に譲って太閤を称するようになった。とは言え、未だ秀吉が天下の頂に立つことに変わりはない。この懸念も当然だが、三成はいささかも顔つきを変えずに応じた。

「叱責あらば、その時にはわしが取り成す。それに、前にも申したとおり宇喜多様も味方だ」

明帝国や朝鮮と戦いながら和議を探るには、戦場に赴く者の力が要る。遠征軍の大将に任じる宇喜多秀家が乗ってくれたのは大きいが、矢面に立つ小西にも肚を括ってもらわねばならなかった。

「わしとて、今の殿下への取り成しは命懸けぞ」

こちらの覚悟を知ると、小西も迷いを振り払い、頷いてくれた。やはり話の通じる男だ。後々のこと——徳川家康の立ち回り如何によっては、宇喜多や小西との繋がりがものを言うはずだ。大事にせねばならぬと、三成は小西の腕をぽんと叩いた。

唐入りの諸隊が海を渡るのは、四月十四日と定められた。小西行長の一番隊、加藤清正の二番隊は同日を期して渡海し、一日交替で先陣を務めよ、というのが秀吉の下命である。

だが小西は、これに反して抜け駆けした。清正を欺いて二日早く船を出し、朝鮮に渡って釜山《ふざん》を落とすと、次々と各地を平らげて進んでいる。できる限り早く朝鮮の都・漢城《かんじょう》を落とし、こちら有利な形を作って講和に持ち込むべし。三成の方針に従っての動きであった。首尾良く進んでいることに心中でほくそ笑みながら、三成は何食わぬ顔で九番までの各隊を渡海させるよう手配した。

それらが恙《つつが》なく海を越えた頃、名護屋城の北西、三成の陣所に小西からの一報が舞い込んだ。書状は秀吉宛てと三成宛ての二通がある。同じ報せだろうに、分けた理由は明らかだ。三成は迷わず自身宛ての方を開いた。

「……都を落としたか。なれど」

書状を運んできた島清興が、怪訝な顔を見せた。

「何かご懸念が？　もしや小西様の抜け駆けが波風を立てたとか」

ちらりと見て、目の端に渋いものを滲ませた。

「半分、違う。抜け駆けの一件は宇喜多様が宥めてくれると踏んでおったし、そのとおりになったのだが……」

朝鮮の都・漢城を落としたのは十三日前、去る五月三日であった。日の本では本拠を落とされたら負けである。しかし海の向こうは違った。朝鮮は都を落とされて国王一族が逃走しながら、なお宗主・明帝国の援軍を仰いで抗戦を諦めていない。

蔑む眼差しで清興が応じた。

「国が違えば気質も違うということですか」

もっとも、それゆえに講和の糸口が摑めない。小西の出征に際し、三成は明皇帝と朝鮮国王への親書を託していた。早々に兵を退くゆえ、両国の交易のために拠点を与えて欲しいという内容である。都を落とした上での和議なら、当然ながら交易も有利になろう。向こうとて潤うのだから、日の本への情意を大きくは害すまい。拠点として幾らかの領土を手中にし、時を稼ぐ。そして交易が生む財を示して秀吉を宥め、唐入りを有耶無耶に終わらせる肚であった。

「漢城まで連戦連勝の上、向こうが負けを認めぬ。ならばと、先陣の功を失った虎之助が、なお深く攻め込まんと騒いだそうな。皆が引き摺られ、宇喜多様も認める外はなかったらしいのだが」

書状を手渡す。読み進めるうちに清興の顔も渋くなった。

「民の一揆衆が輜重を襲っておると」

小西の見立てでは、朝鮮王国の政は、あまり良いとは言えぬものだったらしい。長く干上がっていた民百姓は、そうした暮らしから解き放ってくれるものと考え、当初は日の本の軍兵を歓迎していたそうだ。だが遠征の常として兵糧を現地で調達するようになると、次第に猜疑心を逞しくして蜂起している。

清興が顔を引き締めて問うた。

「釜山から漢城までは、京から長門に至るほどもあるのでは？」

伸びきった糧道の心許なさを言う。三成は小さく頷いた。

「軍兵の功を知らば、殿下はお気を良くされる。御自ら海を渡ると仰せられるは必定ぞ」

しばし互いに無言となった。が、程なく清興は「おや」という風に眉を動かす。

「殿の仰せによれば、殿下は……その、昔年の英気を薄れさせておいでだとか」

「ゆえに、どう抑えたものかと案じておる」

やや苛立って返すと、清興は「はは」と笑った。

「ご案じ召さるな。それがしも、かつては年老いた父を養っておりましてな。その頃には――」

耳を傾ける。ひととおりを聞いて、三成は「ほう」と眉を開いた。

その日の夕刻、三成は秀吉に目通りを願い出た。名護屋城の本丸御殿、徳川家康と前田利家を相手に酒盃を傾けているところへ通される。二人と会うことを知っていて、敢えてその時を選んだものであった。

小西からの書状を渡すと、秀吉は大いに喜んだ。酒に酔った赤ら顔をさらに赤く染めて、手を叩きながら大笑する。

「見たか朝鮮め。わしに逆らうから、こうなるんじゃ」

興が乗った勢いに任せて杯を干し、家康からの酌を受ける。その姿は、何ともそわそわして落ち着かぬものであった。

「のう治部。朝鮮の都が落ちたんなら、わしも向こうへ行った方が良かろう。今から船を仕立てて、いつ頃に出られるようになるかのう」

利家が驚いて声を上げた。

「何を仰せられます。殿下は総大将にござりますぞ。軽々しく動いては」

「豊臣自慢の武者たちが大手柄を挙げたんじゃぞ。晴れ姿を見てやるのが大将の務めじゃろうに」

秀吉は少し気分を損なったように、また杯を干す。だが利家も退かない。家康が黙って次の一献を注ぐ傍ら、大きく頭を振った。

「いいえ。聞くところでは、輜重の船すら海を渡るのに難儀しておるとか」

そして、こちらをちらりと見る。

「殿下も、ここな治部から報せは受けておられましょう」

然り、確かに昨今、朝鮮水軍が輜重船を窺うようになっていた。当然ながら秀吉の耳にも入れている。だが秀吉はこれを聞いて、ややむっつりとした面持ちを見せた。

「わしが海を渡るんなら、万余の兵を連れるのが当たり前だがや。朝鮮の警固衆なんぞ、ひと呑みにしてくれるわい」

利家はなお、大きく首を横に振った。

「いけません。危のうござります。それに、未だこの国は鎮まったばかりですぞ、秀次様とて関白に任じて日が浅く、殿下のお留守を心許なく思われましょうし」

秀吉の顔に怒りが滲み始めた。頃合か――。

「前田様、しばらく」

三成は普段より大きく声を上げ、目の前の三人をざっと見回して言葉を継ぐ。

「恐れながら、殿下が朝鮮へお出でになるのは、大いに理のあることかと。輜重の一件とて九鬼《くき》や藤堂《とうどう》の手の者が向こうの警固衆を睨んでおりますれば」

「慮外者め。兵糧は失《うしの》うても致し方ないが、殿下の御身は換えが利かぬのだぞ」

「海を越えた先での戦は勝手の分からぬことばかりで、誰しも気懸かりのひとつや二つは抱えておるはず。殿下がご出陣あらば、将兵共に奮い立つは必定ではございませぬか」

本音では三成も利家の言い分に同意している。海路はまだしも、朝鮮本土の糧道は多分に危ういのだ。それでも総大将が渡海すれば、遠征軍は意気を上げ、なお奥へと進むことになろう。糧道はさらに伸びてしまい、ここを叩かれて大敗という結末をも考えねばならぬ。撤退に難儀すれば、確かに秀吉の安全すら覚束ない。しかし、だからこそ秀吉の意に沿う言葉を連ね、表向きは論を戦わせていた。

（分からぬはずはあるまい）

ちらりと家康を見る。珍しく虚を衝かれたような顔であったが、すぐに目元の笑みを強め、今までの沈黙を破った。

「これはこれは、治部殿とも思えぬ物言いよな。其許は、殿下が『豊臣の自慢』と仰せられる軍兵を信用しておらぬと見える」

反駁された。が、これで良いのだ。三成は「何と」と返して向き直り、併せて、視線が外れた秀吉の気配を探る。肌に伝わるものは未だ変わらない。もうひと押しだ。

「それがしはこれまで諸々の交渉や談合に任じて参りました。さすれば人というものの心も分かるつもりにて。如何に勇ましき者共とて、不安あらば力も出し切れますまい」

家康は「はは」と笑って応じた。

「其許はやはり裏方よな。戦場に身を投じる者の心根を知らぬ。殿下のご恩徳に応えんとする者が、自らの不安に怯えて何とする。かく申すわしも、左様なことで怖気付くは恥と心得るが」

渡海に伴う危難云々から、巧い具合に話の矛先をずらしてくれた。思惑どおりの流れに心中で手を叩き、それを持ち前のすまし顔で覆い隠して声を張る。

「裏方なればこそ、全てを案じるのが役目なのです。大納言様の仰せはごもっともなれど、殿下の思し召しこそが最も重いことに変わりはござらぬ。やはり海をお渡りいただかねば」

ふと、空気が変わった。入り江の澱みが引潮で動いたような、実に静かな気配である。

「待てや、治部」

来た――。目を向けると、口を挟んだ秀吉の顔が、如何にも面白くなさそうに歪んでいた。三成は浅く頭を垂れ、追い討ちのひと言を発した。

「何とぞ、殿下のお出ましを」

「待て、ちゅうとろうが。考えてみたら、家康殿の申されるとおりよ。わしはまだ出たらいかんわい。豊臣自慢の者共じゃて言うて、送り出した奴らぞ。わざわざ顔を出したら、当のわしが皆を信じておらんことになる」

「されど」

顔を上げる。秀吉は「面倒だ」という心を隠さずに応じた。

「海を渡った軍の大将は秀家じゃ。わしの子じゃろうが、あれは。気懸かりやら不安やらは、わしの思いを秀家に伝えてやれば消えるわい。そうじゃろう、家康殿、又左殿」

問われた二人が大きく頷く。三成は今少し深く頭を下げて発した。

「僭越なる物言いにござりました」

「ええて。じゃがの、わしの下知を伝えるのは下っ端ではなるまいぞ。治部、おみゃあが奉行として朝鮮へ行け」

秀吉の声は、先までの上機嫌に戻っていた。

「御意のままに。然らば、それがし海を渡る支度をいたさねば」

三成は秀吉の許を辞した。月明かりの廊下を進みつつ、短く安堵の溜息をつく。秀吉が出陣して将兵の士気が上がることはなくなった。その上、己が渡海を命じられたのは天佑だ。小西や秀家と共に和議の道を探るにせよ、朝鮮と名護屋に離れているよりずっとやりやすい。

「治部殿」

背後から静かな声が届いた。家康である。三成は会釈して問うた。

「如何なされました」

「厠《かわや》のついでよ。少し話しとうてな」

秀吉に臣下の礼を取って以来、一度たりとて崩れなかった鷹揚な笑みが消え失せている。代わりに、何とも不敵なものを眼差しに宿していた。

「其許、年寄りの扱いが巧いのう」

俯き加減に「いえ」と返した。歳を重ねて頑なになった者は、異を唱えられることを嫌う。が、自らの意を一も二もなく肯《がえ》んぜられることは、もっと嫌う。全ては清興の進言による立ち回りであった。もっともこれは、他ならぬ家康がなければ成らなかったはずだ。

「何かの折に家中の者から聞いた話がございまして。殿下に思い留まっていただくには……と。我が意を汲んでくだされた大納言様のお陰にございます」

「そうか。何にせよ、其許が朝鮮に渡るのは祝着よ。この国を潰さぬよう、巧みに動ける者は他におらぬだろうからな。良き報せを待っておるぞ」

囁くような小声と含み笑いを残し、家康は厠へと向かう。三成は頭を垂れて見送った。

再びひとりになると、溜息が漏れた。

認めざるを得ない。秀吉は年老いた。千利休の遺言、清興の進言、年寄りの扱いという家康の言葉、己の打った芝居の結末、全てが抗いようのない事実としてそれを示している。家康や利家を酒宴でもてなす姿を見るに、しばらくは秀吉も健在でいてくれるはずだ。しかし人は、いつか必ず生涯の日を迎える。幾年後の話になるかは誰にも分からないし、或いは己こそ先に常世《とこよ》へ旅立つやも知れぬ。

だが、ひとつだけ確かなのは、その時こそ家康が牙を剝くということであった。

*

六月三日、三成は大谷吉継、増田長盛と共に海を渡った。

朝鮮の政が良くないという小西の言い分は、漢城への道中、田畑と百姓の様子に見て取れた。盛夏六月だというのに、田には稲の他に雑多な草が萌え放題で、百姓の姿も少ない。作物の世話だけで食っていけず、口を糊《のり》するための他事に人手を割いているのだろうか。野良仕事に出ている者も実にぼんやりとして、敵国の者が通るのを平然と眺めている。そもそも、田畑を作る意気が上がらぬのかも知れない。いずれにせよ、これでは遠征軍も兵糧の調達に苦労しているだろう。

視察を兼ねた行路の末、七月十六日になって朝鮮の都・漢城に入る。この地を落として二ヵ月以上、既に一番隊の小西行長、二番隊の加藤清正、六番隊の小早川隆景が各地を平らげに向かっていた。一番隊は朝鮮西岸を北へ進軍し、平壌《へいじょう》を制したそうだ。二番隊は東岸を同じく北進、六番隊は西岸の南部を制している。

政の悪さばかりでなく、朝鮮の城にも驚かされた。日の本では、城下の町割は城を守る盾の役割を担う。だが朝鮮では城郭と城下町の外に、さらに石壁を備えていた。漢城では石壁に囲われた北の一画に王宮の内城郭が広く築かれている。

「風変わりな造りですな」

宇喜多秀家に先導されて石造りの外廊下を進みながら、三成は呟いた。秀家は奉行衆三人の前に立って「既に慣れた」という口ぶりで応じる。

「城と共に、民をも守るという考え方だとか」

「なるほど」

頷いたものの、どうにもちぐはぐに思えた。理に適った考え方だが、民が服さぬ政の上では効き目も薄かろう。思いを察したか、秀家は取り繕うような笑みを浮かべた。

「朝鮮の主家に当たる、明国のやり方と聞いており申す」

再び「なるほど」と返しながら、ひやりとしたものを覚えた。朝鮮は日の本にも劣らぬ広大な領を持つ。それを臣下に従える明帝国は、いったいどれほどの力を持つのだろう。土地が広ければ、それだけ多くの民と軍兵を養える。出征に先立って小西から聞いた明国百万の兵というのも、あながち嘘とは言えまい。

「お入りあれ」

秀家が居室とする一室に導かれると、入り口の扉や明かり取りの障子には奇妙な文様を成す格子が施されていた。それらは朱色に彩られ、秀吉の派手好みを思わせる。中に入ると、部屋の床までが石でできていた。畳敷きで十畳ほどの奥に設えられた寝台は、さながら野営の陣だ。腰を下ろせるのは中央に置かれた円卓周りの椅子のみであった。

秀家が座るのに従い、その右手に席を取る。三成のさらに右手に吉継、秀家の左手に増田、四人で囲んだ朱塗りの卓には朝鮮の地図が拡げられていた。

「さて、殿下のご下命をお伺いしとう存ずるが」

面持ちを引き締めた秀家に対し、三成はさらりと答えた。

「速やかに朝鮮を平らげ、明に進むべしとの思し召しにござる。されど、まずは武具兵糧がどれだけ残っているかを見なければ」

「蔵にござるか」

秀家の顔が曇った。三成は心中に「やはり」と察して問うた。

「さほど残っていないのですな」

「いかにも。朝鮮に渡った十五万がいつまで食っていけるのか、まずは其許らに見立ててもらわねばならぬ」

それが和議のために残された時間か。ならばと三成は皆を促し、腰を落ち着ける間もなく蔵へ向かった。

王宮小殿の裏手には、小ぶりの天守のような蔵が二つある。右が兵糧で、左が武具だそうだ。三成は吉継を伴って兵糧の検分に当たり、増田には武具を任せた。高いところにある明かり取りだけでは、蔵の隅々までは照らせない。薄暗い中で手分けして糧秣を検めると、名護屋から送ったと思しき米俵は三万石ほどで、実際に送った量からするとかなり目減りしていた。糧道は手酷く叩かれているらしい。漢城が元々蓄えていたのだろう麦は吉継が調べたが、こちらも六万石ほどだという。合わせて九万石、十五万を賄えるのは半年余りといったところだ。

「長くは戦えぬな」

蔵から出ると、吉継は溜息をつき、麻布で巻き隠した顔の目元を拭った。昨今では病が進んで瞼が閉じにくいらしく、涙目になることが多い。次いで増田が武具を検め終え、秀家を伴って合流した。鉄砲や弾、火薬、足軽の槍など、こちらは十分な量があるようだった。

ふと見れば、秀家が浮かぬ顔をしている。三成は極めて素っ気なく問うた。

「兵糧が足りぬ、輜重の道も危うい。この国の百姓は気が抜けて、年貢にも期待できない。なのに各地に兵を出している。これでは和議も進まぬでしょうな」

吉継が驚いたようにこちらを向く。増田に至っては慄いて声を震わせた。

「待たれよ治部殿。殿下の思し召しを違えると申すのか」

「朝鮮の有様は、日の本で思うておるのとは大きく違うた。さすれば和議とてあるべき道ぞ。それをお分かりいただけるよう、まずは包み隠さず殿下にお報せする」

「如何ほどお怒りになられるか」

増田はこの上ない渋面である。三成は、けろりとして応じた。

「闇雲に兵を進めて軍を潰えさせれば、それどころのお怒りでは済まぬ」

吉継が、何かを察したようにこちらを向いた。

「お主、もしや」

「他に道があるか」

するとそ吉継は、唸るように頷いた。訳が分からぬ風にうろたえていた増田も、吉継に「致し方ない」と促され、おずおずと頷くに至った。

「この二人にすら話しておらなんだとは」

呆れたように溜息をつく秀家に、三成は「はは」と乾いた笑いを向けた。

「他に漏れてはならぬことゆえ」

「確かにな。我らも平壌までは平らげたが、彼の地は明国に近い。いずれ援兵が寄越されよう」

ここに至って、秀家は面持ちに幾らかの疲れを滲ませた。兵糧の心許なさから言っても、嫌でも落としどころを考えねばならぬ頃合なのだ。

「摂津殿をそちらに向かわせてくだされたこと、痛み入ります。虎之助であったら、和議など以ての外と駄々を捏ねるはず」

そう応じ、三成は口元を歪めた。

「然らば摂津殿に遣いを。まずは留まって固く守るべしと。然る後、それがしが先んじて渡した書状を明国に渡し、談合するよう申し伝えてくだされ」

秀家は安堵したように頷き、すぐに一番隊への伝令を出した。

一方、三成ら奉行衆は名護屋に向けて漢城の内実を報じる。すると秀吉は、七月のうちに黒田孝高を使者に寄越した。黒田が告げた秀吉の方針は「来年の春には自ら海を渡るゆえ、それまでは固く守っていたずらに進むべからず」であった。当初とは一変して慎重な下知だが、兵糧に困っている以上、それも難しい。今は七月末、十五万を養えるのは切り詰めても来年の二月頃までだ。糧道が脅かされ、名護屋から無事に届く兵糧は雀の涙ほどでしかない。漢城から一番、二番、六番の各隊に米麦を運ぶにも、やはり朝鮮民衆の義兵が足枷となる。

加えて、恐れていたことが現実となった。三成が漢城に到着したのと同じ日、ついに明帝国の援軍が到着して平壌を襲ったという。小西が奮戦してこれを退けたという報せは、黒田が到着した翌日にもたらされた。

明の兵力は、実のところはどれほどか。武具は何を備え、どういう戦をするのか。分からないことが多すぎる。守るにせよ和議にせよ、まずは実際に戦った小西の話を聞かねば方針も立てられない。三成は評定を開くべく、宇喜多秀家を通じて諸隊の将を呼び寄せた。

八月七日、漢城の広間に多くの将が参じた。二番隊の加藤清正を除き、各隊の長も全て参集している。皆が朝鮮の様式で椅子に腰掛けながら、主座の秀家の左右に列を為すという日の本のやり方で顔を合わせた。三成ら三人の奉行衆は秀家の右手筆頭、その正面に秀吉の上使たる黒田が座を取っていた。

「主計殿は？」

「さらに北へ進み、烏梁海《うりようかい》なる蛮族を攻めると申しておられた。評定などするまでもないと」

秀家の問いに、二番隊寄騎・鍋島直茂が左手の末席で憤然として答えた。秀吉の下知を受けるための評定に参じないなど、怪しからぬことである。そればかりか寄騎の鍋島とも仲違いしているらしい。三成が「捨て置けば良い」と鍋島を宥め、満座も「致し方ない」という風に頷いた。

これを以て評定が始まる。まず秀家は黒田を促し、秀吉の下命を伝えさせた。

「――以上が殿下の思し召しである。されど、そこな治部から聞く限り兵糧が心許ないとか。殿下のご着陣は早くて三月になろうし、それまで持ち堪えられるかどうかは怪しいと見る」

当然の見通しである。だが各隊の長、特に六番隊の小早川隆景はこれに異を唱えた。

「この国の百姓とて草の根を噛み、木の皮を食んで命を繋いでおる。我らも同じにすれば良い。殿下のご下命を拝した上は、何としても持ち堪えてお目にかけねば」

黒田は眉間に皺を寄せつつ、言い聞かせるように応じた。

「できることと、できぬことがあろう」

「何の。明国の援兵とて、摂津殿が蹴散らしたのだろう。できぬはずがない」

「待たれよ」

両者の論に秀家が口を挟む。三成をちらと見てから続けた。

「できるか否か、まずは明国と一戦交えた摂津殿の見立てを聞かねば」

皆が一斉に小西を向く。小西は酷く疲れた顔を引き締めて発した。

「まず、明国の援兵は五万ほどにござった」

評定の席がどよめく。三成も固唾を呑んだ。自国が留守になるほどの数を援軍として差し向けるはずがない。その数が五万とは、明軍の総勢はどれほどになるのか。見当も付かない。

「さらに、敵は大筒を携えており申した。平壌の城から眺める限り、四十門ほどかと」

「左様な数……如何にして退けた」

問うたのは五番隊の長・福島正則であった。幾らか震えた声に、小西は身震いして返した。

「彼の者共は大筒は持てど鉄砲は持ち申さず。大筒の狙いが付けにくい町中まで踏み込ませたところで、打って出て詰め寄り、鉄砲を射掛けた次第にござる」

それが文字どおり決死の戦いであることは、誰にも分かる。向こうが味方諸共に大筒で吹き飛ばさぬなどと、誰にも言えぬのだ。すっかり黙ってしまった皆に向け、黒田が押し潰した声音で発した。

「今のままで持ち堪えられる……と考えるは甘い。この漢城と一日で行き来できる辺りに砦を築き、全軍で支えるが良いと思うが」

ざわ、と空気が波立った。穏やかなものではない。隆景や正則のみならず、この軍は武辺者の集まりなのだ。せっかく攻め取ったものを、という気持ちの為せる業であった。

三成は腕組みをして問うた。

「黒田殿。平壌を捨てては、負けを認めたことになるのではござらぬか」

声をかけると、嫌そうな眼差しが返された。

先陣を下げよという黒田の言は一理ある。平壌から退けば明軍の糧道が伸びるのだ。その糧道は今まで日の本の兵が押さえていた地とあって、当然ながら慎重にならざるを得ない。敵の用心を逆手に取れば和議に持ち込めるという目算だろう。三成はそこに斬り込んだ。

「さすれば彼奴ら、どれほどの難題を吹っ掛けてくることか」

黒田の目に違う色が宿る。どれほどの難題を――和議ありきの話だと察したらしい。

「そう……かも知れぬが」

唸るように応じた黒田に、満座から声が飛んだ。

「そうとも。取った地を捨てるなど以ての外ぞ」

「殿下とて固く守れと仰せられておる」

「守ると退くは異なること」

秀家が、またこちらを一瞥した。これで良いのか、という目つきである。三成は顎を引くくらいに頷いて見せた。

「然らば殿下のご下命に従い、平らげた地を守って年を越すべし」

秀家が下した断に、一同が「おう」と声を合わせた。苦渋と喜び相半ばの笑みを浮かべ、黒田がこちらを見ている。和議の方針を確かめたがゆえの顔であろう。続いて、小早川隆景がもうひとつを提案した。明軍が大筒を多く擁しているからには、城にあっても安泰とは言い難い。ならば秀吉の渡海は取り止めるべきではないかという。これも満場一致で決せられ、秀家から奏上されることになった。

評定が終わると、三成は小西を捉まえて小声で問うた。

「明国に渡りは付けられたか」

「貴殿の書状は既に。先の戦いで我らの手強さを知らしめた上は、糸口も摑めましょう」

「祝着だ。そのまま進めてくれ」

三成は口元を歪めて返した。

――と、背を強く叩かれた。わずかに顔をしかめて振り向けば、福島正則であった。

「おう治部、黒田殿を言い負かすとは大したものぞ。攻め取った地を手放すべからずとは、お主もやっと武士の心が分かるようになったか。賤ヶ岳の頃は、青くなって震えておったのにな」

顔を赤く染めて大声で発し、げらげらと笑う。三成は黙って作り笑いを返した。

評定が終わると黒田は名護屋へと戻って行った。そして八月二十九日、小西行長は明軍と五十日の停戦を取り決めた。諸将には「平らげた領を保つ方便」と伝えられている。本当の目的が和議にあることは、三成ら奉行衆と宇喜多秀家、そして当の小西以外は知らない。

＊

人ひとりは一年で一石を食うが、戦の折はそれ以上、まさに湯水の如く使う。常に死と隣合わせの恐怖を少しでも紛らすためだ。漢城にある概ね半年分の兵糧とて、各地で戦ってばかりいては瞬く間に目減りしてしまう。それだけに、小西が取り決めた停戦は大きかった。

――否。その「はず」であった。

明帝国と停戦したなら、即ち日本と朝鮮の間も停戦ということになる。だが、それは各々の軍に於ける話に過ぎない。蜂起した朝鮮民衆の義兵にとっては与り知らぬ話なのだ。

九月、漢城の兵糧蔵が焼き討ちに遭った。王宮内城郭の外から火矢が射込まれたものである。漢城の民衆の中に、義兵を手引きした者がある証であった。

停戦の恩恵は全て吹き飛ばされた。朝鮮を席巻して都を落とし、残る地にも手を広げていながら、民衆に信を置けない。それでは戦い続けているのと同じである。しかも蔵の米麦は三分目までが焼けてしまい、遠征軍はなお窮するようになった。

年内持つかどうか。増田長盛がぎりぎりの線で各地に兵糧を送る中、五十日の停戦が明ける。十二月になると、明軍はこちらの窮乏を察して増援の兵を呼び込み、平壌に襲い掛かった。

漢城王宮、小殿の広間に注進が入る。一日に三度から四度、このところ毎日であった。

「申し上げます。敵軍、退きましてございます」

大将・宇喜多秀家と奉行衆以下、広間にある面々が「おお」と歓喜の声を上げる。三成のみ、顔色ひとつ変えなかった。

「して、敵味方の討ち死には」

小早川隆景が勇んで問う。伝令の者は著しく面持ちを曇らせた。

「それが……味方は五千余が死に、七千ほどが手傷を負うた次第にて。敵の損兵は、その半分ほどかと」

隆景は「何と」と発したきり言葉を失った。三成が後を引き取って問う。

「摂津殿は？」

「それがしが早馬に立った日までは、間違いなくご無事にございました」

「敵軍の、元々の数は」

「援兵を加えて十万を称しておりましたが、実のところは八万ほどかと」

皆の顔が絶望一色になった。十万が八万だろうと、もう大して違わないのだ。何しろ小西の一番隊は一万八千ほど、討ち死にと手負いを合わせて一万二千を数えるとなれば、如何にしても平壌は保ち得ない。秀家が声に苦渋を滲ませた。

「退かせるしかなかろう」

武功の者たちも、さすがにこの結論に異を唱えはしなかった。

年明け文禄《ぶんろく》二年（天正二十年は十二月八日を以て改元）一月七日、小西行長は平壌から退き、月半ばには漢城に合流した。殿軍に火縄を絶やさぬよう命じていて、追撃を受けることはなかった。

しかし、敵は小西の備えを警戒したに過ぎない。こちらが平壌を保てなくなったのは事実であり、向こうにしてみれば余勢を駆って攻め上るのが当然だった。小西が道々残した物見によれば、敵は既に平壌の南方六十余里まで行軍しているという。漢城では火急の評定となった。

「平壌は捨てざるを得なんだが、考えようによっては好機ぞ。今は明国の兵こそ、我らの懐深くに踏み込んでいる。それがしが守る開城《かいじょう》で迎え撃ち、散々に叩いて袋の鼠としてくれよう」

小早川隆景が勇ましく吼え、同じ六番隊の立花宗茂が「そうとも」と頷いた。

三成は、ちらと小西を見た。浮かぬ顔をしている。明軍と戦った男がこういう顔をしているのは、隆景らの言い分に不安があるからだろう。思って座を立ち、広間の中央に設えられた四角い卓に進む。拡げられた地図に目を落とし、漢城から六十里の北西、開城に人差し指を置く。城の南にある大河をなぞるように動かした。

「敵軍は北から寄せて参る。開城で迎え撃つなら、この臨津江《りんしんこう》を背にする格好になりますな」

「だから何だ」

隆景が、むっつりと応じる。三成は当然とばかりに返した。

「古来、背水の陣は窮余の一策に過ぎませぬ。朝鮮の一揆衆に漢城からの糧道を襲われたら、開城は立ち往生いたしますぞ」

「兵糧がなければ戦えぬなど、戦場を知らぬ者の申すことぞ。砂を食うてでも戦い、何としても守り抜くまでだ！」

毛利の名将として名を馳せ、今や豊臣の直臣に取り立てられた隆景の一喝である。余の者なら震え上がるところだが、三成は首を傾げて意に介さない。

「敵と斬り結んで上げた功はなくとも、奉行として戦は見て参りました。そも城に拠って戦うのに、寄せ手の飛び道具は厄介極まりない。あまつさえ敵は大筒を多く備えておるのですぞ」

「大筒は町中では狙いを絞れぬ。摂津殿も、そうして勝ったであろう」

「その戦い方では、多くの討ち死にを出すしかない。平壌の話を聞けば分かるはずにござる」

するとと隆景は幾らか言葉に詰まり、憎らしげな眼差しで「ならば」と胸を張った。

「他に手立てがあると申すのか」

「……ここをご覧あれ」

三成は開城と漢城の中間辺りを指し示した。四方を山に囲まれた狭隘な野、高陽原《こうようげん》である。

「開城を捨て、この高陽に敵を引き込む。山に陣取れば、町中と同じく大筒の狙いは付け難い。対して我らの鉄砲は、野にある敵を狙いやすくなる」

「言語道断ぞ！　開城を捨てては、再び平壌まで攻め下るのは覚束なくなろう。そも太閤殿下のご下命に背くことになる。戦を知らぬ者は黙っておれ」

隆景は、すっかり頭に血を上らせていた。毛利の切れ者と謳われ、あの高松の水攻めに於いて秀吉の大返しを見逃した——後の天下の趨勢《すうせい》を読み切った慧眼《けいがん》も、歳を取ったか。寂しさを禁じ得ず、諦めの気持ちを滲ませて返した。

「然らば、お好きになされるがよろしい。が、負けたら貴殿の仰せは全て殿下にお報せする」

「ほう。では、勝ったら其許は何をしてくれる」

鼻で笑う隆景に、三成は微笑を返した。

「それを考える必要はござらぬ。貴殿のやり方では勝てませぬゆえ」

「何を」

ついに隆景は席を立ち、ずかずかと三成に歩を進めて胸座を摑んだ。

「お待ちを」

「待たれよ」

これまで黙っていた大谷吉継と宇喜多秀家が、同時に立ち上がった。

「お鎮まりあれ。奉行衆は殿下の名代にござりますぞ」

発しながら秀家が主座から進み、隆景の手を軽く摑んだ。

「……御大将が左様に仰せられるなら、致し方あるまい」

秀吉の子にも等しい男に諭されては、隆景も退かざるを得なかった。だが怒りを収めた訳ではないらしく、こちらには荒々しい笑みを向けた。

「治部よ。其許に従《したご》うてやる。どうなっても知らぬぞ」

「拙い策で失態を犯し、殿下のご不興を買うこともなくなったのです。命拾いしたと申すべきでしょうな」

隆景は目を剝いて歯嚙みし、先まで座っていた椅子を蹴り飛ばして広間から去って行った。

評定が終わり、諸将が退出して行く。そうした中、吉継がひょこひょこと歩を進めて傍らに立った。開口一番で言う。

「お主の横柄なのにも、呆れ果てたものだ」

「わしは軍兵を損なわぬ道を示したのみだ。それが成ってこそ、対等な和議を結べる」

吉継は苛立たしげに頭を振った。

「ものには言いようがあると申しておるのだ。今さらだが、お主は虎之助や市松と折り合いが悪い。先のような物言いを続けておれば、誰でも嫌気が差すというものぞ」

「言葉を返すようだが、虎之助にせよ市松にせよ、先々を見据えているとは言い難い。小早川殿とて同じだ。そもそも武辺者は——」

「それでも！」

一喝され、続く言葉を飲み込む。吉継は溜息に遣る瀬ない思いを滲ませて続けた。

「……裏方がなければ矢面の者は戦えぬが、それで裏方が上に立つ訳ではないのだぞ」

どういう経緯にせよ、今回は戦わねばならない。矢面に立つ者なくして戦が成り立つのか。当然の理を突き付けられ、ぐうの音も出なかった。

吉継は、ぽつりぽつりと言葉を拾うように語った。

「今日は相手が小早川様ゆえ、あのくらいの言い合いで済んだ。小早川様の向こう、見ておったか。市松の顔を」

「いいや」

「秀家様とわしが口を挟まねば、小早川様より先にお主を捻り殺していたろう」

福島正則なら、それくらいの乱暴も働き兼ねない。小さく身が震えた。

「それが武辺者の悪いところではないか」

不服を漏らし、珍しく口が尖った。吉継はゆっくりと頭を振った。

「去年の評定では、お主も市松と笑い合うておったろう。ようやく武功の者に歩み寄るのかと思えば、これだ。それがお主の悪いところぞ。少し頭を冷やせ」

ぽん、と軽く肩を叩く。巻き絞めた麻布越しに、吉継の手の温かさが伝わった。

十日ほど後、三成が戦場と定めた高陽原に明軍が差し掛かった。狭い平原の北、山の麓《ふもと》の碧蹄館《へきていかん》に着陣しているという。一月二十六日、朝五つ（八時）まであと一刻余りとなった頃、漢城城門の外には小早川隆景の手勢二万が列を作り終えていた。そこに伝令が駆け込む。物見を兼ねて昨晩から出陣していた、立花宗茂の家中だった。

「申し上げます！　立花隊、敵先陣の五千を蹴散らした由にござる」

息を弾ませながらの一報に、宇喜多秀家と小早川隆景が揃って「よし」と手を打った。秀家の傍ら、三成は具足姿で黙って腕を組んだ。

立花隊は高陽原の南、礪石嶺《れいせきれい》の北麓二ヵ所に布陣し、五百の兵で明軍先鋒の二千を誘《おび》き出して戦端を開いた。この五百が鉄砲で敵を牽制する間に本隊の立花が敵の後ろに回り込む。そして後詰に配された朝鮮軍三千に不意打ちを喰らわせ、寡兵と侮って突っ掛けた敵軍を挟み撃ちにしたということであった。

秀家が勇んで問うた。

「敵の本陣には、あとどれほど残っておる」

「一万五千ほどと見えまする」

返答を聞き、秀家と隆景が顔を見合わせている。思いの外、少ないという顔だ。

「野伏せりは」

問うた隆景に、伝令はきっぱりと頭を振った。

「敵は遠路の行軍、着陣してすぐの戦なれば、我らの目を盗む暇などござりませぬ」

なお怪訝そうな隆景に、三成は静かに言った。

「出陣の頃合かと」

「言われずとも分かっておる」

吐き捨てて立ち去り、隆景は手勢二万を率いて出陣した。見送りつつ、秀家が問う。

「平壌を襲ったのは八万だそうだが、此度は二万しか寄越さぬとは。摂津殿に二度まで蹴散らされて、なお我らを侮っておるのか」

三成は「そうでしょうな」と返し、くすりと笑った。

「その摂津殿に頼んだことが功を奏したらしく。敵の虜を解き放ちましてな」

「待たれよ。確か……和議に漕ぎ付けるための人質として、捕らえた敵将を連れたと内々に聞いておったが」

「その者たちにござる。摂津殿に、ひと芝居打ってもらい申した」

明軍を二度まで退けたものの、もう日の本は弱兵を残すのみで抗する術がない。おまえたちも漢城にいては死んでしまうゆえ、疾く逃げるが良い。小西にそう言わせて虜囚を逃がした。解放された者からすれば温情であろう。

話を聞き、秀家は「あっ」と口を開けた。

「偽りの報を摑ませたと？」

「敵とて阿呆の集まりではござらぬ。高陽の狭さは案じておったでしょう」

高陽原で迎え撃つべしと唱えたのは、守りに適しているという理由だけではない。狭い地ゆえに大軍では立ち往生、寡兵では迎え撃たれる――敵の懸念を確かに払拭する一報があれば油断を引き出せるのだ。結果、明軍は背後を安んじるために道々兵を残し、二万だけを率いて来た。

秀家は感嘆して唸った。

「其許は戦下手と聞いておったが……。恐れ入った」

「策は策のみ。槍働きの者が不甲斐なければ、形になり申さぬ。御大将がお出ましあって奮い立たせねばなりませぬぞ」

何でもない、とばかりに返したが、心中には先の吉継の言葉が重かった。

(不甲斐なければ、か。矢面と折り合わんとする物言い……ではないな)

自らを少し戒め、軍兵を見遣る。隆景の兵はすっかり出立して、城門前に空いた一角には秀家の本隊二万が列を作り始めていた。これが整うのを待って、秀家の本隊も出陣となった。漢城の守りは吉継と増田、小西らに託し、三成も秀家に随行した。

行軍の最中、幾度となく伝令が参じた。小早川隊は立花隊と交代して敵の正面を受け持ち、礪石嶺北西の小丸山《こまるやま》に陣を移したという。そして昼四つ（十時）頃から敵と斬り結んでいる。

「急げ！」

秀家の号令に従い、兵が駆け足を速める。猛然と行軍すること半時余り、本隊はようやく戦場に到着した。そして小丸山の東、野の中にぽっかりと突き出た望客峴《ぼうかくけん》の山に入る。北の野には小早川の三つ巴紋が風に翻り、今まさに敵軍と揉み合っていた。

「先手、替われ！」

雷の如き隆景の下知が半里を渡る。続いて退き太鼓が荒っぽく叩き鳴らされ、小早川の先陣は波打ち際の潮の如く、澱みなく退いた。明軍が喜び勇んで詰め寄るが、隆景の将旗は動かない。

「……よし」

戦場を眺めていた秀家が小さく頷いた。

小早川隊は明軍を迎え撃って猛然と抗戦する。双方共に目前の敵に掛かりきりになった頃、味方の先備えから五百ほどの兵が枝分かれした。それらは激戦を横目に左脇を通り過ぎ、さっと明軍の裏手に回り込む。本隊との、挟撃の格好ができ上がった。

黒い胴鎧の群れ――明軍は、ここに至って大いに乱れた。勢いのまま真っすぐ突っ掛けていたものが、あちこちで手前勝手に逆流し、ぶつかり合っている。

「明の兵は戦慣れしておらぬようだ」

初めて見る兵を、秀家はそう断じた。三成も同じ見立てである。日の本の足軽なら、挟み撃ちから逃がれる際には左右に散る。先に小早川が別隊を出した理由と同じで、斬り結ぶ兵は目の前に気を取られているからだ。そこから我が身を外し、周囲の山々に紛れ込む方が逃げやすい。

もっとも、そうしていたとて、やはり明軍は壊乱せざるを得なかった。何しろその周囲の山、左手からは立花宗茂が、右手からは小早川秀包が駆け下りている。山に兵を伏せ、狭隘な地に誘い込んで殲滅する――三成が唱えたそのままを、隆景は形にしていた。

千々《ちぢ》に乱れた明の兵に向け、山に残った日の本の兵が鉄砲を射掛けた。まとまった音が左から飛び、それが止んだと思えば右から響く。高陽原で右往左往する敵兵は、完全に逃げ場を失った。

ここで隆景の旗が動いた。五千ほどが一斉に前に出る。

「達安《みちやす》やある。前へ！」

秀家の下知が飛び、宇喜多隊からも勇将・戸川《とがわ》達安が千を率いて突撃を喰らわせた。

既に戦意を失った相手に向け、足軽が長槍を打ち下ろす。ただのひと当たりで多くの者が地に転げた。敵はまさに錯乱の体で、それらが上げる絶叫は三成のいる望客峴まで容易に届いた。喚き散らす明軍の兵を踏み付け、踏み越え、隆景と戸川の兵が前に出る。そして臙脂《えんじ》色に金糸で「李《り》」の一文字、敵の将旗に肉薄した。秀家と三成が到着してから、ものの半時後であった。

旗を見れば動転がよく分かる。敵将は逃げに転じたようだが、混乱に陥った手勢が足枷となって思うに任せないらしい。やがて隆景の一隊が迫り、人波が将旗を呑み込んだ。もっとも、討ち取ったのではなかろう。味方の兵からは歓声ひとつ上がっていない。

将の撤退を助けるべく、明軍は大筒を前に押し出してきた。だが既に詰め寄られた今、斯様な武装など独活《うど》の大木でしかない。鉄砲の援護を受けた日の本の兵が束になって襲い掛かると、大筒を押して来た敵兵も我先にと逃げ出して行った。

狭い高陽原で三方から包囲され、身動きも儘ならなくなった明軍は、昼九つ半（十三時）頃に壊走するに至った。小早川隆景や立花宗茂らは敵の本陣・碧蹄館を越えて北方へと追撃し、大いに武功を挙げて、日暮れ頃には漢城へ引き上げた。

「これは……」

三成は言葉を失った。釜山の護府・東萊城《とうらい》の一室には三成の他、小西行長、奉行衆の増田長盛と大谷吉継、秀吉の使者たる黒田孝高と浅野長政が参集している。それら円卓を囲んだ皆が絶句していた。明との和議に際し、秀吉から寄越された条件はそれほどに酷かった。

＊

遡ること二ヵ月ほど、三月頭に明の側から講和が持ちかけられていた。高陽での大勝と、その後も講和の道を探り続けた小西行長の尽力による。

秀吉は明の申し入れを驚くほどあっさりと認め、黒田孝高を使者として寄越した。兵糧の心許なさは奉行衆から再三報じていたし、またこの頃、側室・淀の方が再び懐妊したことで上機嫌だったのも大きい。

和議交渉は小西の他、加藤清正にも命じられた。清正にこの任が与えられたのは、漢城が落ちた際に逃走した朝鮮の王子二人を捕らえた——交渉の切り札を握っていたためである。もっとも清正には畑違いの話で、小西の肩に多くが懸かっているのは明らかであった。

だから、であろう。浅野は「摂津殿」と掠れ声を発し、不安げな顔を小西に向ける。三成を始め、他の皆も一斉に目を遣った。小西は大いにうろたえて、再び朱印状に目を落とした。だが何度読み返しても、穴が空くほど見つめても、秀吉の出した条件は変わるはずがない。

一、明国皇帝の子女を日の本の帝の妃に差し出すべし。

一、長らく途絶えていた明と日の本の交易を、再び行なうべし。

一、朝鮮八道のうち南の四道を譲り渡すべし。

一、朝鮮の王子ひとりと大臣を人質に差し出すべし――。

全部で七つの条件があるが、ここまで見ただけでも決裂は明らかであった。向こうが呑むだろうものは、交易を再開するという一点しかない。

「どうすれば」

小西の呟きが全てである。三成ら奉行衆が明使を名護屋まで護送し、秀吉の謁見を受けさせれば、唐入りは収束に向かうはずだった。だがこの条件では「和議など望まぬ」と言っているに等しい。再びの戦となるのは明白、小西は交渉を仕損じた咎で罰せられるに違いない。

「殿下の思し召しぞ。まずは摂津殿にお任せせねばならぬが……」

浅野はそこまでで口を噤み、静かに座を立った。増田も、逃げるように部屋を出て行く。そして黒田が床机から立ち、三成を向いた。

「お主は初めから和議を考えておったのだろう。斯様な条件だが」

「お任せあれ。悪いようには」

先には少しばかり狼狽したものの、三成の肚は既に決まっていた。

「そうか。ならば、見せてもらおう」

厳しかった眼差しに驚きの色を湛え、黒田も陣幕を後にした。残された三成と吉継、小西は、しばし無言だった。

「これを、どうすれば良いと申す」

動きにくい口を動かし、吉継がたどたどしく問う。小西に至っては頭を抱えていた。三成は静かに発した。

「握り潰さねばなるまい。斯様な条件で和議など、思いも寄らぬ」

小西が泡を食って、声を震わせた。

「妙案があるのでは？」

「握り潰すのが妙案だとは思われぬか」

顔を向けると、小西は身を支えてもいられないという風に背を丸める。吉継が口を挟んだ。

「お主、何を申しておるか分かっておるのか」

慌てている訳ではない。心底を問われていた。三成は眼差しだけを吉継に流した。

「ひいてはそれが日の本のため、殿下の御ためになる」

「なるほど。これがお主の戦……ということか」

覚悟を悟ったか、吉継は声音に渋いものを湛えながらも頷いた。しかし、胸中を乱した小西には、これだけでは伝わらなかったのだろう。すがるような目で問うてきた。

「それがしは明国と談合せねばならぬのですぞ。どうせよと申されるのです」

三成は黙って両手を出し、小西の目の前でパンと叩いた。寸時身を震わせた小西を見据える。

「ご辺が良いと思うように談合なされよ。これまで力を貸してくれたからには、わしとて応えねばなるまい。ご辺に咎が及ばぬよう、殿下を言い包める。首を懸けてでも……な」

まだ少しの間、小西はおどおどしていた。だが明軍の大筒にも怯まなかった豪胆である。しばしの後に肚を決め、厳とした顔でゆっくりと頷いた。

三成ら奉行衆は小西と別れ、いったん明の使者を名護屋に護送した後、再び朝鮮に返した。遠征軍は釜山まで退くこととなり、もう十五万もの兵は必要ない。釜山の守備は交替で担うように改め、遠征に疲れた諸隊を帰国させるべく手筈を整えねばならなかった。これらが済むと、ようやくひと息つくことができた。未だ朝鮮義兵の動きは鎮まっていないものの、釜山東萊城には落ち着いた空気が漂っている。既に五月を迎えていた。

この頃、小西から書状が寄越された。用向きは和議交渉の件しかあるまい。三成は自室で中を検めた。

「……ほう」

報せに一面で驚き、しかし得心して目を丸くした。日の本が何を最も重んじなければならぬかを、小西は実に良く解している。

「治部、少し良いか。和議のことで、ひとつ聞いておきたいのだが」

夏とあって入り口の扉を開け放ち、風を通しているところへ黒田が顔を出した。先に使者として寄越されてから、この地に留まっている。

「お入りあれ」

三成は素っ気なく応じ、小西の書状を二つに折り畳んで卓上に置いた。黒田が中に入り、不自由な足を引き摺りつつ、向かいの椅子へと歩を進めた。だが、あと一歩というところで躓《つまず》いた。あっ、と声を上げて四角い卓に手が伸びる。卓の角に腹を預けるようにして、どうにか黒田は転ばずに済んだ。ふわりと、軽い風が渡った。

「大事ござらぬか」

何ごともなかったかのような声音で問う。黒田は苦笑して応じた。

「いつも気を付けておるのだがな。石造りの床というのは、これだから」

身を起こしつつの言葉が不意に止まった。次第に顔を強張らせてゆく。

「朝献とは……。これは如何なる次第か」

向こうの椅子に座ることなく、立ったまま問うた。折り畳んだ小西の書状が、黒田の体が起こした風で開いていた。三成が再び畳もうとすると、黒田はそれを引っ手繰って目を走らせた。

日の本は明に朝献し、相互の交易を再開することを求め、朝鮮の道を借りようとしただけである。然るに朝鮮側が早合点して我々を敵だと見做したゆえ、致し方なく戦に及んだに過ぎない。此度、日の本と明が和議を結ぶに於いては、これを諒解いただき、双方とも情意を害することなく交易を盛んにし、末永い交わりを求めるものである——それが小西の交渉の大意であった。

「お主が唆したのか」

書状から外れた眼差しが怒り一色に染まっている。軽く溜息をついて答えた。

「殿下からの条件を、握り潰せとだけ」

「それは……そうせねばならぬだろうが」

応じた顔に戸惑いを浮かべるも、黒田はすぐに最前の怒気に戻った。

「されど！　斯様な話は断じて認められぬ」

「明国と好誼を保つための進物だと言えば、殿下に得心いただくことはできようかと存ずるが」

「左様なことを申しておるのではない。明国に朝献などと……お主の申す天下の政とは、斯様に卑屈なものかと訊いておるのだ」

激昂して語気こそ荒々しいものの、声音は押し潰されて次第に小さくなってゆく。

三成は首を傾げ、さらりと返した。

「此度のことで、明国も我らの強さを思い知ったはず。されど日の本は長く続いた戦乱で磨り減り、将兵も唐入りで疲れ果てている。平壌を保ち果せれば、それだけで向こうに譲らせる道もあり申したが」

「今のままでは、いずれ見透かされると申すのか。さすれば明や朝鮮が、逆に海を渡って日の本を呑み込まんとすると」

「分かっておいでではござらぬか」

すると黒田はいったん頷き、然る後に激しく首を横に振った。

「攻められて困るなら、なぜ、わしを頼らぬ。寡兵だろうと、兵糧に窮しようと、策を講じて必ず退けてやる。そうせぬのは、お主の安い誇りを守るためか」

いささか心外に思い、露骨に眉をひそめた。

「貴殿は常々、戦わずして勝つが最上と申されていた。それがしは、まさにそれを成さんとするのみ。平壌を保たんとしたのも同じ、力を示し続けてこそ和議も対等になるがゆえ」

「風下に付かば、その対等も崩れるではないか」

「さにあらず。我らが再び国を富ませ、強兵を長く養う力を蓄えれば、明国とて平壌や高陽での大敗を思い出すに違いない。迂闊《うかつ》に手を出せぬと思わせれば対等にござろう。摂津殿は一時の堪忍と引き換えに、そのための時を稼がんとしておられる」

それでもなお間違っていると言うのか。眼差しで問うと、黒田は諦めたように頭を振った。

「ならば、わしがこの城を固めておる必要もなかろう。国に帰らせてもらう」

「左様か。お好きになされよ」

黒田は重そうに足を引き摺りながら立ち去った。

恐らく、このことは秀吉の耳には入るまい。黒田とて講和を望んでいるのだし、小西の交渉が気に入らぬからと言って、秀吉の条件では和睦など覚束ないと承知している。それに秀吉は黒田の才を大いに認めているのだ。この一件をただ報じるのみでは、逆に、なぜ食い止めなかったかと失望され、叱責されるのは目に見えている。

『其許、年寄りの扱いが巧いのう』

かつて家康に言われたことが、不意に思い出された。万が一にも小西の交渉が露見せぬよう、打っておくべき手はある。

「……念を押すか」

黒田が帰国するには、一日か二日の支度を要する。先回りすべし。

年老いた者は、異を唱えられることを嫌う。釜山の守りを放棄して勝手に帰国するのは、それに他ならない。三成はその事実だけを書状にしたため、即日、秀吉の許へと送った。家康の言う「巧さ」を逆に使ったものであった。

二　秀次無残

八月、三成ら奉行衆は朝鮮での任を解かれて帰国の途に就いた。国に戻ると、三成は伏見城へ上がった。京の御所から十五里ほど南、指月《しげつ》の丘に普請が進む山城である。関白から退いた秀吉は公邸の聚楽第も養子・秀次に譲り渡し、伏見を隠居の地に定めていた。未だ本丸と二之丸が落成したばかりだが、秀吉は普請の様子見がてら、この城に逗留《とうりゅう》することが多い。

「奉行として朝鮮に渡りながら、思し召しどおりに進められず、申し訳次第もございませぬ」

平伏して陳謝するも、秀吉は上機嫌そのものであった。

「戦ちゅうのはよ、相手のあるこっちゃ。それでも唐土の奴らを痛め付けて、向こうに和議を言わせたんじゃ。まずは上出来よ。ほれ、顔見せい」

面を上げる。明使を護送してきた時から四ヵ月ほど、主君の顔からは、すっかり剣呑なものが失せていた。それもそのはず、去る八月二日、淀の方が和子・拾丸《ひろいまる》を産んでいたからだ。齢五十七、深い皺をさらに深くして相好を崩す様は、まさに好々爺の体であった。

「おみゃあの働きに報いてやらにゃならんでの。褒美を取らせる」

「有難き幸せ」

秀吉は、ゆったりと立ち上がった。そして一段高い主座を降り、こちらの脇を通り過ぎて広間を出ようとする。刀か茶器でも下賜されるのかと思いきや、そうではないらしい。

「こっちゃ来い」

手招きに応じ、広間を囲う廊下へと進んだ。

「ほれ」

本丸の西に二之丸が連なり、その南には三之丸の普請が進められている。指し示されたのはさらに西、大手門に最も近い郭であった。三之丸より少し大きく、中央では御殿の骨組みが仕上がっている。御殿の北西と南では、賦役衆が物見櫓の土台を叩き固めている姿が見えた。

「城ができたら屋敷割りじゃが、それとは別にあの郭をやる。名付けて治部少丸じゃ」

聞いて、三成は即座に平伏した。

「何と忝いお計らいを」

「治部がおらにゃあ、政も何も進められんでな。立て込んどる時なんぞ、屋敷から城に上がる間も惜しいじゃろ」

城は戦のための砦であり、同時に城主の居所である。その中で郭ひとつを与えられたのは、家族と同等の信頼を示すものであった。恐縮と歓喜に、身が熱く震えた。

とは言え、郭ができ上がるのを待つ暇はない。帰国したのは、上杉景勝領の検地が決められていたからである。大谷吉継と増田長盛、朝鮮で共に軍奉行を務めた二人と共に、三成は越後へ向かった。

「布をもっと真っすぐに張れ」

下役人の声に、百姓衆が「へえ」と応じる。ぴんと張った長い布――検地尺で一間を測り、これが五回繰り返されると地に杭が打たれた。

「よし、六十間」

今度は、ずっと向こうで別の者が大声を上げた。田畑は五間に六十間で一反とされ、これを元に石高が定められる。三成は床机に腰掛け、この様子に目を遣っていた。吉継や増田も別の村で同じく目を光らせているだろう。太閤・秀吉の名で上杉景勝を国主と定めるのだ。検地にはいささかの誤りや不正も許されなかった。

「治部殿」

遠く西から声が渡った。上杉の家宰・直江兼続である。書状のやり取りは続けていたが、顔を合わせたのは七年ぶりだった。直江はやや早足で馬を闊歩させ、三成から見て左手の先、五間を示す杭が打たれた辺りで手綱を引いた。

「如何にござりますかな」

下馬し、こちらに歩み寄りながら問う。目元に笑みを湛えて返した。

「差し出しの帳面と大きく違うところがない。これほど楽な検地も珍しゅうござる」

直江は満足そうに頷きながら、下人に床机を支度させる。三成の左に半間ほどを隔てて腰を下ろし、ひとつ息をついて頭を下げた。

「先の唐入りではお世話になり申した。当家が楽なお役目を頂戴し、兵を損じなかったのも、貴殿のご尽力の賜物と心得ております」

上杉景勝は秀吉の名代として朝鮮に渡ったが、戦らしい戦はしていない。釜山の西二十里、熊川《くまかわ》に城を築くのが最大の役目であった。謝意を述べられ、三成はゆるりと頭を振った。

「上杉様の如く内治にご不満を抱かれぬお方には、海の向こうの新恩など無用にござろうゆえ」

唐入りの軍には九州勢と四国勢が多く当てられたが、中でも加藤清正や福島正則ら、武功一辺倒の面々は率先して戦いに臨んだ。そうした者たちがいなければ、もしかしたら遠征は避けられたかも知れない。考えると溜息が出る。

直江が「ふふ」と笑った。

「少しでも多くの者が分を弁えてくれれば、ですか」

「……貴殿は、良くお分かりであられる」

日の本を従えても、未だ政に一本の筋が通ったとは言い難い。こうした検地も徳川や毛利などの大身には手を出せずにいる。国を富ませるには全国を同じく治めねばならぬが、そのための仕組みは未だ整わず、諸大名の心も内治の実を上げることに一致していない。

「道は、まだ半ばにも至っておらぬ」

呟くと、今度は直江が溜息を漏らした。

「ならば、黒田様をやり込めたのは、まずかったやも知れませぬぞ」

寸時、言葉に詰まった。黒田が朝鮮から勝手に帰国したことは、やはり秀吉の逆鱗に触れた。三成が先回りして報じた結果である。今月に入って黒田は出家し、如水軒《じょすいけん》円清《えんせい》の法号を得て謝罪するに至っていた。

「お見通しとは」

やっと発した小声に、微笑が向けられる。

「我が主から聞き申したが、黒田様も唐入りには含むところがあったとか」

そういう者こそ味方に付けねばならぬ。それとなく示されたのは、吉継に何度も言われたのと同じことであった。三成は俯いて発した。

「反りが合わぬから、ではござらぬ。それに殿下も黒田殿をお許しあられましたゆえ」

赦免の理由は、神妙なものを認めたという話だけではない。腹心として智謀を駆使し、長らく豊臣を支えてきた功もある。そして、何より拾丸が生まれた喜びが大きかった。

「追い追い、歩み寄られるがよろしい。殿下もしばらくはご機嫌麗しゅうござりましょうからな」

発して直江は座を立ち、一礼すると、吉継や増田が検地を進める村の視察に向かった。

　年内に越後の検地を終えると、翌文禄三年（一五九四年）には島津領の薩摩と大隅、そして佐竹義宣の常陸を検地して回った。京での政務は浅野長政や長束正家らに任せ、三成はまさに東奔西走の日々を送った。

　これらの検地を終えた頃には、伏見城はすっかり仕上がっていた。治部少丸の御殿は寺社にも似た厳かな構えである。こちらの好みを察してくれたのか、飾り立ててもいない。壁を固めた漆喰の白には、質素な屋根瓦が黒々と映えていた。ここに寝起きして政務に勤しみ、一方で城下の屋敷を普請させている間のこと、文禄四年（一五九五年）二月に急報が入った。会津の領主・蒲生氏郷が病の末に命を落としたという。かねて秀吉は蒲生のために医師を掻き集めており、三成が報せを取次ぐと大いに嘆いた。

「参った……。氏郷がおらんようになったら」

　蒲生は家臣に対して過ぎるほど厳しい面があったが、これは皆を信じて賞罰を明らかにしたからである。そういう男だからこそ、葛西・大崎一揆を煽動した伊達政宗の暗躍を摑み果《おお》せたのだし、奥羽の押さえとしての会津を保ち得た。

「のう治部。氏郷の倅《せがれ》は、まだ年端もいかんかったろう」

「藤三郎《とうざぶろう》殿ですか。確か十三のはずですが」

「じゃったら、会津に誰か別の者を入れた方がええかも知れん」

三成は軽く唸って目を伏せた。会津は奥羽の押さえであると同時に、関東——徳川家康を睨む要地でもある。秀吉の言うように、領主を換えるのもひとつの手であろう。

「……このままお任せあっても、よろしいのでは」

考えて発したひと言に、秀吉は「何でじゃ」と不満顔であった。

「十三の稚児に何ができるもんかや」

「数年は、何も。それがしが信を置くは、家老の蒲生郷安《さとやす》殿にござる」

蒲生郷安は元々の名を赤座《あかざ》隼人《はやと》と言い、蒲生の血筋ではない。九州征伐時の恩賞に主君の苗字と「郷」の一字を賜ったものである。葛西・大崎の一揆を鎮める際にも武功を上げ、奥羽を睨むことに大きく貢献していた。

「どうにも気が進まんわい。他におらんのか」

「国替えなら、会津に近い上杉景勝殿か佐竹義宣殿でしょう。されど両家とも所領の検地が終わったばかりで、未だ領内を引き締めてもらわねば」

浮かぬ顔に向けて道理を申し述べる。秀吉は「やれやれ」とばかりに溜息で応じ、然る後にパンと膝を叩いた。

「そうまで言うんならの。じゃが、もし何かあったら」

「その時には、それがしが責めを負いまする」

「阿呆。おみゃあが詰腹切ったら豊臣が困るわい。何かあったら、蒲生にゃ厳しい罰を与えるでな。そこは覚えておけ」

蒲生氏郷の子・藤三郎のみならず、家中の皆を路頭に迷わせるかも知れぬ。責めを負う代わりにその重さを心得ておけと釘を刺し、秀吉は三成の言を容れた。

＊

六月も末のある日、三成は朝一番で召し出された。治部少丸から本丸までは、ものの半刻である。それればかりの時を待ちかねたように、秀吉が血走った目を向けてきた。

「来たか。とんでもにゃあことぞ」

わなわなと身を震わせている。目つきも、どこを見ているのか分からぬ風であった。何か、おかしい。

「それがしをお召しあられたは、いずれ政の話かと存じますが」

「そうよ。十日ばかり前、北野《きたの》の辺りで座頭が死んだちゅう話を聞いとるか」

座頭——盲《めし》いた琵琶法師である。三成は「あれですか」と頷いた。確かに北野天満宮の近くで死んだ者があった。

「行き倒れと聞きましたが。それが何か？」

「斬られた、ちゅう話がある」

やはり、おかしい。行き倒れか、斬られたか、どちらにせよ天下人には関わりなどあるまい。

「京の奉行にお任せあれば済む話にござりましょう」

「斬ったのが秀次でもか」

爛々と目を光らせ、静かに迫る。あまりの驚きに、面持ちひとつ変えることができない。

「誰が左様なことを」

「どこからでもええ。噂になっとるんじゃぞ」

秀吉とて日がな一日を居室で過ごす訳ではない。城の中を歩きもするし、誰かの話が障子越しに漏れることもあろう。だが、この伏見城で斯様に口さがない噂がひとり歩きしているのは如何なものか。確かな話ではないという安堵も半減してしまう。

「あやふやな噂などに、お心を惑わされては……」

ぶんぶんと、秀吉は頭を振った。あまりの激しさで髷の向きが少し乱れている。

「秀次とて、蒲生の話は知っとろうが」

「関白なれば当然かと」

秀吉は、今度は頭を抱えてがりがりと掻き毟った。弱りきった声を出す。

「拾丸が生まれて、秀次は気弱になっとる。そこへ蒲生の一件よ。長年仕えた者でさえ、何かあったら取り潰されると聞いたら、どう思う。養子の自分なんぞ、どんな目に遭うか……思うて、悩んで、気が塞いだ挙句、座頭を斬って憂さ晴らしをしたんじゃろ」

三成は心中に嘆いた。気弱になっているのは秀次ではない。秀吉である。主君が年老いたことは唐入りの一件で思い知ったが、心中に斯様な乱れを生むほどとは思ってもみなかった。俯いて腕組みをする。思案の最中だと察してくれるだろう。

(お拾様……なのか)

秀吉は恐れている。既に五十九を数えた自らの歳を、そして溺愛する拾丸の行く末を。無理からぬことだが、それで猜疑の心を逞しくし、養子に迎えた秀次さえ恐れているとは。

「おう治部、何とか言え。言うてくれ」

焦れて落ち着きがなくなってきた。三成は組んでいた腕を解き、真っすぐに主君を見据えた。

「やはり、ご案じ召されることではないと存じます。秀次様の姫君をお拾様の正室にと、お決めあそばされたのでしょう」

拾丸が生まれた直後の縁組であった。秀吉の実子と養子、二つの豊臣家が争わぬようにと思案した上のことである。これを持ち出すと、秀吉は「馬鹿を言うな」とむきになって返した。

「秀次に媚びておる者共を見い。まず政宗の餓鬼は油断ならん。最上とて家康と親しかろうが」

低い身分から成り上がった秀吉には譜代の家臣がなく、信を置けるのは子飼いの者ばかりである。伊達政宗や最上義光ら、小田原征伐で麾下に入った新参が秀次に近しいことも、猜疑を掻き立てる一因であった。

「拾丸がおる限り、周りの奴らが秀次を焚き付けるわい。わしが死ぬのを待って謀叛でも起こしたらどうなる。せっかく、豊臣をひとつにって思うたに」

「お待ちくだ――」

「決めた。秀次は廃嫡じゃ。豊臣を割る訳にはいかん！」

宥める言葉すら聞かず、口から泡を飛ばす。三成は、がばと平伏の体になった。体を大きく動かしたことで、秀吉もさすがに驚いたらしい。

「何じゃい、それは」

「お聞きくだされ。秀次様を廃しては、周囲の者がいきり立ちましょう。火の手を上げる口実を与えるお沙汰かと存じます」

「なら、どうしたらええちゅうんじゃ」

三成は、ゆっくりと平伏を解いた。

「まずは、それがしにお任せを。必ず悪いようにはいたしませぬ」

真剣そのものの眼差しを向ける。秀吉は少しばかり安堵したらしく、子供返りしたように、こくりと頷いた。その姿に、何と悲しいことかと、三成は心を痛めた。

数日して七月三日、三成は長束正家、増田長盛、前田玄以、富田左近《とみたさこん》と共に聚楽第を訪ね、秀次に目通りした。秀吉の奉行衆が揃って参じたことで、秀次は面食らったようであった。

「皆の者、面を上げよ。今日は如何なる用向きで参じたか」

伏見城に郭ひとつを与えられていても、三成は奉行衆第一の序列ではない。年嵩の前田や長束を憚り、まずは口を開かずにいた。が、誰も、何も言おうとしない。秀次が困惑して不安の色を濃くしている。

(煮えきらぬことだ)

意を決して「されば」と発した。周囲の空気が和らぐのを察し、努めて胸の苛立ちを抑える。

「太閤殿下に於かれましては、関白殿下の謀叛をご案じ召されている由にござります」

あまりに率直な物言いに、余の奉行衆が再び緊張を湛えた。秀次は、何を聞いたか分からぬとでも言いたげに声を震わせた。

「謀叛とは、これまた」

言葉が続かない。当たり前である。濡れ衣に相違ないのだ。そうと知りつつ聚楽第を訪ねたのは、ひとえに秀次とそれに連なる者を守り、豊臣の天下を乱さぬためである。

「関白殿下がお拾様を蔑《ないがし》ろにし、豊臣家を私せんとしておられると」

重ねて言うと、秀次は目に涙を浮かべて抗弁した。

「左様なこと、あるはずがない。殿下が、義父上が仰せられたのか」

言葉を連ねるのが辛くなり、黙って頷く。秀次はついに涙を落とした。

「何とて……。精進せよとの仰せに従い、それこそ身を削る思いで働いてきたと申すに」

同情を禁じ得ない。遠い昔、家康と争った小牧・長久手の戦いでは甘さゆえに大敗を招いたものの、以後、秀次は自ら言うとおり精進を重ねてきた。紀州征伐で活躍し、武功を上げ、四国征伐では副将を務めている。小田原征伐でも緒戦の山中城攻めで活躍し、奥州の葛西・大崎一揆でも援軍として尽力した。関白に就いてからは公卿との交わりを重んじ、政務もそつなくこなしてきたのだ。群臣に支えられたがゆえの功績かも知れぬが、それでも養父・秀吉の信に応えんという一念は確かにあったはずで、自らを研鑽してきたことも想像に難くない。

「ならば」

三成が発すると、秀次は袖で目元を拭い、こちらを向いた。眼差しを受け止めて、掠れがちな声で続ける。

「誓詞を頂戴しとう存じます。太閤殿下に弓引こうなど、ゆめ思いも寄らぬと。お拾様が齢十五を迎えた折には関白の位を譲ると誓われれば、必ずお取次ぎ申しまする」

それで何とかなるのだろうか。余の奉行衆も秀次も、当の三成でさえ不安に思っている。だが今はこれが精一杯であることも、また、皆が承知していた。

秀次の誓詞を伏見に持ち帰ると、秀吉は当座の安息を得たようであった。だが五日して七月八日になると、秀次と直に話した上でなければと言い出した。拾丸に関わる話のためか、どうにも抑えが利かない。

それでいて、策略だけは昔日と同じ冴えを見せていた。七月十日、秀次は申し開きのため伏見に参じた。だが秀吉は自ら召し出したにも拘らず、登城すら許さない。ただ使者を出し、高野山に入って蟄居すべしと命じるのみであった。拒めば、謀叛の嫌疑を事実だと認めたことになる。その上で伏見に、秀吉の掌中にいるのだ。秀次には沙汰に従う以外の道が与えられていなかった。

三成には、諮られていない。秀吉ひとりで決めたことである。この沙汰を耳にした時には、秀次はもう高野山に追いやられていた。

五日後、秀次は自刃して果てた。加えて秀吉は、秀次の家老衆、妻妾や子に至るまで斬首を命じた。秀次に連なる三十九人の女子供が命を落としたのは、奇《く》しくも拾丸の生辰《せいしん》と同じ八月二日である。常軌を逸した沙汰の顛末を治部少丸で聞き、三成は深く、深く溜息をついた。

「我が力のなさよ」

太閤第一の近習と言えど、できることには限りがある。彼岸の人となった秀次に心中で詫び、そして嘆いた。

北野で座頭が死んだ一件を云々したのも、秀吉の策だったのではと思える。秀次を恐れ、自らの老齢を恐れて、何とか拾丸に天下を譲り渡す筋道を付けようとした。噂に流される不甲斐ない姿とて、そのための芝居とは考えられぬだろうか。如何に大恩ある秀吉だとて、此度の一件は是とできない。我が子かわいさのあまり、世を騒がせることとすら一顧だにしないとは。歳を取ると誤った断を下す。まさに、かつて利休が言っていたとおりである。

各地から寄せられた取次ぎの書状に目を通しもせず、三成はただ座して悩み、煩悶した。

　主君の乱れを捨て置けば、恐ろしいことになり兼ねない。秀次の遺臣や寄騎大名、秀次に近しいというだけで罰せられた伊達や最上など、どこから火の手が上がるか分からないのだ。そうなれば、あの家康も必ずや機に乗じようとする。

　だが――。

「……我、拠るところは一個の義に非ず。国を思う大義である」

　小西行長とて未だ朝鮮で必死の交渉を続けているのだ。己とて力を尽くさねば。

「ひとつだけ、できる」

　思い定めた時には、秋の短い日が暮れなんとしていた。三成は急ぎ本丸御殿に上がり、目通りを願い出た。居室に参じよとの指示に従って進むと、驚いたことに、そこには徳川家康の姿もあった。

「おう治部、良う参ったのう」

　秀吉は、ほっとした面持ちを見せた。どうやら家康に難題を迫られ、窮していたらしい。己を通すことで有耶無耶にする肚か。心中に軽い怒りを覚えつつ部屋に入った。

「早速じゃが、用向きは何じゃ」

「大納言様とのお話を、先に済まされませ」

問われて、小さく首を振る。当てが外れた顔の秀吉に、家康が低く身を乗り出した。

「何とぞお聞き入れを。正式に輿入れさせた訳ではない姫君まで命を落とし、あまつさえ申し開きすら許されぬとなれば、最上殿も立つ瀬がござりませぬ」

なるほど、家康は親しい最上義光のために赦免を嘆願しているようだ。ならば話は早い。

「如何なされます」

渋い顔の秀吉に向け、三成は意地悪く問うた。家康の肩を持つ肚は分かったらしく、大声が返された。

「ならん！　他にも閉門の奴は多いんじゃ。最上だけ許したら、天下人の法度が曲るわい。それより治部、おみゃあの用を話さんか」

同じような話だと察しているだろうに。三成は薄笑いを浮かべた。

「然らば。秀次様のご家中にて、連座を命じられなかった者を召し抱えとう存じます。それがし大身に非ざれば、他にも仕官の口を見つけてやりとう存じますが」

「じゃから、左様なものを認めれば天下人の下知がおかしゅうなると申しとろうが」

すでに道を外れているではないか。思いつつ「はて」と目を丸くして見せた。

「細川忠興殿は、もうご赦免されておりましょう。然らば最上殿も、果ては伊達殿も同じにせねばおかしいかと」

「たわけ！」

秀吉の顔が、見る見るうちに真っ赤になってゆく。

「最上はさて置き、伊達はならん。あの糞餓鬼を絞め上げる絶好の機を手放すなんぞ、阿呆のやるこっちゃ」

「大納言様、祝着にござりますな。殿下が最上殿のご赦免をお認めくだされましたぞ」

最上はさて置き――そのひと言だけを掬い上げて、三成は朗らかに発した。家康は満面の笑みになった。

「これはこれは。さすがは太閤殿下、度量、器が小人輩とは違い申しますな」

秀吉は金切り声にも近い叫びを上げ、膝下の畳を何度も叩いた。

「ああ、もう！　分かったわい。最上は許してやる。家康殿、左様申し伝えられよ」

「然らば伊達も同じということで」

三成の追い討ちに、秀吉は羽織を脱いで傍らに叩き付けた。

「阿呆め。伊達はあかんちゅうたがや」

「最上殿と違うて暴れ馬にござりますぞ。ひとりだけ絞め上げられたら、何をすることか」

「暴れたら暴れたで構わんわい。潰すまでじゃ」

するとと家康が「おや」と声を上げた。

「さすれば奥羽は一揆になりますな。会津の蒲生殿は年若く、未だ頼むに足らずとあらば、鎮めきれるかどうか。これに応じて秀次様の遺臣が火の手を上げれば、尾張でも同じように……。いやはや、二つの一揆に挟まれては、我が関東も身動きが取れませぬ」

そしてこちらに眼差しを向け、目尻を歪める。三成は口の端にだけ苦笑を浮かべた。奥羽と尾張で一揆になれば己も苦しい――家康の言い分は、それなら自らも火の手を上げて豊臣の天下を覆すという恫喝であった。

「糞ったれ！　畜生め、あああ、ああ、こんの糞ったれ共が！」

猿の如き裏返った絶叫と共に、秀吉は座を立った。

「伊達も、そのうち許してやるわい！　あぶれ者に仕官を世話するちゅうのも、認めてやる。それでえぇんじゃろが」

さも悔しそうに叫び散らし、秀吉は足音も荒く立ち去った。自身の居室から弾き出されたという風であった。

家康は長く息をついて、いつか見た不敵な眼光を寄越した。

「参ったのう。唐入りの折、其許に作った貸しが消えてしもうた」

秀吉の渡海を阻止した折を言っているらしい。やはり、そのように捉えていたか。

「もっとも此度、また貸しを作ったがな」

含み笑いと共に言葉が続く。三成は、さらりと返した。

「大納言様とて、さらなる戦乱は望まれぬでしょう」

その上で天下を奪っても旨みがないのは、分かっているはずだ。詰まるところ、今の助力は自らのためであり、貸しとは言えない。家康は「そうかも知れぬな」と苦笑して去って行った。

この直後、秀吉は拾丸を世継ぎと定めた。徳川家康、前田利家、毛利輝元、小早川隆景、宇喜多秀家が、拾丸を助ける年寄衆に任じられた。

＊

八月半ば、三成は佐和山城に入った。これまでの代官地を、このほど正式に所領として与えられたためである。大手門から本丸へと山城を登る道中、右後ろに従う島清興が笑いながら言った。

「それにしても、まさか殿下に逆らってご加増があるとは」

所領として下されるに当たり、それまで十万石だった近江佐和山領は周囲の村々を加えて十九万四千石に改められていた。三成には他にも近江や美濃の知行があり、父や兄の知行まで合わせれば実際は四十万石ほどを与えられたことになる。

「逆らった覚えはない。道理を言上したに過ぎぬ」

当然とばかりに返し、肩越しに眼差しを流した。

「此度のご加増は、それとは関わりない。佐和山の内治が認められたからだ。とは申せ、わしは上方に詰めておるか、さもなくば唐入りや検地で飛び回っておった。留守を預かってくれた皆の功なれば、お主にも加増してやらねばな」

しかし清興は「いいえ」と首を横に振った。

「お仕えするに当たり、それがしが所望したのは二百石にござりました。されど殿は、二万石取らねば仕官を認めぬと仰せられましたろう」

「確かに。それが？」

「ならば、それがしからも。二万石でなければ、殿にお仕えする気はござりませぬ」

「こやつめ」

思わず顔が綻んだ。一本取られたことへの苦笑と、清興の誠心に対する喜びが半々であった。

だが、笑みは長く続かない。二之丸の門をくぐり、進みながら声音を引き締めた。

「これからは何が起きるか分からぬ。殿下もお歳を召され……秀次様も、あのような次第になってしまわれた」

清興は何も返さない。神妙な気配だけを受け取って続けた。

「大納言様が、お拾様付きの年寄になられた」

「やはり、お気になられますか」

小声が返った。清興には、かねて家康への警戒を語っている。三成は「ああ」と頷いた。

「徳川には力がある。年寄衆から外す訳にもいかぬが」

もし秀吉に何かあったら、と続く言葉を呑み込む。とは言え、秀吉が長生しても乱れが深くなるだけかも知れない。二重、三重に痛し痒しであった。

「戦になるのでしょうか」

「分からぬ。……が、我らはもっと力を得なければならぬ」

話しながら進むうちに、本丸へと至った。三成は城の構えを見下ろして思案しながら、時折ふむ、ふむと頷いた。

「何を思うておられます」

「所領を頂戴したからには、殿下が好まれるように城を飾り立てねばならぬ。さもなくば」

秀吉の猜疑を呼び、遠ざけられるやも知れぬ。そうなれば豊臣が危ういと考えるほど己惚れてはいないが、政の多くを任される身ゆえ、隙を作ることは確かなのだ。思いつつ、天守を指差す。

「まず、あれだ」

造りの古い佐和山城は天守が小さい。本来の用途、物見櫓と武具兵糧の蔵でしかなかった。

「今の構えを壊して五重に造り変えよ。瓦には金箔を貼り、柱には朱色を多く使うように」

次いで本丸館、大手門など、改修を施すべきところを指示してゆく。ひととおりが終わると、清興は怪訝な顔を見せた。

「ずいぶんと中途半端な修繕ではござらぬか。まるで、こう……」

「そのとおりだ。外から見えるところだけ飾り立てれば良い。わしが富んだとて、力を得たことにはならぬのでな。少しでも多くの財を所領に使いたい」

「承知仕った」

清興の顔は、先の話を十分に解しているようであった。力を得るには、所領を富ませることが必須である。任せておける者がいることを頼もしく思い、三成は余剰の財をどう使うかを話して聞かせた。

第一に、自領の隅々まで掟書を行き渡らせねばならない。これまで検地とひと組で各地に布いてきた法度である。実質四十万石の所領に遍く知らしめ、領民が従うように取り締まるべく、多くの役人を抱える。下々が安んじて生業に精を出すための下地であった。

次に、豊臣の武具を充実するべく、領内の国友《くにとも》村——鉄砲鍛冶衆に百石の新恩を与えて保護する。秀吉に翳りが見えても、豊臣が強ければ弓引く者は現れない。そのために、多くの鉄砲は是非とも必要だった。また清興の進言で大筒も作らせるように決した。

城普請とそれらの内治を清興に託すと、三成はすぐ京へと返した。自領への指示も然ることながら、秀次遺臣の身の振り方を考えてやるのも重要であった。

秀次の附家老に任じていた田中吉政《たなかよしまさ》や中村一氏《なかむらかずうじ》、山内一豊《やまのうちかずとよ》、堀尾吉晴《ほりおよしはる》らは、既に家康の尽力で難を逃れている。加えて秀次家中の多羅尾光俊《たらおみつとし》は家康の旗本に、逃亡していた吉田好寛《よしだよしひろ》は家康の二子・結城秀康《ゆうきひでやす》の臣となっていた。三成は同じく附家老の徳永《とくなが》寿昌《ながまさ》を救った。表向きは「秀次の罪状を申し述べた」ことにしておき、秀吉に取り成したものである。加えて、行く当てなく浪人していた舞兵庫《まいひょうご》を召し抱えた。

秀次切腹後の騒ぎが次第に落ち着き始めた八月下旬、拾丸の前途が晴れて上機嫌の秀吉は、諸大名を集めて茶会を開いた。参じたのは主に秀吉の側近衆だったが、中には宇喜多秀家のような大物もいる。浅野長政の子・幸長や、細川忠興、藤堂高虎《たかとら》ら、秀次に近しくありながら赦免された者の顔も見えた。奉行衆からは前田玄以や増田長盛、長束正家らが顔を揃えている。三成は主座右手の二番め、そこから七つ下座には大谷吉継の姿もあった。

吉継の病はなお進み、昨今では顔を覆い隠す麻布を厚くしていた。それでも頬の辺りに膿が滲んでいる。息をするため表に出した鼻はじくじくと爛れ、口元も以前よりごわついているように見えた。瞼の閉じ辛さも酷いのか、目は幾らか白く濁り、常に薄っすらと涙を湛えている。

顔と言わず体と言わず膿を湛えているだけに、臭気もあるのだろう。両隣には増田長盛と長束正家が座を取っているが、情意豊かな増田のみならず、控えめで実直な長束でさえ少し余計に間を空けていた。他の者とて「場違いな」という思いを覆い隠したような当惑顔を見せている。

(針の筵《むしろ》であろうな)

三成は朋友に目を遣り、気の毒に思った。秀吉が吉継を招いたのは変わらぬ信を示すためだろうし、容易く伝染りはしないという医師の見立てゆえでもあろう。だとしても、もう少し考えてやれなかったのか。こうしたところにも老いが見て取れる。

「皆の者、待たせたのう」

秀吉が、どかどかと慌しく足音を響かせて茶室に入った。皆が平伏して迎える。

「ええて、ええて。面を上げい。さて、改めて言うまでもにゃあがの、拾丸が世継ぎに決まったでな。皆で祝いの茶会という訳じゃ。茶は宇治の上物、菓子も京一番のを取り寄せた」

懐から茶筒を取り出す。白木に施された鶯《うぐいす》の彫り物を金で彩り、透漆を塗ったものであった。

貝細工をあしらった黒漆塗りの茶勺で、三杯、四杯と赤楽の大茶碗に取る。茶筅《ちゃせん》を回す様は師匠の利休よりも多分に奔放であった。

「さあ、まずは一服」

呵々と笑って、左手の上座に渡す。皆がひと口を含んでは「おお」と感嘆の声を上げ、次の席へと回していった。やがて茶碗は左手の末席に至り、右手の下座へと移る。回し飲みが長束正家に渡る。長束もひと口を含んで「はあ」と嘆息した。

「まこと、上物の茶にござりますな」

「おお、おみゃあもこの茶が分かるようになったか。ええこっちゃ」

茶の質や味は問題ではない。追従して賛辞を述べるのは当たり前なのだ。長束はその辺りをそつなくこなし、吉継へと丁寧に茶碗を回した。

三成は、ちらと眼差しを流した。

（よし）

茶碗を手に取ったものの、飲むふりだけで左隣の増田に回そうとしている。が
――。

これも病によるものなのか、そこで吉継は咳き込んだ。右手で口元を押さえたまでは良い。だが鼻先の膿が一滴、左手の茶碗に落ちてしまった。

空気が嫌な具合に張り詰めた。茶碗を渡された増田は半ば震えていて、これも飲むふりをして次へと茶碗を回した。増田の隣に座る浅野幸長も、その次の細川忠興も同じであった。少しでも茶碗を手にしていたくないとばかり、そそくさと次へ渡している。次いで藤堂高虎が茶碗を手に取り、顔に近付ける。あからさまに嫌そうな面持ちであった。

（……何たる）

三成の胸に怒りの炎が灯った。

吉継は病である。それも世に多くの例を見ない業病なのだ。容易く伝染ることはないと聞かされていても、気味悪く思うのは致し方ないだろう。病云々を別にしても、膿の落ちた茶を快く思う者などいない。

それでも、浅野、細川、藤堂の姿には許し難いものを覚えた。この三人は秀次に近しかった者である。ところが謀叛の嫌疑がかけられた途端、自らには関わりがないと身を守るばかりだった。それ自体は、まことに正しい。秀吉は天下人であり、仕える

立場の者が恐れを抱くのは当然だ。しかし秀次が自刃して果てた後、ひとりでも遺臣を抱えようとした者があるか。

　人とは元来が薄情なものだ。勢いのある時には頼まずとも擦り寄って来るのに、ひと度落ち目になると誰もが遠ざかってゆく。譜代の臣を持たぬ秀吉は、それを最も恐れているのである。自らの冷淡さを捻じ伏せられる者でなければ、手放しで信を置くことができないのだ。

（お主らからは）

　吉継への態度も然るものながら、大元の無慈悲が透けて見える。ゆえに秀吉は慄き、自らの死後に拾丸が孤立無援になってはと危惧して秀次を陥れたのだ。秀次に近しかった誰もが同じ、自らが彼の人を追い詰めたことに気付いてすらいない。そこに憤りを覚える。

　手放しの信――秀吉の心情を思うと、胸中に浮かぶ顔があった。加藤清正と福島正則である。二人ならこの場で何を思うだろうか。子飼いとして深く秀吉を慕うだけに、浅野や細川、藤堂に対しては己と同じ怒りを覚えたはずだ。正則なら頭に血を上らせ、問答無用で殴り倒している。清正とて、そこまではせずとも、面罵くらいはしているはずだ。

（……参ったな）

ふと、口の端にわずかな苦笑が浮かぶ。矢面と裏方、思いの交わらぬ二人と、今この場では同じ憤りを感じているのか。

(いやさ。わしは、奴らとは違う)

武辺者ではない。ゆえに正面から喧嘩など売らぬし、凄みもせぬ。だが――。

「あいや、しばらく」

嫌忌に満ちた藤堂の顔に向け、三成は右手を上げた。

「茶の席では自らの番を待つものなれど、もう堪らぬ。ひと口、先に所望したい」

すると藤堂は救われたように「どうぞ」と頷き、左手を伸ばした。

三成は受け取った茶碗に口を付け、ぐいと一気に飲み干した。そして晴々とした顔で言う。

「いや、まさに絶佳なる茶にござった。ひと口のつもりが、ついつい皆まで頂戴してしまった」

周囲が唖然とする中、秀吉に向く。

「お手間をおかけして申し訳次第もござりませぬが、順番を飛ばした方々のため、今一度お点前をご披露くだされませぬでしょうか。他の茶碗も拝見しとう存じますし」

秀吉は、ただ愉快そうに笑った。

「仕方のない奴じゃ。そんなら茶碗を替えて、もう一服いくか」

どうにかその場を繕い、茶会は大事なく終わった。吉継を忌避していた面々は、以後ずっと居心地が悪そうにしていた。三成には、それが堪らなく痛快であった。

秀吉が立ち去ると、余の者も少しずつ立って、席を後にする。三成も腰を上げ、治部少丸に戻ろうと歩を進めた。

「三成」

声がかかる。少しおかしな抑揚は、口を動かしにくい吉継だとすぐに分かった。

「どうかしたのか」

振り向いて問うと、吉継は深く頭を垂れた。

「お主のお陰で助かった。わしはこのとおりの病ゆえ……。友とは申せ、ああまでしてくれたとあっては、どう礼を申して良いのか」

三成は「はは」と小さく笑った。

「お主には恩がある。無用にいたせ」

「左様なもの、施した覚えはないが」

困惑した声で顔を上げた友に、ゆっくりと三度、首を横に振って見せる。

「わしらが駆け出しの頃だ。あの賤ヶ岳の戦いで、わしは先駆衆に名乗り出ながら何もできなんだ。気落ちしたところへ申してくれたろう。この戦があるのは二人で道を整え、裏方の働きを十分にしたからだと。お主が胸を張れと言うてくれたからこそ、今のわしがある」

思いを込めて目元に笑みを湛える。吉継はしばし黙ったままだったが、やがて、しわがれ声でぼそりと漏らした。

「……古い話を」

ろくに閉じない目から、ぼろぼろと涙が零れている。咽ぶ声を聞き、三成はぽんと肩を叩いて立ち去った。

三　巨星堕つ

秀次が切腹してから一年余り、文禄五年（一五九六年）閏七月十三日、伏見の地が大地震に見舞われた。伏見城の壮麗な天守も崩れ落ち、八月に入った今は建て直しのために賦役衆が集められている。

「せえの！」

「よっこらしょ！」

大工衆が声を合わせ、六間にも及ぶ長い材木を担いだ。二之丸の庭は資材の置き場になっていて人の出入りも多い。給金を弾んだとあって、皆、精を出している。小気味良い動きを眺めながら、三成は本丸へ続く門に進んだ。すると、向こうから駆けて来た若者と鉢合わせになった。

「あ、こらあ、すんません」

その者は恐縮して脇に退き、平伏した。大工の見習いだろう。三成は「励めよ」と声をかけて傍らを通り過ぎた。

(若い者は良いのう)

いつかこの道で身を立てんと、誰もが瑞々しい生気を発している。思えば、己も昔は同じだった。そして秀吉も。織田信長の下で天を見上げてばかりいた頃は、それは潑剌《はつらつ》としていたのに。溜息を漏らし、懐からひとつの書状を取り出す。奉書紙の包みに書かれた「石田治部少輔殿」という文字は小西行長の手であった。

「あと、ひと月」

小さく呟いて書状を懐に戻した。それだけの時が過ぎれば明の使者が来る。

小西は秀吉の意向を握り潰して交渉に臨んでいる。他ならぬ己が、そうせよと言い含めたからだ。だが己も小西も、秀吉の出した条件のうち、明との交易を再び盛んにという一点を違える気はない。その実益さえあれば、秀吉を言い包めることもできよう。

「あれを見よ。日も高くなってから出仕とは、和讒者《わんさん》は横着じゃのう」

本丸の庭を進むと、十間も向こう、御殿の玄関から大声が届いた。加藤清正が家中の者を相手に聞こえよがしの陰口を叩いている。城から下がるところらしい。三成は構わず玄関へ進んだ。

「ああ、嫌じゃ嫌じゃ。時をずらせば、わしと顔を合わせずに済むと思うたか。こそこそと鼠のような奴よ」

清正の「陰口」はなお続いている。御殿に上がる者と下がる者、双方の間合いは次第に狭くなってきた。

「のう和議者。また何か企んでおるのか」

ついに清正は、こちらに言葉を向けた。いささか眉をひそめる。聞こえぬ風を装っているのだから、捨て置けば良いものを。

「殿下にお報せがある。それだけだが」

素っ気なく返すと、清正は「ふふん」と鼻で笑った。

「此度は誰を陥れる気だ」

「埒もない」

「ぬけぬけと。忘れたとは言わさぬぞ」

目を剝いて応じてくる。三成は溜息交じりに返した。

「召し返されたことか」

この年の四月、朝鮮で交渉に任じる小西が泣き言を寄越した。和議を進めんとしても、同じく交渉役に任じられた清正がいては何もまとまらない、と。小西が何らかの手応えを得る傍から無理難題を吹っ掛け、それまでの談合を何度もご破算にしたのだという。思い余った三成は、これまで報じていなかった諸々を秀吉の耳に入れた。清正は遠征中に発した書状のいくつかで、秀吉の許可なく豊臣姓を用いていた。文禄二年の八月、漢城での評定にも顔を出さず、勝手に烏梁海へと進軍している。また清正の兵が明使一行から盗みを働いたこともあった。

三成が見越していたとおり、秀吉は怒り狂って清正を即刻召し返し、蟄居を命じた。だが先の大地震の折、清正が秀吉の身を案じて真っ先に駆け付けると、それに免じて許している。

「讒訴《ざんそ》に及んだと、ついに認めおったな」

胸座を摑んだ清正の手首を押し、首を振って払い除ける。

「讒訴ではない。ありのままを報じたのみだ。それとて、ずっと伏せていた。何ゆえか分からぬはずはあるまい」

しっかり目を見て言うと、清正は青ざめた。怒りが頂点を突き抜けたという風であった。

「温情じゃと抜かすか。伏せていたと申すなら、墓まで持って行くのが武士《もののふ》ぞ」

憤怒や苛立ちの挙句、清正の動きは忙しなく激しい。ぎりぎりと歯軋りをしながら、癖毛の頰髯を毟らんばかりに掻いている。

「そも、わしが何ゆえ摂津の弱腰に異を唱え続けたか！　お主に分からぬはずがあるまい！」

頭の中に渦巻くものを、どうにか取りまとめて一喝してくる。そのとおり、清正の思いとて分からぬではない。秀吉への忠節は人一倍篤い男なのだ。しかし。

「交渉とは、左様なものは抜きに進めるものぞ」

「何を申す。そも、これは戦じゃ。談合が物別れに終わったなら、戦って打ち負かせば良い」

やはり矢面と裏方は違うのか。だが先々を思えば、それで良いはずがない。

「ならば聞く。世から戦がのうなったら、お主、どうするつもりだ。領国をより良く治めずばなるまい」

常より言葉に力が籠もる。心底からの問いは、遠い昔、賤ヶ岳での清正と同じことをしたつもりだった。しかし清正は、なお目を剝いて凄んでくる。

「揚げ足を取るな。わしとて肥後に堤を築き、百姓をきちんと治めておるわ」

「然らば分かるであろう。これからは左様な働きこそ大事なのだ」

「それとこれとは違う！」

怒鳴り散らした後、清正は眼差しに諦念を滲ませて吐き捨てた。

「……やはり、お主などに武士の心は分からぬのだ。満足に槍働きもできぬくせに、人の足を掬うことだけは一人前の卑怯者じゃ」

　堂々巡りの問答に、無念な思いで目を逸らす。清正の連れた小者が、どうしたら良いのかと目をきょろきょろさせていた。

「言い返す気はない」

　脇を通り過ぎる三成の背に、どろりと粘る情念の眼差しが刺さった。清正とは、これきりになるのだろうか。胸が痛まぬと言えば嘘になる。だが、人となりからして大きく違う二人が、十年以上も違う道を歩んできたのだ。如何に互いを知っていても、思いが交わらぬのは致し方なかった。

（……されど）

　秀吉が海の向こうへの野心を捨てれば、清正とて従わざるを得ない。その時には、再び言葉を交わす日も来るだろう。いずれにせよ、小西の交渉がどういう結果に行き着いたか、それ次第である。まずは目の前の役目を果たすべしと、三成は明使の来訪を秀吉に取次いだ。

　ほぼ一ヵ月後の九月一日、明使が秀吉に謁見した。壊れた伏見城の天守が未だ落成を見ていないため、場所は大坂城である。天守の広間、秀吉が主座に就く。三成は増田長盛と共に左右の傍らに侍した。詰めれば二百人も列座できる中に進んだのは、使者二人と案内役の小西、そして通辞のみであった。日の本と違い、異国の正装は袴を着けないらしい。使者と通辞は橙色の着物を着流し、足許まである薄紫の羽織を重ねている。

先導する小西の面持ちは実に固い。三成の目には、心なしか頬もこけているように映った。

もしや交渉が上手く行かなかったのか。悪い予感を抱きつつ目を向けると、小西は通辞に向けて小声で何かを告げた。そして胡坐ではなく膝を折って座る。通辞が何やら発すると、使者たちは軽く頷き、小西に倣って座った。

「楊方亨《ようほうこう》殿、並びに沈惟敬《しんいけい》殿にござります」

二人の名を告げた小西に頷いて返し、秀吉は尊大に胸を張った。

「遠路の役目、大儀である。早速であるが、明国皇帝の返答を聞かせるべし」

楊方亨が懐から上等な紙を取り出し、広げて読み上げた。無論、向こうの言葉である。何を言っているのか、三成には分からない。しかし使者のもうひとり、沈惟敬の面持ちが次第に強張ってゆくのが目の端に入った。

（あ……）

三成の口が半開きになる。結末が見えて、背筋が寒くなった。

楊の声が止むと、通辞が口を開いた。

「日本国王、豊臣秀吉。大明帝国への朝献を認め、親明王として封じるものなり」

秀吉の面持ちは見なくても分かる。通辞の言葉が続く中、三成は腹に力を込めた。

「……待てや」

来た。主君の声は怒りに震えている。

「このわしが、こともあろうに明の臣下じゃと申したか」

楊は「どうしたのだ」という顔をしていた。一方の沈は潰れそうなほど顔をしかめている。

「慮外者が！　和議を申し入れて参ったは、うぬらであろう。勝った側が負けた側の家臣になるなど、左様な話がどこの世にある。わしが申し送ったことはどうなった。人質は！　主上に差し出す妃は！　交易は！　どうなったかと聞いとるんじゃ」

さすがに楊方亨も激怒の理由を悟ったようだ。顔を強張らせて何やら発し、然る後に通辞の口から、それらの要求は全て初耳だと伝えられた。

「何と……これほど侮られたのは初めてじゃ。帰れ！　今すぐ、この国から出て行け。うぬらの愚弄、高く付くと知れ」

秀吉は立ち上がり、あらん限りの罵詈雑言を使者二人に浴びせた。小西が慌てて「これ」と発すると、家中の者たちが駆け付け、使者一行を導いて去る。先までの威儀を正した姿など、どこにもない。ほうほうの体で逃げ帰るという風であった。

いでいる。

異国の者が去った広間に、秀吉の静かな声が響いた。小西は身じろぎひとつできないでいる。

「おみゃあ、何をどう談合しとったんじゃ。ああ？　首でも刎ねられ――」

「お待ちくだされ」

三成は総身を固めて発した。己が思いを小西に託した折、約束したのだ。何としても守ってやらねば。秀吉は何も言わずにこちらを見た。卒倒しそうなほど怒りに震えている。三成は挑む思いで胸を張った。

「摂津殿を責められるは筋が違うかと。そも明国の談合役とて、摂津殿から話を聞いたその場で断を下すことはできぬはず。持ち帰って評定にかけたのでは？」

小西に顔を向ける。打ち震え、あらぬ方を見ているような目つきながら、せわしなく二度の頷きが返された。これを待って秀吉に目を戻す。

「摂津殿がただ返答をお待ちあられたは、礼に則ってのこと。殿下の面目を損なわぬためと愚見いたしますが。ご意向を悉《ことごと》く蔑ろにした非は明国にこそありましょう」

嘘である。だが、向こうにも利得のある交易の話まで無視されるとは思ってもみなかった。交易で日の本が潤えば、唐入りの大元の思惑、即ち武辺者の目を内治に向けるという難題は片付いたはずなのだ。商人に便宜を図ってやるだけで実入りが増える

「摂津よう」

のだから、これほど楽な話はない。名分をひとつ潰してしまえば、秀吉を宥めることもできたろうに。

秀吉はしばし黙っていたが、やがて主座に戻って腰を下ろした。

「治部の申すとおりかも知れん。じゃが、こうも小馬鹿にされて黙っちゃおれんがや」

「然らば、今一度の談合を」

「生ぬるいわい！　ええか、年明けじゃ。また兵を出して、今度こそ明国のうつけ共を根絶やしにしてくれる」

三成は心中に「嗚呼《ああ》」と嘆息した。秀吉は既に、それがどういうことかを判じられないのか。先の唐入りで得たものは、明と交渉する機会のみである。将兵の命、財や兵糧など、失ったものの方が遥かに多い。だが思い止まらせることはできまい。年老いて頑なになりすぎている。否やを言えば、己こそ罪に問われるだろう。それだけは避けねばならぬ。秀吉の歯止めとして踏み止まるべし。

「……結構な思し召しかと存じます」

三成は静かに発した。この上は――。

「ついては、次の唐入りも摂津殿に先鋒をお命じあっては如何でしょう」

「認められるかや。摂津は斬首じゃ！」

声を荒らげる主君に、三成は「はは」と短く笑った。

「それはご短慮と申すものにて。恥をかかされたは、摂津殿とて同じでしょう。汚名返上の機会も与えぬとあらば、それこそ物笑いの種にござる」

するよ秀吉は、満面に湛えた怒りの朱色をさらに濃くした。

「わしが度量に欠けると申すのか」

「そのように騒ぎ立て、こちらの将兵を惑わす。向こうの思う壺ですぞ」

秀吉は左手の拳で、朱漆塗りの板間を殴り付けた。ガン、と激しい音が上がる。

「踊らされて堪るかいや。摂津！　斬首は取り消す。先鋒になって、朝鮮と明の阿呆共を蹴散らして恥を雪げ。ええな！」

「は……ははっ」

小西は掠れきった声で平伏した。顔から、そして剃り上げた月代からも、滝の如き汗が滴り落ちていた。

座を立った秀吉は、畳を乱暴に踏み鳴らして去って行く。三成は安堵の溜息をついた。

「摂津殿、よろしいな。再びの先鋒を利し、和議交渉あるのみにござるぞ」

未だ震えて呆け顔の小西に言い残すと、自らも広間を辞し、すぐに大坂城を出た。向かった先は大坂の湊近く、明使の宿所である。

先の通辞に案内されて進んだ一室では、楊方亨と沈惟敬が何やら言い争っていた。だが三成が顔を見せると、今度は二人してこちらに激しい語気を向ける。相変わらず、何を言っているのか分からない。おろおろするばかりの通辞に向け、用向きを伝えた。

「太閤殿下は再びの唐入りをお決めなされた。されどこの石田治部が、形ばかりのことになるよう取り計らおう」

三成は言葉を尽くした。朝鮮と明の国土、兵、民に、でき得る限り害を与えぬようにする。日の本が望むのは戦ではなく、好誼であり交易なのだ。その旨を明の皇帝に取り成して欲しいと。

だが向こうの返答は「馬鹿な」であった。斯様に虫の好い話を、どうやって納得させよと言うのか。当たり前の返答に、三成は苦笑を以て応じた。

「必ずや、我らが負けるように仕向けると申しておるのだが」

通辞はそれを取次がず、自らの疑問を返した。

「左様なことをして、日の本に何の益があるのです」

「元より明の帝も、いがみ合うは本意でないと見た。親明王に封じると申し送ってきたのは、それゆえではないのか」

沈惟敬が通辞の肩を叩く。そして取次がれた言葉を聞き、大きく頷いた。話が通じたと察し、三成はなお続けた。

「戦に負ければ、我が主君の頭も冷えよう。こじれた和議の話とて再び進められるはず」

すると楊方亨は「貴殿は日本の宰相か」と問うてきた。三成は、じっと目を見て返した。

「それがしは政を預かり、日の本の行く末を定める者である」

通辞を経ずとも伝わったのだろう。楊の眼差しが幾らか和らいだ。

再びの唐入りという痛恨の中、明と交渉を続ける手掛かりは辛うじて保った。まずはこれで良しとせねばならぬ。だがこの先の舵取りは、より難しいものとなろう。ただのひとつも間違いは許されない。

宿所を出た三成は、疲れた歩を進めて城へと戻った。碁盤の目の如く引かれた道を進むと、北西から冷たい山風が抜ける。行き交う町衆が両手で襟元を閉じ、足早に進んでいた。冬は、もうそこまで来ている。

＊

去る閏七月の地震は伏見だけではなかった。伏見の前日には九州の豊後が、さらにその三日前には伊予が、同じほどの揺れに見舞われている。こうした災難を振り払うべく、文禄五年は十月二十七日を以て慶長《けいちょう》に改元された。

伏見の復旧に目処が立ち始めた十一月初旬、三成は岐阜城下にあった。一羽の鷹が音もなく空を滑って来る。馬上にある三成の周りを大きく一周し、やがて右腕に着けた鹿革の手甲《てっこう》へと降りた。二、三度羽ばたいて勢いを殺したものの、嘴《くちばし》に雉《きじ》を咥えていて、ずっしりと重い。

「おお。まこと、良い鷹じゃ」

ひとりの若者が息を弾ませながら馬を寄せた。中納言・織田秀信《ひでのぶ》――織田信長の嫡孫・三法師の長じた姿である。三成は、ふわりと顔を綻ばせた。

「まだまだ。それがしの鷹では二番めにござります」

「ほう。これで二番めとは、一番はどれほどかのう。是非にその鷹を貸してくれぬか」

「構いませぬが、必ずお返しくだされますよう、お願いいたしますぞ」

秀信は「こやつめ」と笑った。

初めて顔を合わせたのは十一年前である。往時六歳の秀信は世のことを知らず、本来は自らが主家なのに、秀吉の方が主君だと思っていた。そうしたあどけない姿に、過ぎし日の己は世の無常を覚えた。素直な心根のままで長じて欲しいと願い、見守っていこうと思ったものだ。

果たして秀信は、そのとおりの若者になった。織田の天下を奪った秀吉を恨まず、心身を壮健に鍛えて岐阜城主の任に精を出している。

「ときに治部。斯様なところで油を売っていて良いのか。再びの唐入り、年明けの二月と決まったのだろう」

「御自らお誘いになって、仰せられることではござりませぬ」

微笑を向けると、秀信は決まりの悪そうな顔になった。三成はゆったりと頭を振った。

「此度は殿下も名護屋に詰めず、伏見に留まられます。それがしも傍にあるようにと、有難き思し召しにござれば」

「兵糧や鉄砲の手配りは？」

「知行を視に参ったは、まさに鉄砲のためにて」

陣触れのあった大名家は出兵を前に奔走している。三成は鉄砲の支度を急がせるべく、佐和山領・国友村の視察に下っていた。美濃にある飛び地の知行を訪れたのは、そのついでである。秀信がこれを聞き付け、鷹狩りに誘ったものであった。

三成はなお続けた。

「兵糧や船は、長束正家殿と増田長盛殿が指南の下、若い者が手配りしております。

いつまでもそれがしが出張っておっては、斯様な働きに任ずる者が増えませぬので」

「左様か。政を任されるとは重いのう。考えねばならぬことが多い」

感じ入ったように返し、秀信は岐阜城のある金華山《きんかざん》を眺めた。

「わしはな、治部。織田の天下が奪われて良かったと思うておる」

驚きに声を出せないでいると、秀信は穏やかな笑みでこちらを向いた。

「祖父・信長公が、あのようなことになっていなければ。そう思うた時もあった。が、折に触れてわしを訪ねてくれた其方を見続けて分かった。天下とは、人ひとりの手には大きすぎる」

三成は常にすまし顔ながら、何度も会っているうちに細かな違いが見えるようになったと秀信は言う。疲れや苦悩、何らかの決意、そうしたものを感じるたびに、自らの身の上をすんなりと受け入れられるようになったのだ、と。

「天下か……。重すぎるものを背負うには、常に上だけを見ておらねばならぬ。されど、それゆえに祖父は躓いたのだ。太閤殿下も同じよな。治部がおって、足許を固めてきたから躓かぬ。わしと我が家臣に同じことができたかどうか」

「勿体なきお言葉にござります」

三成は恐縮して馬上で居住まいを正し、頭を下げた。右手甲の鷹が驚いて羽ばたき、秀信の方へと行った。

「おっ」

秀信は嬉しそうに声を上げ、右手を差し出す。鷹はそこに止まって、きょろりとした目で首を傾げた。

「治部がいてくれなんだら、わしの目は開かれなかったやも知れぬ。この先は、わしが其方の力になれたら良いのう。唐入りもあるゆえ、未だ世が落ち着いたとは申せぬが、な」

「……はっ」

これほど真っすぐに育ってくれた。労《ねぎら》いよりも、力になるという言葉よりも、そのことが嬉しい。難事ばかりが続く昨今、日照りの中の慈雨にも等しい喜びである。三成は右手を顔に遣り、じわりと浮いた感涙を押さえた。勘違いしたのか、鷹がその手甲に飛び移って、ばさばさと羽を打ち鳴らした。

＊

「……また勝ったか」

慶長二年（一五九七年）九月、三成は治部少丸の御殿で朝鮮からの報せに目を通すと、傍らに置いて「ふふ」と笑った。先月のこと、遠征軍は朝鮮南西端の全羅道《ぜんらどう》で明・朝鮮の連合を退け、平らげたそうだ。二月から始まった再度の唐入りに於いて、秀吉は軍目付衆に「遠征中の全てを詳らかに報せよ」と厳命していた。これによって三成も、伏見にありながら、手に取るように戦況を知ることができた。

この遠征は有耶無耶に終わらせるべし。そのためには――。

思いつつ、文机に積まれた書状から次の一通を手に取った。宛書は見慣れぬ癖の文字である。誰からだろう。或いは、この忙しいのに何かの陳情か。むっつりして開いたものの、読み進めると苦笑が浮かんだ。

「あの時の通辞か。苦労しておると見える」

昨年九月に大坂で会った沈惟敬が、日の本の連戦連勝に激怒している。書状には沈の言葉とは別に、通辞の繰り言も書き連ねられていた。三成は、先に傍らへと置いた書状に目を戻し、文字の上に指を滑らせながら、ふむ、ふむと頷いた。そして左手に持つ通辞の書状を右手の甲で叩いた。

「破竹の勢いゆえ、窮するのではないか」

くすくすと笑い、然る後、思案顔になる。文机に頬杖を突いた。

「威勢を保ったまま、できるだけ討ち死にを出さず、形だけ負けて退く……正念場ぞ」

しばし考えた後に明の密書を握って丸め、左手の文箱から紙を取り出して筆を走らせた。努めて明の情意を害さぬよう、書状のやり取りを続けねばならない。

秀吉は此度の唐入りに際し、朝鮮南西の全羅道、その北の忠清道《ちゅうせいどう》を平らげ、日の本の城を築いて領を保つよう命じていた。築いた城には在番を残し、他はいったん帰国して損耗を防ぐ。先の唐入りでは、勢いのまま敵地深くに攻め入って糧道を脅かされたが、その轍を踏まぬためである。

三成もこれを是としたが、秀吉とは違う思惑があった。朝鮮八道のうち全羅道と忠清道を押さえるだけなら、朝鮮はさて置き、明を宥め続けることはできる。そして釜山から全羅道と忠清道一帯は、九州と同じほどに広い。遠征軍がこれを長らく領有せんとしても、どこまでできるだろう。

「沈惟敬殿。まずは一年、お待ちくだされ」

書状をしたため終え、そう呟いた。一年が過ぎれば、きっと先の唐入りと同じになる。朝鮮民衆の一揆――義兵による奇襲が起きると見込んでいた。その時こそ遠征軍は窮する。

三成は、また一枚の紙を取った。いつでも退けるように手筈を整えるべし。懇意にしている博多商人・神屋宗湛や嶋井宗室らにも、陰で船を集めよと密書を飛ばす必要があった。

ところが、その一年を待たずに事態が動いた。十二月二十二日のこと、釜山から六十里の北、遠征軍が築城を急ぐ蔚山《うるさん》が明軍の襲撃を受けたという。

明けて慶長三年（一五九八年）一月末、この一戦の顚末が報じられた。戦そのものは、こちらの勝ちである。その上で、宇喜多秀家や毛利秀元ら十三将が連名で寄越した上申がある。また軍目付からは別の一報もあった。二つの書状に目を落としていた三成の顔に、薄笑いが浮かんだ。ひとつ「よし」と頷くと、すぐに治部少丸を出て本丸へと上がった。

御殿の中、秀吉の居室に至り、閉め切られた障子の外に跪いて声をかける。

「治部、参上仕りました」

「ああ、入れや」

返る声音が、心なしか弱々しく思えた。部屋に入ると、秀吉は床の間の柱に背を預けている。周りには六つもの火鉢が置かれていて、対面すると暑く感じるほどであった。

「如何なされたのです」

「腰が痛《いと》うての。歳のせいか、冷えのせいか。まあ気にせんでええ」

ふう、と長く吐く息が、一間も隔てた三成の許に届いた。

（これは）

常ならぬ臭気を感じ、眉をぴくりと動かした。何と言ったものか、少し古くなった鮫《さめ》の肉、或いは小便のような臭いが薄っすらと漂う。

「戦の報せじゃろ。聞かせてくれや」

嫌な胸騒ぎを覚えたが、主君に促され、気のせいだと自らに言い聞かせた。この国が保たれるか否か、ここで秀吉を動かせるかどうかに懸かっている。先の書状二通を懐から出し、まずは軍目付の寄越したものを渡した。秀吉が目を落とし、口の中でぶつぶつとやっている。中途まで読み進んだところで、がば、と顔が上がった。

「何じゃこりゃ。どういうこっちゃ」

腰痛ゆえか声は大きくない。だが、どれほどの怒りを湛えているかは一目瞭然であった。

「蜂須賀家政《いえまさ》殿、黒田長政《ながまさ》殿、蔚山への援軍に参じながら戦に及ばず。書いてあることを信ずる外はござらぬかと」

平然と返す。自らの目で見られぬ朝鮮の様子を知るには、確かにそれしかないのだ。

蔚山援軍の目付は福原長堯《ふくはらながたか》、熊谷直盛《くまがいなおもり》、垣見《かきみ》一直《かずなお》の三人である。福原と熊谷は三成の妹婿で、残る垣見も裏方の任に当たる者として目をかけていた。もっとも、それゆえに信じたのではない。蜂須賀の家は古くから秀吉の重臣であり、黒田長政はあの黒田如水の嫡子である。共に目の前の戦に知らぬ振りをするとは思えなかった。讒訴と見抜きつつ、敢えてそのまま取次いだのだ。

秀吉は痛みを堪えるように唸っていた。そこに、宇喜多秀家ら十三人の上申を渡す。目を通すなり、書状が引き裂かれた。

「秀家め……わしの恩を忘れおったか。せっかく取った地を手放せとは、何を考え」

大声を出そうとしたのだろう。言葉が止まり、顔をしかめて腰を押さえている。三成は構わずに発した。痛みがあると人は苛立つ。そこを衝きたい。

「蔚山、順天《じゅんてん》、梁山《りょうざん》、三つの地を捨てて釜山のみを固めれば、確かに戦はしやすい。されど、だからと言って殿下のお下知を違えるなど言語道断ではござりませぬか」

「それよ。そのとおりじゃ」

震える手でこちらを指差し、うん、うん、と頷く。三成は上目遣いにその顔を窺った。

「如何様になされます」

「知れたことじゃ。取った地を捨てるなんぞ認められん」

「然らば、御意のままに」

秀吉は上申に名を連ねた十三人を叱責し、中でも蜂須賀家政は召し返して蟄居を命じると決めた。黒田長政に対しては、父・如水への遠慮もあるのか、蜂須賀より軽い処分であった。それでも、朝鮮に留め置きながら矢面の城から外すという恥辱を与えた。

本丸から治部少丸へと下がる中、三成は城下に広がる屋敷の群れを見下ろした。

「……秀家殿には申し訳ないことをした」

戦を続けるなら、秀家らの言うとおり、蔚山や順天、梁山などの出すぎた地は捨てるに限る。だが、これ以上日の本を磨り減らさぬためには、一刻も早い撤退こそ肝要なのだ。これら三つの城を保ち、じわじわと窮してゆけば、やがてその道は開かれよう。

「嫌なものだな」

国を思えばこそ、味方の足を掬わねばならぬとは。あべこべの話に胸の内が重苦しくなり、かつて清正に言われた「和讒者」のひと言が耳に蘇った。

「そう思われて当たり前か」

ぼそりと自嘲の念が口を衝いた。これぞ我が道と思い定めてここまで来たが、どこまで進めば良いのだろう。面持ちが曇るのを止めようがなく、何の気なしに空を仰いだ。

遠くで、一羽の鳶《とび》がくるりと輪を描いた。

「あ」

その鳶が、過日——織田秀信と共に岐阜で鷹狩りをした日の鷹と重なった。秀信の言葉が思い出され、ぐらりと頭が揺れる気がした。

天下は人の手には大きすぎる。重すぎるものを背負うのに上だけを見続けていては いつか躓くが、治部が足許を固めているから秀吉は躓かずに済んだ。同じように、己は治部を支えてやりたい。そういう意味のことを秀信は言った。

「支える、とは」

どういうことかを思い出した。己というものを殺す道だと、あの利休に教えられたではないか。秀信とて、天下人の座、即ち己が血筋への拘わりを捨てたのだ。

「わしも……捨石ぞ」

富も名も要らぬと言ってきたではないか。捨石には何も要らぬのだ。憎まれ、嫌われ、恨まれて、この生を全うするべし。

迷いは晴れた。空から目を戻し、両手で挟むように強く頰を張る。顔には、もう湿っぽいものはなかった。

三成が考えるべきは、海の向こうの話ばかりではない。朝鮮・蔚山での戦いが報じられた直後の慶長三年二月、蒲生家の治める会津で騒動が持ち上がっていた。家老筆頭の蒲生郷安が他の家臣と対立し、挙句に当主・蒲生秀行《ひでゆき》の小姓頭を討ってしまったという。三年前、自らが信任した者の不始末である。一報を取次ぎ、三成は秀吉の前に平伏した。

「まこと、面目なきことにござります」

「おみゃあでも間違いはある、ちゅうこっちゃ。面を上げい」

柔らかな声音に違和を覚えつつ平伏を解く。秀吉は少し気の抜けた顔でのんびりと発した。

「かねて、何かあったら取り潰すと言うてあったな」

「はっ。されど、お取り潰しでは路頭に迷う者も多うござります。どこかに領を転じ、減俸では如何でしょう」

気だるそうな頷きが返された。

「そうしとけ。蒲生の後は、会津を誰に任せようかのう」

「上杉景勝殿がよろしいかと。ご加増にもなりますれば」

奥羽の要となる地だけに、抜きん出た力を持ち、かつ豊臣の布く秩序に忠実な者が良い。上杉家ならば三成も懇意にしており、上意下達も容易であった。

秀吉は「ふむ」と思案して、十いくつも数えた頃に口を開いた。

「それで良かろう。ほれ、あやつじゃ。家老の……何ちゅうたか」

「直江兼続殿にござりますか」

「そんな名じゃったか。うん、そんな気がするわい」

ひやりとしたものを覚える。秀吉は直江を甚《いた》く気に入っていた。名を忘れるなど尋常でない。

（そも此度のこととて）

三年前の差配の誤りを、きつく叱責されるとばかり思っていた。だが秀吉は何とも鷹揚で、まるで怒りを発するのも面倒という風である。

「また、お腰が痛むのでしょうや」

探るように問う。間の抜けた顔で「え？」と返され、三成は眉根を寄せた。

「いえ、何でもござりませぬ」

「あれじゃ、おみゃあも会津に行って来い。転封は手間がかかるでよ、さっさと終わらせるが良かろうからの」

「承知仕りました。然らば早速」

一礼して辞し、足早に廊下を進む。胸の内には、嫌らしく掻き毟られるような疼きがあった。わずか半月ほど前は腰の痛みに苛立っていたのに、ここ数日の秀吉は実にぼんやりとしている。この変わりようは、どういうことか。

もしや――思って立ち止まり、激しく頭を振った。

まだ早い。唐入りを早々に終え、国の隅々まで偏りのない統治を布き、泰平の下地を築かねばならぬ。やるべきことは山ほどあるのだ。秀吉の命が尽き、そうしたものを整える前に豊臣の家督が代わったら混乱は避けられまい。嫡子・拾丸は既に元服して秀頼《ひでより》の名を得ているが、何しろ未だ六歳の稚児《ちご》である。秀頼が当主となる。そう思うと、胸に浮かぶ顔があった。

「家康……どう封じる」

徳川家康は豊臣家中随一の力を持ち、秀頼付きの年寄衆に名を連ねているが、そもそも豊臣の天下を覆す気で臣礼を取った男なのだ。秀吉が世を去れば、どういう動きを見せるか分かったものではない。家康を始めとする大物の所領には未だ検地も及ばず、その上に唐入りで身分の上下を問わず疲れ果て、殺伐としている。泰平の下地が整っていない中、家康が付け入る隙は幾らでもある。

ひとり、二人、三人、四人、三成は指折り数えた。秀頼の盾になってくれるであろう者は少なくない。中でも秀吉の旧友・前田利家、秀吉の養子であった宇喜多秀家に小早川秀秋《ひであき》、秀吉が特に厚恩を垂れた毛利輝元と島津義久、そしてこの三成と意を通じる上杉景勝は信を置くに足る。

「上杉か……。転封も早めに終えねば」

本丸館を辞すると、三成は治部少丸を素通りして城下の西にある屋敷へと戻った。そして妻や下人に旅の支度を命じると、旅立つ前に蒲生の伏見屋敷に出向いて一連の仕置を報せた。

蒲生家中も、何らかの咎めがあると見越していたらしい。減俸、転封を知っても大きく動揺することがなかった。三成は蒲生郷安を信じた自らの不明を詫びたが、向こうはむしろ恐縮していた。三年前、即座に同様の沙汰がなかったのは三成のお陰であり、それを察しなかった郷安に全ての非があるのだと。

理解を得て胸のつかえは取れたが、気が済むものではない。三成は、減俸によって蒲生家が抱えられなくなった者を迎え入れたいと申し出た。

ひととおりが済むと、三月、越後に入った。加増転封の沙汰を伝え、上杉の家老筆頭・直江兼続と共に、会津へ移るための諸々を指図した。

＊

夏五月、三成は上杉の越後転封を見届けて伏見に戻った。そして自らの屋敷にも治部少丸にも立ち寄らず、急ぎ本丸館を訪ねる。小姓の案内に従って秀吉の居室へと進むと、障子が開け放たれていた。中には誰もいない。

どうしたのか。思ったところへ、隣にある寝所の障子が開いた。

「ああ、おみゃあか。ちょうどええ」

秀吉であった。己が参じたと聞いて、ここに来いと下知したのだろうに、何とも的外れな物言いである。しかも既に日は高いというのに寝巻姿だった。

「お加減が悪いのでしょうや」

焦燥を覚えつつ問う。かさかさとした声で「はは」と笑いが返された。

「また腰が痛うての」

言いながら、居室へと移る。三成も後に続いた。

「上杉の会津入り、済みましてございます。直江殿のご尽力にて速やかに果たされ申した」

「おみゃあに、加増してやろうと思うとるんじゃ」

話が嚙み合っていない。と言うよりも、そもそも報告を聞いていたのだろうか。

「有難き思し召しなれど、まずはお役目のことを」

「あ？　何じゃったか」

「会津のお話にござります」

しばしの無言、胸に嫌なものが湧き上がった頃になって「ああ、あれか」と返された。それ以上、何を問うでもない。

「それでな、おみゃあに筑後《ちくご》をやろうと思うとるんじゃ」

再び自分の用事だけを話し始める。

(何としたことか)

ぞくりとした。会津に向かう前よりも酷い呆けぶりである。

「秀秋は越前に移したでの」

秀吉のひと言で我に返った。小早川秀秋は秀吉の養子だったが、秀頼を世継ぎと決めたゆえに立場があやふやになり、毛利一門・小早川隆景の養子に出された身だ。昨慶長二年六月にその隆景が没し、小早川の家督を継いでいる。

「何ゆえに、左様な」

やっとそれだけを問うと、秀吉は軽く首を捻った。

「ほれ、あれよ。朝鮮でな、秀秋が不細工なことをしよったがや」

秀秋は昨年来の唐入りで総大将を任されていた。これが初陣で、宇喜多秀家や黒田如水など、錚々たる顔ぶれが軍監に付けられている。だが血気に逸って敵陣に斬り込むような軽挙が目立ち、秀吉の勘気に触れて召し返されていた。

「お仕置きをなされますのは致し方なき仕儀なれど、越前とは」

彼の地で空いていたのは北ノ庄城の十五万石のみである。それまでの五十二万石から三分の一以下とは、あまりに厳しい。そうした苦言すら、秀吉は聞いていなかった。

「でな、空いた筑後を、おみゃあにやろうかと思うんじゃ。どうかや」

「……せっかくの思し召しなれど、それがしは佐和山を気に入っており申す。それに伏見に間近き地にござりますれば、この治部を措いて治めるべき者もおらぬかと」

主君の信を衝くために、敢えて尊大な言いようで返した。

「そうか。それも、そうよの」

秀吉は、ゆったり頷いた。顔には出さぬものの、三成は心中で大いに安堵する。がちがちに固まっていた背の肉が少し緩んだ。

秀秋は、一時は秀次に次いで豊臣の家督に近い者とされていた。その立場を奪われた挙句に大きく減俸とあっては、恨むなと言う方が間違っている。それを思えば筑後を受け取る訳にもいかなかった。何より秀秋は、秀吉亡き後の秀頼を支えてくれるはずの者なのだ。いずれは筑後に戻してやらねばならない。もっとも越前への転封は四月のこととあって、既に小早川では抱えきれぬ家臣に暇を出している。それらの者を庇護するべく、三成は伏見に戻るなり奔走することになった。

多忙の中で六月を迎えた頃、秀吉が病を得た。老齢ゆえか病状は回復せず、日に日に弱っているという。

各地からの陳情や報せは、それでも伏見に上げられる。秀吉に報じるまでもないことは以前から自前で返答していたが、今では主君の裁可を得るべき話まで判じねばならなかった。

小早川の一件と併せ、三成にはまさに眠る間もない。それでも何とか暇を捻り出し、六月末、主君の見舞いに参じた。秀吉は、どうにか身を起こして迎えた。

「わしも、もう終わりかのう。秀頼の行く末が気懸かりじゃ」

若い頃には苦しい時ほど強がって見せた人である。その秀吉が弱音を吐いた。

「年寄衆、奉行衆がおりますれば」

徳川家康、前田利家、毛利輝元、宇喜多秀家、上杉景勝、豊臣家中でも特に力を持つ五人の大名が、秀頼を助ける年寄衆に任じられている。浅野長政、前田玄以、長束正家、増田長盛、そして三成、五人の奉行衆が年寄衆と共に天下の政を担う。秀頼の前途は明るいのだと、気休めを言った。

「されど、のう。家康は……」

弱々しく返す。家康を疑うのは秀吉も同じ、憂いが大きな溜息を生んだ。その息が三成へと渡る。いつか感じたのと同じ、小便臭い息であった。一層きつくなった臭気に思わず眉をひそめ、取り繕うように返した。

「徳川様をご懸念あられるなら、誓詞をお取りになればよろしいかと。人は、言霊に背くことはできませぬゆえ」

秀吉は「そうしよう」と、涙目で笑みを浮かべた。

「悪いがの、少し疲れた」

発すると、座ったまま背を丸めて寝息を立て始める。三成は一礼して寝所を辞した。

廊下を進みつつ思う。誓詞ごときで家康を封じるなど、できようはずもない。秀吉とて分かっているだろうが、今はそれにすがるしかないのだ。何とも心苦しい。

と、向こうから医師が歩を進めて来た。薬を飲ませる頃合なのだろうか。

「待たれよ」

三成は医師を呼び止めた。最前、秀吉の息に小便の臭気を感じたと告げ、容態を問うてみる。医師の顔は、瞬く間に蒼白になった。

「小便の臭いと仰せられましたか」

「かなり強い」

医師はぶるりと身を震わせ、薬の包みを取り落とした。

はっきりと分かった。秀吉は助からない。遠からず、生涯の日を迎える。

(ついに)

己をこれほど引き立ててくれた人が彼岸に渡る。あまりの悲しみと寂しさで、目の前にあるものが全く見えない。明日になっても、この暗闇は晴れぬ。もう日は昇らぬ。そう言われたようなものではないか。だが一面で、別の思いを抱いてもいた。利休が切腹してから、秀吉の老いと戦ってきた。その労苦が終わる。肩の荷が下りる。自らの胸に安堵があることに嫌忌を催した。

もうひとつ、言いようのないほど張り詰めたものがあった。秀吉が黄泉に逝くとは、家康が牙を剝く日が刻々と迫っているということなのだ。この上は、やはり懇意にしている上杉景勝と宇喜多秀家を通じ、前田利家と毛利輝元を抱き込むしかない。年寄衆五人のうち四人を固めて目を光らせれば――。

しかし、できるのだろうか。

(否。できるかどうか、ではない)

家康が天下を望むなら間違いなく豊臣を潰す。一度や二度の戦で済むはずもなく、世は再び乱れるだろう。戦乱で疲れきった国に、そうした遠回りをする猶予はない。この身を投げ打ち、やらねばならぬのだ。

意を決すると、二度と晴れぬかに思えた闇が消えた。医師の姿が目に映る。取り落とした薬の袋を拾い、会釈して立ち去って行く。秀吉の寝所へと運ぶ足取りに、躊躇《ためら》いが垣間見えた。

＊

治部少丸へと帰る足が重い。体を真っすぐ保つだけでも億劫だった。そのくせ気ばかり急く。

秀吉が長くないと悟ってから二ヵ月、秋八月も十七日を迎えていた。この間、秀吉は徳川家康に嫡子・秀頼の後見を頼み、年寄と奉行を合わせた「十人衆」に向けて二度の遺言を出した。七月の遺言を一ヵ月で変えたものである。二度に亘る遺言の取りまとめには三成も立ち会ったが、秀吉は実に気弱な様子だった。幼少の秀頼が天下の頂に立ち続ける、その仕組みが整っていないことは、当の秀吉が重々承知しているのだろう。

加えて昨今では、何かと言えば秀吉の寝所に召し出されていた。目が覚めている時は正室の寧子――北政所か側室の淀の方、それでなければ三成が傍にいないと心細いらしい。

朝鮮での戦はどうか、政が滞りなく進んでいるかと、同じことを繰り返し問われるのはまだ良い。ほとんどの場合は延々と繰り言を聞かされるのみであった。それも、日に何度もである。秀吉がいないために嵩んだ政務、朝鮮遠征軍への差配、その裏で続けている明帝国との折衝など、こなすべきことは山積みなのだ。寝所に出向くたびに半時も削られるとあって、夜半まで本丸に詰めているのが当たり前になっていた。

治部少丸の門を抜け、御殿の玄関に辿り着く。欠伸交じりに空を見上げれば、黒から濃い藍色へと変わり始めていた。もうしばらくで白み始めるだろう。玄関へと進む中、ぼんやり独りごちた。

「一時くらいは眠れる」

するど玄関の奥の暗がりから、灯明を手に進んで来る者がある。三成は腰の刀に手を掛け、右肩を前に半身になった。灯明を持った者は、上がり框《かまち》に至ると、楚々と座って発した。

「お勤め、お疲れ様にございます」

「……おまえか」

妻であった。気が緩み、顔が綻ぶ。

「なぜ城に上がった。忙しいと申してあったろうに」

窘めて言うと、妻は「申し訳ございませぬ」と頭を下げた。

「されど、斯様な時だからこそです。国許の左近殿から、送られてきたものがございまして」

島清興からとは、いったい何であろう。佐和山の差配に関わる重大事か。面持ちを引き締めると、妻は静かに立って「こちらへ」と導く。付いて行った先は、平時の居所とする中之間だった。支度されている膳を見て、三成は呆れて言った。

「わしが戻らねば無駄になるところであった」

「わたくしには、分かるのです」

得意そうな妻の笑みを見て膳の前に座りながら、三成は首を傾げた。

「左近の届けものを先に見たいのだが」

「こちらです」

言いつつ、膳に載った土鍋の蓋を外す。雑炊であった。たった今煮上がったかのような、熱い湯気が舞う。立ち上る独特な香気に腹が鳴った。

「韮か」

晩春から初夏にかけて旬を迎える青物だが、伸びた葉を刈り取っても、株を残して置けばまた葉が伸びてくる。佐和山にあって、清興は伏見の繁忙を察していたのだろう。萎《な》えそうな気を少しでも鼓舞せんという思いが伝わってきた。

妻は杓子を取り、韮雑炊を椀に四分めまで盛って寄越した。受け取って「ふう」と吹き、膳から箸を取ってざらりと流し込む。しこしこと小気味良い韮の歯触りに、京味噌が実に良く合う。満遍なく回された溶き卵が柔らかく固まり、その旨みが韮の甘みを引き立てた。

「旨い……」

椀を空にして、小さく呟いた。じわりと目頭が熱くなる。妻はどこか安堵した風に二杯めを盛っていた。そこへ——。

「石田治部殿！」

玄関先で大きく呼ばわる者があった。聞き覚えがある。秀吉の小姓だ。差し迫った気配に、ぎくりとして腰を浮かせた。

「如何した」

問うた声音が震える。それに応じて悲痛な涙声が飛んで来た。

「太閤殿下、ご生涯にござります」


時が、止まった。


己は齢十八だった。近江観音寺に修行に出され、鷹狩りの合間にこの寺で休んだ秀吉に茶を点じた。一服めは温く、量を多く。次の一服、また次の一服と進む毎に、熱く、量を減らした。疲れているだろう身を案じて献じた茶に、秀吉は素晴らしい笑顔を見せてくれた。

仕えて六年、賤ヶ岳の戦いで、己は先駆衆に加わりながら何もできなかった。秀吉はそれを叱らず、得意なことで実を上げれば良いと言ってくれた。

己の進言した検地を取り上げてくれた。天下の政を任せると言ってくれた。紀州征伐、四国征伐、戦と政が同じものだと教えてくれた。九州征伐、小田原征伐、二度の唐入り、いつでも何かしら己に大役を与えてくれた。他人とぶつかりがちな己の人となりを知り、それでも常に変わらぬ信を置いてくれた。

その人が！

清興や妻の心尽くしに浮いた涙が、違う形となって落ちた。

「直ちに本丸へお上がりくだされ」

嗚咽と共に絞り出される声で、時が動いた。

終わったのだ。主君の老いと戦う日々が。そして始まったのだ。己が力で挑まねばならぬ、新たな戦いの日々が。

妻は何も言わずに震えている。三成は右手に拳を固め、ぐいと目元を拭うと、その拳で自らの腹をこれでもかと殴り付けた。

「こうしてはおられぬ。おまえは、すぐに城下を出て佐和山に入れ。きっとだ」

眼差しを引き締め、声音厳しく言い残して、三成はすくと立った。

慶長三年八月十八日、秀吉は帰らぬ人となった。

十人衆の談合によって、朝鮮の遠征軍は、秀吉の死を秘匿したまま引き上げると決められた。誰ひとり異を唱える者はなかった。決定に従い、三成は博多に入った。再度の唐入り直後から神屋宗湛や嶋井宗室らの商人に密書を飛ばし、撤退のための船を集めさせている。これを繰り出して次々と朝鮮から軍兵を退かせ、十一月末には大方の目鼻を付けて京に戻った。

伏見城の大手門近く、治部少丸から見て西の至近には徳川家康の屋敷がある。京に戻った三成は、まずここを訪れた。撤兵の仔細を報じるべく、十人衆を集めてもらうためであった。

「もう目処が立ったとは、さすがは石田治部と言ったところじゃのう」

家康は大きく頷き、明日にでも十人衆を集めると約束した。三成は「恐縮にございます」と一礼し、徳川屋敷の中之間を辞した。

「治部殿。其許、初めから負けて退くつもりだったのであろう」

立ち去る背に小声が投げ掛けられる。歩を止めて肩越しに振り向いた。

「はて。おかしなことを仰せられまするが」

最早、あの鷹揚な笑みはない。忌々しげな面持ちがあるばかりだった。

「其許が如何に博多衆と親しかろうと、たったの三ヵ月で全軍を退かせられるとは思えぬ。手回しが良すぎるわい」

その一点からこちらの思惑を見抜くとは。内府《だいふ》・徳川家康、やはり老獪《ろうかい》なこと、この上ない。

「ならぬこと……でしたかな」

開き直りとも取れるひと言だろう。宣戦であった。

「いいや。国あっての天下ぞ。さすが、と言わせてもらおう」

肯んじながらも、家康は眉尻を吊り上げた。

「だとしてもだ。矢面に立つ者たちは血を流しておる。そうした皆を顧みぬやりようには、虫唾が走るわい」

しばし互いに眼差しを絡める。無言の時ばかりが重く圧し掛かった。やがて家康は「はあ」と嫌そうに溜息をついた。三成は、それこそ平らかに、静かに応じた。

「十人衆をお集めいただく儀、よろしゅうお願い申し上げまする」

そして、会釈して立ち去った。

第四章　決戦

一　三成失脚

慶長四年（一五九九年）一月四日、豊臣秀頼が十人衆を従えて大坂城に入った。金細工をふんだんに使った朱塗りの駕籠《かご》が大坂の町を進む。秀頼は淀の方に抱かれてこれに乗り、周囲を八重九重に守られていた。兵団の前には前田利家、三成はさらにその前の馬上にある。

道の両脇には人垣ができていた。新たな天下人をひと目見ようというのだろう。だが、ひそひそと囁き合う町衆が見たいのは、果たして秀頼なのだろうか。七歳を数えたばかりの稚児に天下を治められぬことは明らかなのである。巷でもそれは承知の上、ゆえに年寄衆筆頭、内大臣・徳川家康を「天下様」と心得ている。

その家康は秀頼の駕籠の後に付いていた。三成は前を向いたまま後ろの気配を窺う。取り立てておかしなものは感じられず、ただ静かに張り詰めた空気があるばかりだった。城の大手門に至ると、先んじて大坂に入っていた大名衆が門前に二つの列を成し、中央を開けて待機していた。

「上様、御成《おなり》」

行列の先頭で浅野長政が声を上げる。大名衆が一斉に頭を垂れて迎えた。

朱色の主座、重ね敷きされた畳、紫地に銀糸で鳳凰を縫い取った座布団、背に映える金屛風、天守の広間は秀吉の生前と何ら変わらない。そこに座する稚児が、どこか落ち着かぬ風を纏《まと》いながら発した。

「皆の者、大儀である。面を上げい」

たどたどしい言葉は、向かって左の後ろに控える生母・淀の方に教えられたままであろう。一列めに年寄衆の五人、二列めに奉行衆の五人、三成は左から二番めの席にあって、余の十人衆や大名衆と共に平伏を解く。秀頼は、少し気圧《けお》されたように身を反らせた。

「太閤殿下がご遠行なされ、豊臣の家督はこの秀頼が継ぐこととなりました」

淀の方が後を引き取る。三成をちらと見たが、すぐにまた広間の中央を眺める眼差しになった。

「皆に申し伝える。力を合わせ、秀頼を守り立ててくりゃれ」

穏やかな呼びかけに、一同が「はっ」と声を合わせる。皆と同じく頭を下げつつ、三成の胸の中には蘇るものがあった。

『もしも……殿下のお世継ぎを産むことができたら、その子をおまえに託しましょう』

淀の方が秀吉の側室となった頃、己に向けられた言葉である。

顔を上げると、左前にある家康の背が目に入った。その向こうにある淀の方は、面持ちにいくらか剣呑な緊張を湛えていた。秀吉がことの外警戒していたせいか、どうやら淀の方も家康を快く思っていないようだ。先の「秀頼を守り立てて」が、己だけに向けられたことのように感じられた。

大坂に随行した十人衆のうち、秀頼の傅役《もりやく》・前田利家は引き続き留まる。毛利輝元、上杉景勝、宇喜多秀家の年寄三人、三成と浅野長政、増田長盛の奉行三人も同じく大坂詰めとなった。秀吉の遺言により、家康は伏見屋敷に戻って政務を執る。伏見城の留守居役には前田玄以と長束正家が任ぜられた。警戒する男を秀頼の傍から離し、かつ目を光らせる差配であった。

ところが家康は、こうした秀吉の苦心をいとも容易く一蹴した。

一月の半ば、三成の大坂屋敷に重大な報せが届いた。伏見に戻ったばかりの長束正家からである。書状に目を通すなり、三成は厳しく顔をしかめた。

「……何たる」

弾かれるように立ち上がり、廊下を進みながら長束の書状を畳んで懐に入れる。すぐに城の北詰にある屋敷を出て、足早に前田利家の屋敷へと向かった。

利家は病床にあった。秀頼の大坂入りに従ったのも、病を押してのことなのだ。急な来訪は断られても致し方ないところだが、取次ぎの下人からこちらの常ならぬ様子を聞いたのだろう、さほど待たされずに応接の間に導かれた。

寝巻の肩に羽織を被せただけの格好で、利家はしわがれ声を潜めた。

「伏見で何ぞあったのか」

やはり家康に対する見方は同じであった。三成は小さく頷いて先の書状を示した。

「知行の宛がいに……婚姻とは」

渡した書状を持つ手が震えている。落ち窪み、隈の深くなった目をこちらに向けると、利家は責めるように捲し立てた。

「これは、どういうことか。何ゆえ内府殿が知行を云々できる。豊臣の蔵入地を下賜できるは秀頼公のみなるぞ。それに大名家同士の婚儀は」

そこまで言い、強く咳き込んで背を丸める。ようやく咳が治まると、喉に引っ掛かったような声を無理に捻り出した。

「……亡き太閤殿下のご遺命にて固く禁じられたこと」

歳も歳、どうやら病も相当に重いらしい。もう長くないのか知らんと察しつつ、三成は幾らか目を細めて応じた。

「書状にあるとおり、先の唐入りで戦った面々への新恩という名目にございます。されど十人衆の談合を勝手に覆されては」

そうでなくとも、何ひとつ得るものがなかった戦での恩賞など考えられない。あったとしても感状くらいのものであろう。家康とて徳川家中にはそのように差配してきたはずだ。

利家は喉仏を無理に上下させた。

「豊臣の力を削りに掛かっておると？」

「徳川との縁組の相手を見れば、左様に思わざるを得ませぬ」

家康は家臣たちの娘を自らの養女に迎え、各地の大名衆に嫁がせようとしていた。その相手は加藤清正、福島正則、蜂須賀家政の子・至鎮《よししげ》、黒田長政らである。

「さは申せ、主計殿や左衛門殿が豊臣に背くとは思えぬが」

訝しそうな利家に向け、はっきりと首を横に振った。

「虎之助はこの治部を憎んでおります。唐入りの功が論じられぬことも、それがしひとりを恨みおるはず。市松とて臍を曲げたは同じにござりましょう。あやつは怒ると見境のなくなる男ゆえ」

口には出さぬが、蜂須賀家政や黒田長政についても覚えはあった。昨年の一月、朝鮮・蔚山での戦いが報じられた際、二人が戦場で働かなかったという目付衆の讒訴をそのまま秀吉に取次いでいる。無益な遠征を早々に終わらせるためであったが、その思いを同じくする者でなければ恨んで当然なのだ。

そして家康は知っている。己が、端から撤退を是としていたことを。

(虫唾が走る、か)

先に家康から言われたひと言を思い出した。痛罵は我が手腕を認める証、しかし警告でもあったのだ。家康が己を槍玉に上げるのは、不満を抱く者を取り込むためである。一方で、己のやり方の何が拙かったのかを見せ付けようという思惑も感じられた。

(厭味な真似を……。悔しいが、巧い)

長い溜息が漏れた。利家は詰め寄るように言う。

「いずれにせよ、太閤殿下のご遺言に背く行ないは見過ごせぬ。急ぎ人を遣って問い質すべし」

数日後の一月十九日、利家は生駒一正《いこまかずまさ》を使者として伏見に遣った。秀吉の喪も明けぬうちから、遺命に反する知行宛がいや婚姻を進めたのは何のためか。皆が得心できるだけの明らかな訳がなくば、十人衆からの除名も辞さず——この厳しい糾弾に対し、家康は「皆の諒解を得たと勘違いしていた」と言い、その「勘違い」についてのみ詫びを入れ、のらりくらりと逃げ回った。その上で言葉尻を捉え、痛烈に反撃したという。

「太閤殿下より直々に秀頼公の後見を頼まれた身であると、仰せになられまして。そ

れを勝手に除かんとするこそ、ご遺言に背く行ないではないのかと……」

生駒の弱りきった顔が、格の違いをありありと示していた。家康の言い分は詭弁、

強弁に過ぎない。だが、確かにこれは利家と三成の専断なのである。

「猶予のならぬ話とは申せ、急ぎすぎたか。淀の方様に言上し、秀頼公の御名で咎め

ておれば」

利家が臍を噬《か》む。苦い思いは三成も同じであった。

「されど内府殿が何を思うておられるかは、これにて明々白々となり申した」

発して、ぐっと奥歯を噛む。背を丸めた利家が顔だけをこちらに向けた。家康、除

くべし。その思いを胸に、二人は無言で頷き合った。

＊

詰問は当日のうちに知れ渡り、翌一月二十日、豊臣家中は騒然となった。利家の大

坂屋敷、家康の伏見屋敷に、それぞれ有力な大名衆が集まり始めている。事態を見た

三成は、二十日夜半、伏見にある大谷吉継の屋敷へと馬を飛ばした。忍びで動かねばならぬゆえ、供に連れたのは家中の豪勇・舞兵庫のみであった。

吉継の病は相当に進み、もう満足に歩くこともできず、目すらほとんど見えない。そのため秀頼の大坂入りに随行せず、伏見に留まることを許されていた。

「迂闊に動ける、身、ではなかろうに」

居室に通され、開口一番で苦言を呈された。口元の皮膚が厚くなって回りが悪く、おかしなところで言葉が切れて聞き取り辛い。三成は小さく頷いた。

「お主の申すとおりだが、ひとつ頼みがあってな」

「書状をよこせ、ば良かろう」

「目の見えぬお主には読み聞かせねばならぬ。左様なことをすれば、どこから漏れるか分かったものではない」

腰を浮かせて膝でにじり寄り、吉継の耳元にぴたりと口を付けた。顔を覆う麻布に染み出した膿は、乾いて固まった後も生臭いものを漂わせている。それに構わず、三成は囁いた。

「内府殿の屋敷に赴いてもらいたい。どういう話をしているか、知りたいのだ」

吉継は「おお」と漏らして頷いた。業病に冒された身に、ここまで頓着なく近寄れる者は他にない。書状を発して人任せにしなかった真意を、悟ったようであった。

「内府殿、も同じに、しておるのか」

耳元に「ああ」と囁いて返した。

家康の屋敷には、婚姻絡みで名の挙がった福島正則や蜂須賀家政、黒田長政とその父・如水に加え、藤堂高虎や脇坂安治ら武功の者、そして秀吉に散々締め上げられていた伊達政宗、家康と親しい最上義光らが集まっていると聞く。対して利家の屋敷には、家康の勝手に苦いものを覚える毛利輝元、上杉景勝、宇喜多秀家に加え、細川忠興や立花宗茂、鍋島直茂、三成と親交のある織田秀信、佐竹義宣、小西行長らが参じていた。

「ところが、虎之助まで前田殿の屋敷に入っておってな」

加藤清正の参集は解せぬことであった。先の詰問が利家と己の意思であるのは、皆の知るところなのだ。家康に近く、かつ己を不倶戴天の敵と見做す男が与するなど、どうしても頷けない。

「つまり間者であろう。虎之助は太閤殿下の子飼いゆえ、立花殿や鍋島殿と同じく、殿下への恩義を重んじたと言えば、それらしく聞こえる」

そして、くすくすと含み笑いを漏らした。

「長束殿と増田殿に、前田屋敷に向かってもらった。まずは虎之助に目を光らせるためだが――」

それとは別に、思うところがあった。間者が清正だけとは限らない。

「左様な者共を炙り出す」

「どうするのだ」

「殿下への忠節篤《あつ》き者は、内府殿を討てといきり立つに相違あるまい。不穏な空気に引き摺られる者は必ず出てくる。そこで、冷や水を浴びせてもらうのだ」

「ああ……そうか」

論を掻き乱して場が紛糾すれば、きっと本音が垣間見える。その意図を察してくれた以上、吉継は決して同じような手管に嵌められまい。

伝えるべきことを伝え終え、三成は丑《うし》三つ時（二時半から三時）を選んで伏見を去った。

利家方と家康方の対立はしばらく続いたが、剣呑な空気は次第に薄まっていった。そして十日余り、二月二日になって和解に至った。

家康の元に参じた面々は「戦も辞さず」と息巻いていたそうだ。吉継の報せでは、利家にではなく三成への反感ゆえだという。ところが、当の家康が戦での決着を望んではいなかった。そこで徳川屋敷の黒田如水、前田屋敷の細川忠興が仲裁の手を挙げ、双方の旗頭もこれに応じた次第である。いつ再燃するか分からぬ火種も、当面はひと息ついた格好となり、大名衆もこれを以て各々の居所へと引き上げて行った。

翌二月三日、前田屋敷に遣っていた長束正家と増田長盛が三成の屋敷を訪ねて来た。

「いやいや、参ったわい」

応接の間に入るなり、増田はそう発して正面に腰を下ろした。その隣に長束が座る。

「まったく面倒な役回りだった」

疲れた顔で不平を漏らす増田に苦笑を浮かべ、長束が静かに語った。

「お主に頼まれたとおり、徳川との戦を唱える者に『ならぬ』と言うてやった。まあ袋叩きに遭ったがな、得るものはあった」

前田屋敷に参じながら、実は家康のために動いていた者の名が告げられた。加藤嘉明と浅野幸長である。三成は「ほう」と応じながら、いつものとおり顔色ひとつ変えるではなかった。

「孫六《まごろく》は分からぬでもないが、幸長もか」

孫六こと加藤嘉明は、福島正則や加藤清正、そして己などと共に秀吉の子飼いから身を起こした男である。武辺者で正則や清正と親しく、己を疎んじていても不思議ではない。しかし浅野幸長は、奉行衆筆頭・浅野長政の子なのだ。幸長が徳川方なら父の長政とて同じであろう。年寄衆はおろか奉行衆とて一枚岩ではない。

三成は「ふむ」と頷いた。

「内なる火種を見つけただけでも上々だ。ときに、虎之助はどうであった」

「お主が気にしておったゆえ、特に気を付けて見ていたのだがな。端から向こう側と知っておったし、それ以上に怪しいところは見られなんだのう」

増田が大きく首を傾げる。ちらと長束を見ると、こちらは身じろぎもせぬままだが、やはり同じような思いを顔に映していた。分からない。清正は、そして後ろにいる家康は、何を考えている。思いながら問うた。

「他は、何かあったか」

長束が幾らか心許なさそうに応じた。

「関わりがあるかは分からぬが、太閤殿下のご遺命に従って決められたことがある」

三成は「はて」と胡坐の膝に頬杖を突いた。遺言の取りまとめには己も立ち会ったが、それに沿っていないことは思い付かない。怪訝な眼差しを膝許に泳がしていると、長束の声が、なお頼りなげなものになった。

「小早川殿を筑後へ戻すようにと。殿下がご存命の折、左様に仰せられていたとか」

「何だと」

聞いて背筋を伸ばし、わずかに目を見開いた。小早川秀秋は昨年、秀吉の勘気に触れて筑後五十二万石から越前北ノ庄の十五万石に大きく減俸されている。それを旧に復せよとは、少なくとも己は聞いていない。

「前田殿はどう仰せだった」

三成の震え声に、増田は平然として発した。

「そろそろ筑後のこともご遺命に従わねば、とだけ。内府殿から起請文が届いて、手を打つと決められた折だったな」

和睦の起請文が届いた後とは、ますます怪しい。でっち上げたか――証はないが、そう考えるのが一番しっくりときた。だが、どうして家康の言い分を呑んでしまったのだろう。利家は齢六十二、病も相当に重く、当人とて長くない身だと承知しているだろうに。没してしまえば、秀秋が恩義を感じる相手は家康のみになってしまう。それが分からなかったと言うのか。

「治部、どうした」

増田の声に我を取り戻し、小さく「いや」と応じた。

「何でもない。報せ、痛み入る」

二人が帰った後も、三成はひとりその場に腕を組んでいた。

利家が家康の謀略を見過ごした理由は分からない。だが、これは明らかに秀秋を取り込むための動きなのだ。かくなる上は家康との綱引きが必要になる。

「まずは小早川の旧臣を」

自らに言い聞かせるように独りごち、頷いた。秀秋が北ノ庄に転封となった折、抱えきれなくなった家臣の多くを石田家中に迎えている。これらを帰参させるよう、以後、三成は秀秋に打診し、また佐和山の島清興らにも手筈を整えるように命じた。

＊

先の和解から、家康と利家の間は悪くない。二月中には家康が大坂に参じ、病床の利家を見舞う日もあった。恐らくは利家が生きている間だけのことだろうが、三成にとっては、小早川秀秋を引き戻すための猶予が生まれた。

――その、はずであった。ところが、わずか一ヵ月半後の閏三月三日、前田利家が帰らぬ人となってしまった。家康が再び動き出すのは、火を見るよりも明らかである。報せを受けた三成は色を失った。

「いや、まだだ」

口に出して言い、自らを奮い立たせた。時はあと少しだけ残されている。如何な家康でも、和解した相手が鬼籍に入ってすぐに掌を返すとは思えない。ともかくと、まずは秀秋に宛てて書状をしたためた。命を削る思いで一筆一筆を進める。

そこに、常陸国主・佐竹義宣が訪ねて来た。親しい間柄も、理由を付けて帰したいところである。だが佐竹は酷く慌てた様子で、勝手に上がり込んでしまった。

「忙しいのだが。用があるなら手短にな」

横柄に言うと、佐竹は血相を変えて声をひそめた。

「何と暢気な。貴殿を襲おうという動きがあるのですぞ。加藤清正殿、福島正則殿、黒田長政殿、それがしが摑んでいるのはその三名のみなれど、他にも与する者があるやも知れず」

ふふん、と鼻で笑って返した。

「前田殿が亡くなられた日のうちにか。あろうはずがない」

「これが嘘を申しておる顔に見えまするか」

囁き声が返された。確かに佐竹の顔はおかしい。落ち着きのない眼差しは、どうも外の様子、それも八方全てに気を配っているという風である。焦りや苛立ちが極みに達しているのか、息も落ち着かない。ここに至って、三成も軽く息を吞んだ。

「まさか……まことの話か」

「先から左様に申し上げておりましょう。佐竹家が豊臣麾下となれたのも、常陸国主のお墨付きを頂戴できたのも、ひとえに貴殿のご助力ゆえ。なればこそ危急をお助けせんと参じたのです」

がん、と頭に響いた。

加藤清正、福島正則、黒田長政、それらに嫌われているのは重々承知していた。だが、これほど理不尽な話があろうか。己は一度たりとて豊臣の法度を破っていない。主君の老いと戦い、それでも下命を違えず、かつ全てを滞りなく進めてきた。そうするために、あちこちに敵を作ってきたが、それとて正しいことを為すためだったというのに。

「お急ぎを。宇喜多様にお話を付けてありまする。まずは、そちらへ」

佐竹に手を引かれ、ふらふらと立ち上がる。雲を踏むような思いで歩を進め、屋敷の裏手から導き出されて、やがて宇喜多秀家邸に匿《かくま》われた。

宇喜多屋敷の一室に導かれてから、どれほどの時が過ぎたろう。着いた頃は西日が差していたはずだが、今やすっかり夕闇に包まれている。閉めきった部屋がことさらに暗い。

「治部殿」

秀家に声をかけられ、障子を見る。小さな明かりが向こうでぼんやりと滲んでいた。返答せずにいると、秀家は「おい」と発した。下人と思しき者が「失礼いたします」と中に入り、行灯に火を入れて立ち去った。

「其許が嫌われておるのは承知しておったが、これほどとは思わなんだ」

溜息と共に障子を閉め、秀家が正面に腰を下ろした。膝詰めという辺りである。

なぜ己が襲われねばならぬ。自問していたことを少し口に出すと、秀家は腕組みをして、重そうに頭を振った。

「やはり、先の唐入りが大きい」

慶長の役での激戦、蔚山の戦いの後で、秀家以下十三名から「出すぎた三つの城を捨てて守りを固めるべし」と上申があった。秀吉は激怒してこれを一蹴したが、三成は主君を諫めるでもなく十三名への叱責を看過した。

「かく申すわしも、あの折にはお叱りを頂戴したのだがな」

苦笑する秀家に向け、消えそうな小声で発した。

「貴殿には申し訳なく思いましたが。されど早々に兵を退くためには……」

秀家は「いやいや」と応じた。

「怒っておるなら匿《かくも》うたりせぬ。其許が和議を探っていたのは、初めの唐入りの時から知っておったからな。とは申せ、余の者は……。お叱りを頂戴したのも、苦しい戦を強いられたのも、其許の佞言ゆえだという声が大きかった」

「だからとて、前田殿が亡くなられたその日に」

すると秀家は四人の名を口にした。池田輝政《てるまさ》、加藤嘉明、浅野幸長、細川忠興、佐竹が挙げた三人に加え、これらも三成を襲うべく動いているという。秀家は「思い当たる節があるだろう」という眼差しであった。

三成は「あっ」と口を開いた。加藤嘉明と浅野幸長は、長束と増田に頼んで家康方だと炙り出した者たちである。だがそれ以上に、細川忠興の名に茫然自失となった。家康と利家が対立した折、細川は利家の側にあって双方の仲裁に動いていた。つまりは――。

「まさか。初めから、それがしを。決めていて。内府殿との間を……」

秀家は溜息と共に頷き、四、五日前に利家を見舞ったことを明かした。

「ご自身の命も、もう幾日かとお分かりだったのに相違ない。己が亡き後を頼むと言って、話してくれたことがある」

家康に勝ったとて、利家が死ねば三成が漁夫の利を得る。しかも三成は武功の者を顧みることなく、対立する大名とて多い。豊臣にとっての火種を残すより、むしろ徳川と結んで後の安泰を探るべきではないか。細川にそう言われ、利家は和解を受け入れたのだという。

「この話で、わしも細川殿の肚は察していた。今日のような騒ぎもあろうかと思うてはおったが……。その日のうちに動くとまでは、さすがに見抜けなんだ」

ひととおりを聞いて、三成はがくりとうな垂れた。右手で両目を押さえる。

小早川秀秋を筑後に戻す――でっち上げの遺言を、利家が是とした理由が知れた。

利家は秀吉の旧友であり、臣礼を取ってからはひたすら忠節に励んだ。豊臣の天下が第一であり、それを乱すやも知れぬ者は誰であろうと除きたいのだ。死期を悟って気弱なところへ細川から「三成こそが火種」と唆され、家康の益となることに思い至らなかったとは。

そして今さらながら、なぜ前田屋敷に加藤清正が来ていたのかを思い知った。己の警戒をそちらに向け、細川忠興から目を逸らすための囮だったのだ。

「家康め」

声には出さず口だけ動かし、三成は顔を覆っていた手で力なく膝を叩いた。

一刻足らずで、佐竹義宣が宇喜多屋敷の裏手に至った。女駕籠を支度し、自らは駕籠舁《か》きに扮していた。

七人の将が石田屋敷を襲うよりも早く、三成は大坂から逃れた。窮屈な駕籠に揺られて、頭がくらくらする。どこへ向かっているのかと思うものの、追われる身ゆえに外を窺うことも憚られた。真っ暗な中、ただ身を小さくして背を丸め続けた。

「着きましたぞ」

佐竹に促されて駕籠を下りる。目の前にあるものを見て、三成は仰天した。

「これは」

伏見城の大手門であった。向こうには勝手を知った治部少丸がある。だがしかし、大手門のほぼ正面には家康の伏見屋敷があるのだ。

唇を震わせて顔を向けると、佐竹は頬かむりを取って真剣そのものの眼差しを返した。

「ご案じ召されますな。窮鳥懐に入らば猟師も殺さずと申します。それがしが命に替えてでも必ずお守りいたしましょう。まずは治部少丸にお入りあれ」

ごくりと喉を鳴らす。どうしたら良い。果たして佐竹は家康を説き伏せられるのか。だが今の己にとって、治部少丸の他に行く当てがないことも確かである。

「……其許を信じる」

肚を括り、三成は伏見城に入った。

閏三月四日、未だ夜が明けぬ頃に、加藤清正、福島正則以下の七将は伏見にまで手勢を進めてきた。そして三成の身柄を引き渡すよう迫ったものの、家康はついにこれを聞かず、説き伏せて追い返した。

佐竹が家康と何を話したのかは知らない。しかし先の言葉どおり、この身を守ってくれた。九死に一生を得たと知って、三成の顔に薄笑いが浮かんだ。

*

襲撃の後、三成は奉行の任を解かれて佐和山に蟄居を命じられた。世を騒がせた一方の責めを負うべしという、家康の裁定である。出立の日、閏三月十日は良く晴れていた。治部少丸で旅支度を整えていると、長束正家が別れを言いに訪ねて来た。

「いよいよか。無念であろう」

気遣いの言葉にも、三成はさらりと応じた。

「そうでもない」

「とは申せ、お主がおらぬようになっては政も滞る。気懸かりではないのか」

「内府殿がおられる。大事なかろう」

長束は拍子抜けしたようであったが、ひと呼吸の後、囁き声で詰め寄った。

「貴公の方が悔しそうだな。むしろ好機ではないか」

「負けを認めるのか」

「は？」

怪訝そうな顔に、短く返した。

「何しろ、わしは生きておる」

家康が三成を救ったのは、佐竹の談判によるところが大きい。しかし、そうでなくとも同じ結末に至ったはずだと思われた。

あの晩、己はこの治部少丸に入っていた。秀吉の居城であっただけに、伏見城の守りは堅い。城番の長束に頼んで兵を動かせば、たとえ家康相手でも数日は持ち堪えられたろう。

「内府殿が戦を避けた訳が分かるか」

三成の問いに、長束は「知れたことだ」と返した。

「お主は嫌われておるが、豊臣の法度を破ったことはない。攻めれば豊臣に弓引いたも同然、お主に味方する者とて多かったはずだ」

「そこに、見えたものがある」

三成は抑揚の少ない声で、さらさらと述べた。つまり家康は、戦になれば自身こそ危ういと分かっていたのだ。これまでを見れば分かるとおり、家康は味方を集めに掛かっている。ならば政を完全に私し、豊臣の力を殺ぎ落として「徳川にこそ逆らえぬ」と思わせる方が得策なのだ。

「如何にも、わしは邪魔者だったろう。あの晩に七人を動かしたのは、わしを亡き者にするためではなく、政から弾き出すためであった。そうは思えぬか」

「なるほど。戦に及ばず、お主を外せば」

得心顔の長束に向け、にんまりと頬を歪めて続けた。

「内府殿……いやさ、家康はこれで好き放題にできる。だが、その度に憤る者も増えるだろう。政とはそういうものだ」

「左様な者たちを束ねるか」

存分に腕を振るえば敵を作る。長束はそのことに「お主を見ていれば分かる」と言いたげな面持ちであった。三成は少しだけ両の眉尻を下げ、座を立って玄関へと向かった。上がり框に腰を下ろして袴の裾を括り、後に付いて来た長束の顔を見上げる。

「これまで、やられ通しであったがな。されど家康の筋書きには二つの綻びがある。ひとつは豊臣の力を奪うのに時がかかること。もうひとつは、わしを討つ訳にはいかなんだことだ」

機を見て動くぞと眼差しで語る。長束は固唾を呑んで頷いた。

「上方の動きを報じれば良いか」

実直な男らしい返答に、三成は「頼む」と立ち上がった。

「大坂の増田殿と手分けすれば、できよう。加えて、宇喜多殿を通じて毛利殿に渡りを付けてもらえると助かる」

「相分かった」

快諾を得て治部少丸を出る。大手門に至ると、そこには家康の二子・結城秀康が百の兵と共に待機していた。三成は神妙に頭を下げた。

「遅くなり、申し訳次第もござらぬ」

「いえ。参りましょう」

奉行の任を免じられ、豊臣の政から放り出されるとは言え、あの襲撃から未だ六日しか過ぎていない。件の七将が三成を再び襲わぬとは言いきれず、もしそうなったら七将は豊臣の法度によって裁かれる。家康が自身の子を護衛に付けたのは、せっかくの味方を失うのを避けるためであった。

伏見から北に進み、京の町に入る。分厚い門扉と漆喰塗りの高い塀に仕切られ、荘厳な公家屋敷が建ち並んでいる。表通りの町家や商家は、黒光りする瓦と頑丈そうな板壁で小奇麗に仕上げられていた。こうした華やかな町並とも、しばしの別れである。

「佐和山は、十九万石にござったろうか」

轡《くつわ》を並べた馬上で秀康が問うた。三成は「いえ」と応じた。

「父や兄の知行、それがしの飛び地を合わせれば四十万石ほどかと。とは申せ、内府殿の二百五十万石には遠く及ばぬ身にござる」

穏やかな笑みを浮かべると、秀康は厳しい面持ちで返した。

「ご無念は察して余りあれど、ゆめ軽挙は慎まれよ。父からも、亡き太閤殿下からも、貴殿のお力はよくお聞きしたものです。その才覚が潰えてはと、それがしは憂えるものにござる」

三成は、にこりと笑って返した。

秀康は家康の二子だが、長兄が没したため、本来なら嫡子の立場にあるはずだった。しかし徳川から秀吉の養子――という名の人質――に出され、後に関東の名族・結城家を継がされた身の上である。当年取って二十六と若いが、幾多の辛酸を舐めてきたとあって、こちらの悲運を思い遣る心根に嘘は見えなかった。

五条大路に至り、東へと進む。山科を越えて近江に至った頃には、もう昼時となっていた。秀康の兵が支度した昼餉の雑炊を食うと、琵琶湖に沿って進んだ。大津から粟津《あわづ》、瀬田川を越えて草津を指す。左手に眺める水面は空を映し、青く澄んでいた。ぽつぽつと小さな固まりの雲が、穏やかな小波に乱れている。

懐かしい。佐和山城代を命じられ、後に城主となり、その八年半ほどで近江の土を踏んだのは数えるほどである。しかし、やはり自らの故郷であった。仕官したばかりの頃も長浜城からこの湖面を眺め、加藤清正、福島正則、加藤嘉明らと共に秀吉を父と仰いで過ごした。皆と袂を分かったのも、始まりはこの近江、あの賤ヶ岳の戦いだった。己の根は全てここにある――。

「治部殿、草津にござる」

秀康に声をかけられ、ぼんやりと顔を向けた。

「そうか。忝い」

これだけ京から離れれば、よもや追っ手を差し向けられる気遣いもあるまい。それに、向こうには島清興が五十ほどの兵を連れて迎えに来ている。護衛はここまでであった。

三成は腰に差した刀を鞘ごと抜き取り、秀康に差し出した。

「ご辺への礼に、これを差し上げよう。五郎入道正宗《ごろうにゅうどうまさむね》が鍛えた逸品だ」

秀康は大いに驚いたようであった。

「左様な名品を頂戴してよろしいのでしょうや。貴殿とて武士なれば、良き刀は手放せぬはず」

ゆったりと、首を横に振った。

「所領に戻って蟄居の身。家督とて子に譲るものなれば、最早これも無用の長物にござろう」

さあ、と促す。秀康は少し躊躇った後、刀を受け取った。

「然らば、これにて」

三成は微笑と共に言い残し、向こうで待つ清興の元へと進む。

「ご無事のお帰り、何より……」

出迎えた清興の声が途中で止まる。ああ、そうかと心中に頷いた。秀康に見せた笑みは赤心からであったが、馬が一歩を踏むごとに、不敵なものへと変わっていたのだ。

「すまぬ。これで家康も少しは気を許すかと思うてな」

刀を渡した姿は、清興も見ていた。今のひと言で粗方を察したようである。

「殿だけがおとなしくしていたとて、内府殿は欺《あざむ》けませぬぞ」

「そうだな。家康に逆らわぬよう、皆にも急ぎ釘を刺しておかねば」

この日、三成は佐和山に戻ったが、城には入らず、西の麓にある屋敷に蟄居した。全ては将としての己が終わったと示すためであった。

三日後の閏三月十三日、家康は伏見城内に居を移した。前田玄以、長束正家の両名を城番とする、秀吉の遺命を破ってのことである。長束正家と増田長盛が反対したものの、家康は宇喜多秀家と毛利輝元、年寄二人の諒解を取り付けて押し切った。

三成は長束の書状で仔細を知り、ほくそ笑んだ。長束と増田の反対は形ばかりである。秀家と輝元が諾々と家康に従ったのも、先んじて飛ばした書状のとおり、敢えて逆らわなかったに過ぎない。

「どうだ家康。力を持つとは、心地好いものであろう」

佐和山屋敷の居室から西の庭を眺め、口の右端を上げる。精々喜んでおれ。宇喜多と毛利を従えたと思い込むが良い。

いずれ、全てを覆《くつがえ》してやる――。

二　勝算あり

佐和山城は長浜から南に十五里余の地に築かれた山城である。山の西側は急峻なため、東向きの構えであった。山頂の本丸から尾根伝いに北へ二之丸と三之丸が、南へ太鼓丸が、両腕を広げるかの如く張り出している。京から近く、城下の向こうには東《とう》山道《さんどう》を見下ろす要衝であった。

そういう城だけに、秀吉の派手好きに合わせて煌びやかに飾り立てていた。本丸に築いた五重の天守は漆喰の白壁と金箔貼りの瓦で仕上げ、壮麗な様は近隣の城に類を見ない。東山道を行き来する大名衆に天下人の力を知らしめるのは、第一の近習の役目でもあった。

ただし一歩中に入れば質素そのものである。城壁の外側は白く固めても、内側は剥き出しの土という具合であった。本丸館の庭とて何に気を遣うでもなく、夏の日差しを遮るための木がまばらに植わっているのみだった。

こうした構えは三成の屋敷も同じで、太鼓丸から急な坂道を下った先、西の麓に小ぢんまりと佇んでいた。蟄居してからは家康の目を欺くため、ひとりここで寝起きしている。伏見城、治部少丸の御殿には十いくつも部屋があったが、この屋敷は半分ほほど七つ、物見櫓もひとつだけと、およそ城主の屋敷とは言い難い。しかも長らく上方に詰めていたため、庭は無作法な草の勢いが見苦しい。閏三月末のある日、三成は思い立って草を毟っていた。

「大殿、左近にござる」

門の外で島清興が呼ばわる。声は幾らか緊張しているが、差し迫ったものではない。三成はのんびりと応じた。

「入れ。門の脇の木戸は開いている」

言われたとおりに庭へ進み、こちらの姿をひと目見ると、清興は顔をしかめた。

「何をしておいでです」

「草毟りだが。見て分からぬか」

「見張りの透破にでも命じればよろしゅうござりましょう」

軽く笑って返した。

「どうやって家康を倒すか。考える他に、することがないのだ。それに見張りの役目を疎かにさせてはならぬ」

清興は、やれやれとばかりに溜息をつき、懐から書状を取り出した。

「その『考えるべきこと』が出てきたようですぞ」

立ち上がって受け取る。宛書きの文字は大坂の増田長盛であった。

小さく発し、ふむ、ふむ、と頷きながら書状を検める。読み終えると目だけを清興に向けた。

「家康が動く」

「それは如何様な？」

面持ちを厳しくした清興に、報じられたことを話して聞かせた。

三成を大坂から放逐した後、家康は伏見と大坂に詰める大名衆を順次領国に帰していた。昨年八月に秀吉が逝去して以来、皆が上方で奔走していた。海を渡った者たちも同じで、帰国してすぐ上京し、所領に腰を落ち着ける暇すらなかった。労いに、というのが家康の言い分である。

開いた書状の中ほどを右手の甲で軽く叩き、手渡した。

「年寄衆の四人も追い追い戻る。上杉殿に至っては無理にでもと勧めておるそうだ」

「内府様ご自身は残られるのですか」

清興の目が疑念を映した。三成は「ああ」と返す。

「家康と奉行衆に加え、京や大坂に所領が近い者だけはな。政が滞らぬようにとの話だが……」

「来たか」

「なるほど、布石にござるな。次にどういう手を打つのか、我らも心しておかねば」

大坂の長束と増田から逐一の報せはあるが、より多くのことを知りたい。三成は清興にも聞き耳を立てるように命じた。

だが家康はその後、しばし沈黙した。何をするつもりかと気を研ぎ澄ましていたのに、見込みが外れたのだろうか。

一ヵ月、二ヵ月、佐和山の時は無為に流れる。表立っての動きが取れぬ中、家康のやりように応じて最善の手を打たねばならないのだが、どうしたものか。

張り詰めた心のまま、三ヵ月、四ヵ月と過ごす。未だ沈黙が続いていた。もしや家康は、掛け値なしに皆を気遣って所領に帰したのだろうか。それはそれで不気味である。

五ヵ月余りが過ぎた。いつ、何をするのか。はっきりしない様相に苛立ちを募らせた頃、やっと一報が入った。閏三月に続いて増田からである。

九月七日、家康が大坂に上がった。二日後に迫った重陽の節句のため、秀頼の機嫌伺いに参じるという名目である。ところが、そこで家康を闇討ちにする動きが明るみに出た。企みだけで済んだそうだが、当の家康がそれを明かしたというから、何とも疑わしい。

屋敷の居室で書状を読み終え、あろうことか安堵の溜息が漏れた。

「見えてきたぞ」

目を細め、腕を組んで沈思する。闇討ち云々は偽りであろう。家康は誰かを陥れ、自らの益にせんとしている。そして、恐らくそれは――。

騒動が報じられて以来、長束や増田の書簡が頻繁に届くようになった。

三成の見通しは正鵠《せいこく》を射ていた。

九月二十八日、家康は大坂城西之丸に入った。年寄筆頭を害する企みは豊臣への謀叛に相違なく、万事抜かりなく解決せねばと言い、そのためにと居座っているそうだ。

そして十月、闇討ちの首魁《しゅかい》が割り出された。父・利家の後を継いで年寄となった前田利長《としなが》だという。家康が前田領・加賀の征伐を唱えたことで、佐和山も慌しい空気に包まれた。

三成は城下の屋敷に清興を召し出し、言下に命じた。

「急ぎ、大坂の重家《しげいえ》に伝えよ」

蟄居の後、石田の家督は嫡男・重家が継ぎ、大坂に上がっていた。言伝を命じられ、清興の面に血気が満ちる。

「いよいよ決戦にござりますか」

頭を振って、当然、という風に返した。

「いや。内府殿に従って加賀に兵を出す」

「は？」

肩透かしを喰った様子を見て、三成は目尻に苦笑を浮かべた。

「家康と同じで、勝てぬ戦はせぬに限る。此度の動きで、向こうの肚も知れたゆえな」

今ひとつ分からぬという顔の清興に手招きし、膝を詰めて小声で語った。

先の騒動では奉行筆頭・浅野長政も闇討ちに与したと断ぜられ、領国・甲斐に蟄居の処分が下っていた。

「だが、おかしい。謀叛……とは家康の言い分だが、それほどの大事なら、国許への蟄居など軽すぎる罰ぞ」

「さては……。浅野殿は殿を襲った浅野幸長の父御にて、かねて内府様に近しい。つまりは」

そのとおり、浅野長政の処分は家康に近しいがゆえなのだ。当人も納得ずく、筋書きどおり運んだに過ぎない。

「家康は十人衆の政を壊したいのだ」

先に己が弾き出され、今また奉行筆頭がいなくなり、しかも余の年寄衆は国許に帰っているとなれば、十人衆の仕組みは雲散霧消とならざるを得ない。浅野長政はそれに助力したのだ。ここで前田利長に謀叛の濡れ衣を着せ、攻め滅ぼせばどうなるか。

戦で功を上げた面々には加増の沙汰を下さざるを得ないが、差配できるのは家康ひとりとなる。

清興の目がぎらりと光った。

「加賀を分け与えるのみでは足りぬと言い、秀頼公の蔵入地を切り崩す。豊臣のために戦った者への報いなら筋も通る」

前田家は百万石、整えられる兵は三万を下るまい。だが徳川は倍以上の二百五十万石なのだ。他の大名衆を従えて戦えば、万にひとつも負ける目はない。功を論じて豊臣の力を削り、かつ加増となった者には恩を着せられる。何とも用心深く、嫌らしいほど周到ではないか。

「なおのこと、内府様に与してはならぬでしょう」

「戦が起きねば、どうということはない」

色を作した清興に平然と返し、三成は庭に向けてパンパンと手を叩いた。屋敷のどこかに潜んでいた透破が姿を現すと、それに向けて命じる。

「其方、加賀に遣い致せ」

清興はこれを聞き、やや渋い顔を見せた。

「相手が内府様ともなれば、なるほど、前田様とて勝てぬくらいは承知しておられましょう。されど武士たるもの、挑まれて逃げるは潔しとせぬものなれば」

聞いて、なぜか加藤清正と福島正則の顔を思い出した。少し忌々しく思い、小刻みに頭を振って応じた。

「御母堂からの忠言とあらば、どうか」

逝去した利家の正室・芳春院《ほうしゅんいん》を動かし、孝に沿う道を布いてやる。それなら子の利長は、徳川に膝を折ったとて一方の面目を保つことができよう。清興も「それなら」と首を縦に振った。

結果は、三成が思い描いたとおりになった。前田利長は家康に使者を出して「闇討ちの一件は身に覚えのないこと」と弁明し、併せて母・芳春院を人質に出して難を逃れた。

「祝着であった」

嫡子・重家から仔細を報じられ、三成は胸を撫で下ろした。芳春院は聡明の聞こえ高い女性《にょしょう》である。策を弄さずとも、前田家の中だけでも同じ顚末に至ったのかも知れない。いずれにせよ家康の胸算用は挫かれた。何よりそれが大事である。

「あとは会津か」

書状を二つに畳み、ぼそりと漏らす。家康が天下を狙う以上、これで終わりのはずがないのだ。

年寄衆の中でも宇喜多秀家は、かねて頼んでいたとおり、家康に従順な姿勢を保ってくれている。毛利輝元にも、長束や増田を通じて同じように頼んだ。加賀の二の舞にはならぬだろう。残るは会津の上杉景勝しかいない。

だが、他の皆にしたように「徳川に逆らうべからず」の忠言を飛ばそうとは思わなかった。家康の筋書きでは、何としても豊臣の名で大物を成敗せねばならないのだ。上杉に矛先を向けた時こそ、どうあっても戦を避ける術はない。

「もっとも……好機かも知れぬ」

発して立ち、廊下に出て、大坂へと続く南西の空を眺めた。世を無用に乱さぬよう、ただ一度の戦で家康を除く。そのための策が胸に萌芽していた。

＊

十二月、佐和山屋敷を訪れる者があった。

「ご無沙汰しておりますな」

目鼻立ちのはっきりした四角い顔に剃髪した頭は、安国寺恵瓊である。かつて毛利輝元の智囊として働いていたが、秀吉が天下を取った後は近習に取り立てられ、九州征伐後に六万石の所領を得ていた。当然、互いを良く知り合っている。屋敷の居室で余人を介さず面会し、三成は深々と頭を下げた。

「お呼び立てして、申し訳ござらなんだ」

「大方のところは、増田殿から聞いており申す」

「ならば話は早い」

家康とはいずれ戦を構えねばならぬ。それも、然して遠くない話であろう。前置きして、単刀直入に申し入れた。

「豊臣のために働くよう、毛利殿を動かしてはくださらぬか」

佐和山十九万七千石、石田家の総力を傾けても四十万石しか持たぬ三成にとっては、力のある味方が必須である。恵瓊も粗方は承知しているようだが、それでも渋い顔で応じた。

「輝元公とは長年のご縁があり申すゆえ、説き伏せることはできましょう。されど石田殿と毛利家のみで、今の内府殿に勝てるかと申さば……」

当然の懸念に、三成はひとつの問いを返した。

「もし豊臣と徳川が戦うなら、恵瓊殿はどちらにお味方されるおつもりか」

「太閤殿下の大恩を受けた身なれば、知れたことよな」

「同じように思う者は、果たして少のうござろうか」

恵瓊は眼差しを外して沈思した。

今の豊臣は秩序を失っている。多くの者が亡き秀吉の恩に感じ、後を継いだ秀頼に忠心を抱きながらも、家康の力に慄き、目の前に示された利に惑わされ、流されているのだ。しかし最後まで豊臣に寄り添う覚悟の者は、ひと握りではない。

「……それでも、内府殿には勝てぬかと」

慎重な見通しに、三成はすまし顔を向けた。

「嫌われ者の石田治部が大将に任ずるなら、確かに人は集まらぬでしょうな」

敢えて言わなかったのであろうことを、はっきりと口にする。恵瓊が少しばかり嫌そうな眼差しを見せたが、構わずに続けた。

「ゆえに、毛利殿に大将の労をお取りいただきとう存ずる」

顔つきが変わった。しかし寸時の後、再び「いやさ」と頭を振る。

「輝元公が旗頭でも、まだまだ……。そも治部殿は何ゆえに決起なさる。義の心だけでは、人は動かせぬものですぞ」

味方を集めるひとつの手管として義心を云々したつもりだったが、恵瓊はこちらの胸中も同じく義であると受け取ったらしい。思わず、くすくすと笑いが漏れる。

「無論、それがしにも義心はある。されど飽くまで己ひとりの心根にて、これを以て天下を云々するなど、くだらぬことにござる」

あまりに意外だったか、恵瓊は言葉も出ないようだ。そこに向け、声音に熱を込めた。

「それがしが立つは、天下の大義のため。今は豊臣の世にござるが、そも天下とは国を統べる枠組みに過ぎぬのです。政を預かる身は、そこに拘ってはならぬ。何を措いても、まず日の本を良くする道を探らねばならぬはず」

恵瓊は、ひと頻り唸った。

「つまり其許は、自らの義よりも国の礎《いしずえ》を重んじると」

黙って頷き、じっと目を見て問うた。豊臣の天下が続くのと、徳川の天下に変わるのと、どちらがこの国をより早く泰平に導き、栄え、富ませられるだろうかと。

徳川が天下を取るには、目の上の瘤となる豊臣を除かねばならない。しかし豊臣は未だ強大な力を持つ。家康の示す利に踊らされぬ者もいる中、これを打ち倒すのに何度の大戦を要するかは分かったものではない。長きに亘った戦乱の上に、さらに深い傷を負ってしまう。

溜息交じりに、二度の頷きが返された。

「申される儀は良う分かり申した。されど……仏法に帰依すると、まず教えられ申す。拙僧も然り、其許も然り、現世《うつしよ》に生きる人とは愚かなものだと」

突き詰めれば人は欲のために生きていると、恵瓊は言う。食う、寝る、商う、立身出世する、子を儲ける、子孫繁栄を願う、果ては生きることさえ欲なのだと。

「其許の思いは、人の欲としては実に高邁《こうまい》だと言えよう。ゆえにこそ、解する者はひと握りしかおらぬはず」

それは、これまで散々に思い知らされてきた。苦笑が浮かぶ。

「……申されるとおりにて。そこは家康と同じ手を打てば良うござる」

家康は知行の加増で味方を掻き集めている。まさに人の欲を衝いたやり方だが、豊臣とて天下の頂に立つ以上、同じことはできるのだ。

「とは申せ、それも内府殿に勝てばの話よな。無闇に新恩を下すばかりでは、豊臣が痩せ細ることに変わりはない。そも勝算なくば、如何に加増を約したとて人は集まらぬもの」

三成は、にやりと口の端を持ち上げた。

「勝てば良いのです」

渋いままだった恵瓊の顔が、驚愕を湛えた。これを皮切りに三成は滔々と語る。このひと月、胸に温め続けた策であった。

「そも家康が加賀征伐を云々したは、豊臣の力を削るため。それが頓挫した上は、必ず次を考える。忠心篤い宇喜多秀家殿に濡れ衣を着せることは難しく、西国の雄・毛利輝元殿には下手をすれば負ける。会津の上杉景勝殿が狙われるは必定かと」

もっとも上杉の家宰・直江兼続は剛毅の士であり、また慧眼である。どうしても大戦が欲しい家康の思惑など容易く見抜くだろう。屈するという道が閉ざされていると察すれば、必ず迎え撃つ。

「我らは会津に応じて兵を挙げる」

そして三成は、幾人かの名を口にした。

まず常陸の佐竹義宣は豊臣家中第四の大身であり、大坂屋敷が襲撃を受けた晩には

「我が命に替えても」と言ってくれた男である。宇喜多秀家も己を助けたひとりであり、しかも唐入りの頃から互いに意を通じている。

次に信州上田城の真田昌幸を挙げた。小田原征伐の折、己は秀吉に忍城の水攻めを命じられたにも拘らず、敢えて下命を果たさなかった。その真意を察し、意気に感じてくれた義兄である。しかも、かつて家康を散々に打ち負かした戦上手であった。

美濃の織田秀信とは、向こうが幼い頃からの懇意である。己が佐和山に蟄居と決まった折には岐阜城に戻って兵を整えたくらいで、これも味方に引き込めると見て良い。

「会津、常陸、信濃で北から関東を囲む。岐阜は天下に名だたる名城、毛利・宇喜多が加勢して西から圧すれば、家康は国許に押し込められ、容易く動くこと能わず」

徳川を包囲し、雁字搦めにする——策を示すと、恵瓊がごくりと固唾を呑んだ。

「他には」

「それがしの無二の友、大谷吉継も味方しましょう。小西行長殿、長束正家殿、増田

長盛殿、九州では島津義久殿を頼むこともできようかと」

この形が整えば、十分に勝ち目はある。戦後の恩賞にも真実味が宿り、向背定かならぬ者を束ねられるのだ。

「家康が動けぬ間に東海道を攻め下り、関東にて腹背を衝かば」

「……内府殿に惑わされた者も音を上げ、味方に転じるは必定か」

「いかにも」

恵瓊は長く溜息をついて、真っすぐ立てていた背を少し緩めた。

「いやはや、其許が戦下手などとは根も葉もない話ではないか。されど治部殿、内府殿に擦り寄っておる者は、そもそも其許を嫌うがゆえぞ」

今ひとつの懸念を述べられ、掬い上げるように眼差しを向けた。

「戦の後、それがしが政を握らば、不平を溜め込みましょうな」

「ならば、勝ったとて其許の思い描く世には程遠い」

三成は口の右端を持ち上げ、にやりと笑った。

「何を申されるかと思えば。先には無体にも、この治部を襲った奴輩にござろう。不平あらば、またぞろ同じようなことを企むに相違ござらぬ」

然る後、これ以上ないすまし顔を見せる。

「左様な時こそ、政の力を見せ付ければよろしい。世のためにならぬ者を取り潰すくらい、容易い話ではござらぬか」

「これはまた……。恐ろしいことを考える御仁かな」

幾らか慄いた顔に向け、三成は言い添えた。

「世を乱さぬためにござる」

刹那、その「切り捨てる相手」の顔が胸に去来した。自らを押し殺すと決めたにも拘らず、共に秀吉を父と慕った加藤清正、福島正則、加藤嘉明の三人には青臭い思いが残っていた。

恵瓊が「おや」という目を見せた。見透かされたかと思うと、気恥ずかしい。

「それが終わったら、佐和山で安らかに暮らしたいものだ」

ごまかすように漏らした呟きだが、偽りなき本音でもある。これを聞くと、恵瓊は高僧としての穏やかな顔つきを見せ、ごく小さく肩を揺すった。

「相分かった。輝元公のことはお任せあれ。ただし、まことに内府殿が大坂を離れるなら、に限らせていただきますぞ」

談合が終わり、夜を待って恵瓊が去って行く。物見櫓から見送る馬の松明は、二里も進んだ辺りで漆黒に呑まれて見えなくなった。

家康が大坂を離れさえすれば、毛利輝元は味方に付く。上々の首尾であった。

「必ず、そうなる」

闇の中、三成はひとり力強く頷いた。己が大坂にあったら、家康は決して留守にはしない。また西国の大老・宇喜多秀家と毛利輝元が対立の意を示すなら、やはり動かぬだろう。だが己は佐和山に蟄居し、加賀征伐が持ち上がった折には家康に従って見せた。秀家と輝元も家康に逆らわないでいる。未だ十分とは言えぬが、少しは警戒も緩んだはずだ。

「次の動きが見えたら、仕上げだ」

小さく呟いて櫓を下り、屋敷へと返した。

＊

世の動きを待つことしばし、慶長五年（一六〇〇年）一月を迎えた。所領に戻っている遠方の者を除き、諸大名は大坂城に新年参賀に上がる。秀頼に関するのとは別に、家康にも参賀を行なう者が大半であった。三成も嫡子・重家にそうせよと命じていた。いよいよ家康は名実共に「天下様」となっている。

ならば、あと少しだ。

気を張っていると、三月、ついに世が動いた。三成の見通し違わず、会津の上杉景勝に謀叛の動きが報じられた。会津では本城・黒川《くろかわ》から北西五里の神指原《こうざしばら》に城の縄張りを始め、道や橋の普請を行ない、矢玉を集めている。これが不審であるとされていた。

四月二日の朝、三成は蟄居してから初めて佐和山城に入った。もっとも本丸館ではない。武具兵糧の蔵であり、物見櫓として使う五重の天守であった。島清興と並んで城の東を遠目に眺める。南から北へと通る東山道を、威儀を正した一行が行き過ぎていた。馬に乗る者が数名、周りを固める兵は百ほどだろうか。ゆったりと進む行軍は、昨四月一日に家康が発した会津への糾問使であった。

「直江殿は、どう答えるものでしょうな」

清興の声に振り向く。直江兼続とは、上杉を傘下に従えるべく動いた頃からの仲である。どういう態度で臨むかは手に取るように分かった。

「豊臣に二心なきことは間違いない。潔白だと胸を張り、手厳しく嚙み付くだろう」

「遣いが至らば、戦が避けられぬことをお察しになると？」

三成は面持ちひとつ崩さずに「いや」と返した。

「直江殿は、とうに家康の筋書きを見通しておられる。矢玉を集めたのも、そのためであろう」

返して、階下へと歩を進めた。後に付く清興にひとつを命じる。

「大坂の増田殿に書状を頼む」

「はっ。して、何とお伝えなさいます」

階段の途中で足を止め、肩越しに見上げて口元を歪めた。

「噂を流してもらうのだ。家康が大坂を離れたら、この石田治部が兵を挙げる……とな」

清興は心中を窺うような目を見せた。

「罠……なのですか」

「分かったか」

「大殿のなさりようにも慣れましたゆえ」

三成は含み笑いで前を向き、また階段を下った。

秀吉に仕えてから今日まで、家康ほど食えぬ男は見たことがない。煮え湯を飲む思いで秀吉の麾下に入ったにも拘らず、重い軍役にも嫌な顔ひとつせず、国替えにも諾々と従って忠実な家臣を演じ続けた。警戒されていると知り、いずれ天下を奪ってやると心に決めていながら、当の秀吉が死ぬまでひたすら待った辛抱強い男である。

「佐和山に蟄居し、何度も降参して見せたが……。家康はこのくらいで、わしへの用心を怠ったりはせぬだろうからな」

話している間に天守の玄関口へと出た。本丸館の前を素通りして南の太鼓丸《たいこまる》へと進む。太鼓丸のすぐ西には三成の屋敷へと続く道があり、急な山肌に丸太を渡しただけの粗末な階段を下りながら、なお語った。

「あの男も、もう五十九か。されど微塵も耄碌《もうろく》しておらぬ。天下を奪わんとするに、危ない橋を渡らぬ道を見出すなど、恐ろしいほどの冴えではないか」

「まこと恐るべき御仁にて。そして、大殿の恐さを良く知っている」

「誰かに泣きを見させてでも、御政道の正しきことを貫くような嫌われ者だとな」

混ぜ返すように発して階段に腰を下ろし、手招きをする。清興が隣に座った。

「大殿が嫌われ者に甘んじておられねば、世の不平は殿下と豊臣に向いたはず。さすれば内府様は、もっと容易く天下を覆すに至ったでしょう」

三成は、にやりと返した。

「わしが兵を挙げたとて小勢に過ぎぬ、味方とて少ないと、家康は侮っておるに相違ない。嫌われ者の面目躍如よな」

己が兵を挙げた場合、間違いなく与する者は大谷吉継と小西行長、佐竹義宣くらいというのが衆目の一致するところだろう。だが裏では宇喜多秀家や毛利輝元と気脈を通じ、織田秀信や真田昌幸、島津義久らを語らう自信もある。果たして家康には、それが見えているだろうか。

大身の者だけでも加藤清正、福島正則、加藤嘉明、浅野幸長、黒田長政、細川忠興、蜂須賀家政、池田輝政と、錚々たる名がこの治部を嫌っている。斯様な面々に囲まれ続けて、なおこちらの味方の数に警戒を深くするとは、どうしても思えない。家康は慎重で隙ひとつ見せぬ男だが、それだとて人なのだ。

「家康は、わしを疑うがゆえに挙兵の噂を信じる。信ずればこそ、楽に倒す好機と踏んで誘いをかけるであろう。出て来い、とな」

清興が、ちら、と向いた。

「佐和山の兵は精々一万だと付け加えて、背を押してやっては？」

「……いや。楽だぞと示し過ぎれば、かえって裏を読もうとする。そういう狸ぞ、あれは」

「承知仕った。噂の一件、急ぎ増田殿にお伝え致しましょう」

発して、清興は来た道を引き返す。三成はひとり蟄居先の屋敷に戻った。

家康が大坂を空けることがあれば、三成が兵を挙げる——士分の者、商人衆、果ては百姓にまでこの噂が広まった頃、糾問使が戻った。五月三日である。

上杉景勝は直江兼続を介して弁明の書状を寄越した。家康はこの弁明を「極めて不遜である」と言って激怒し、会津征伐を唱えるに至った。

大坂の増田から顛末を報せる書状が届く。そこには上杉側の言い分も要略されていた。

上洛して謀叛の嫌疑に釈明せよと言うが、上杉は国替えして会津に入ったばかりである。内府殿が自ら帰国を勧めたのも、そのためではなかったのか。にも拘らず、またすぐに上洛せよとは如何なる意向か判じかねる。上杉に二心ありと唱えるのなら、まずは訴え出た者を詮議すべし。それができぬと言うのなら、内府殿にこそ叛心ありと疑うに足る。

武具を集めていることとて、槍働きを以て主家に仕える者の務めであり、疑うのはおかしな話だ。城や道、橋の普請を謀叛の支度と言うのも的外れである。謀叛するなら、むしろ道を断って攻め込まれぬようにするのが常道であろう。

押し並べて詮議が足りず、讒訴を鵜呑みにしているとしか言い様がない。上杉には叛意など微塵もないが、どなたかは太閤殿下のご遺命に背いて勝手放題と聞く。そちらを捨て置いて上杉を疑うと言うのなら、内府殿が自ら会津に出向いて話し合うのがよろしい。我らはご来訪を心待ちにしている――。

やはり直江は慧眼である。筆にも一切の容赦がない。ひととおりを読み、三成は珍しく腹を抱えて笑った。

＊

六月十六日、家康を総大将とする会津征伐軍が大坂を発した。

家康はやはり周到であった。三成挙兵の噂を聞き、与する恐れのある大谷吉継と佐竹義宣を従軍させ、西国大名からも小西行長に出陣を命じている。だが三成は、これを知ってほくそ笑んだ。

「綻びが見えた。……板挟みよな、家康」

家康が手堅く天下を奪うには、必ず勝てる大戦が必須なのだ。会津征伐を逃せば次の機会は見えない。時を置けばあれこれ仲裁も入るだろうし、征伐の気運とて減じてしまう。

急がねばならぬ——そこに塞ぎようのない穴が生まれた。当の家康も同じだが、大名自身が大坂に詰めていても、兵の大半は国許にある。東国衆は会津までの道中で所領に戻り、兵を合流させねばならない。佐竹や真田を語らう隙が生じるのだ。南肥後に所領を持つ小西とて、いったん帰国して兵を連れる間に決起を伝えれば良い。

全軍を揃えてから出陣するという選択も、先の噂によって潰されていた。大坂に大軍が集結したところで三成が決起したら、石田方に与する者は、十分な兵を揃えた上で呼応するからだ。それでは家康にとって小勢相手の戦とは言えなくなる。

「左近やある」

三成は島清興を呼び、二つを命じた。まずは自身の嫡子・重家を大谷吉継の陣に帯同させることであった。無論、口だけである。家康への人質を出すに等しい申し出は、決起の真偽を覆い隠してくれるだろう。もうひとつは長束正家に、所領・近江水口で家康を饗応《きょうおう》するように伝えることである。

結果、石田重家の従軍は認められ、長束の饗応も「有難く受ける」との返答が為された。

だが――。

六月二十日、長束が三成の佐和山屋敷を訪れた。昼日中、人目も憚らずの来訪である。

「家康め、よほどお主を疑っていると見える」

居室に招いた長束は、真剣そのものの笑みを見せた。

「やはり水口を素通りしたか」

「ああ。佐和山の近くで夜を明かす気にはなれなんだらしい。さっさと近江を抜けてもらう策が図に当たった」

いつまでも近江に留まられては、こちらの動きがどこから露見するか分からない。

水口での饗応の申し出は、家康の首を寒からしめるためであった。

「さて、これからが忙しい」

発して立ち、三成は床の間の文箱から四通の書状を取り出した。美濃岐阜城の織田秀信、備前岡山城の宇喜多秀家、大坂にある安国寺恵瓊、そして征伐の当事者・会津の上杉景勝に宛てたものであった。それらを長束の前に置き、三成は小声で発した。

「岐阜中納言様には家中の者を遣る。会津には透破を飛ばす手筈だ。お主は残りを頼む」

「承知した」

長束は二通を受け取ると、すぐに大坂へと返した。

近江を抜けてから、会津征伐軍の動きは緩慢なものになった。東海の大名衆が手勢を迎え入れるためでもあるが、一方では三成の兵力を侮り、決起を待っているのが明らかだった。

三成にとっては、何とも歯がゆい時間であった。征伐軍の中でも、佐竹義宣と真田昌幸には味方を頼めるだろうが、それらに密書を飛ばすにも時を選ぶ。両者が兵を連れるため、所領に入ったところを狙わねばならない。

もっとも、焦れるばかりではなかった。織田秀信や宇喜多秀家、毛利輝元からは早々に味方する旨の返答があり、また小西行長に至っては領国・南肥後に戻る前から大坂の増田長盛が渡りを付けている。

「これで七万か。もっとだ」

毛利の助力を報せる恵瓊の書状を畳み、三成は独りごちる。と、屋敷の裏手から慌しい駆け足が庭に回った。島清興であった。

「申し上げます。大谷吉継様、城に参じられてございます」

「そうか。本丸館へ通せ」

先の申し出に従い、嫡子・重家を連れに来たのだろう。業病に冒された吉継は、もう自らの足では歩けないと聞く。城に参じたものを山の裏側にある屋敷まで来させるのは、さすがに憚られた。

本丸館、庭に面した中之間でしばし待つ。庭の地面は剝き出しの土、まばらな庭木は満足に枝も払っていないとあって、何とも殺風景である。やがて、その庭に吉継が現れた。痩せ細った体を麻布で巻き固め、兵の担ぐ板輿に揺られる様は、さながら冥《めい》府《ふ》の幽鬼かと見紛うほどであった。

「これへ」

三成が発すると、吉継の兵が輿を担いだまま庭から廊下に上がった。そして板張りの間に輿ごと吉継の身を置き、一礼して庭に戻る。ここまで来るのにも相当疲れたようで、吉継は細く長い溜息をついた。

「待、たせた。重家殿を、お連れしに、参った」

口はなお回り難くなっている。麻布の間から覗く目もほとんど真っ白に濁り、こちらの姿が見えているのかどうかすら怪しい。三成は立ち上がって輿へと進み、一尺余りまで間を詰めて腰を下ろした。

「良う来てくれた」

「友、の頼み、だ」

三成は、にこりと笑って見せた。吉継は、少し遅れて口元を窮屈そうに緩める。ほぼ見えないのだろう。気配を察したに過ぎぬと知れた。

「病の身で戦に出向くのだ。自らのことだけで手一杯であろう。重家の面倒まで見させるのは忍びない。ゆえに」

「……兵を挙げ、るか」

清興が、後ろで小さく「おお」と漏らす。三成も誇らしかった。今の今まで決起の意を明かしていなかったのだ。噂は流したにせよ、家康を動かすための策に過ぎない。しかし吉継は、己が必ず立つと信じていた。これほど己を知ってくれる友は他にいない。

「是非、お主にも味方してもらいたい」

深々と頭を下げて頼んだ。吉継は「良い」とだけ返した。他人行儀はよせということだろう。

「勝ち、目は？」

「ある。勝敗は兵家の常、必ずとは申せぬ。だが」

三成は、練りに練った策を示した。

上杉はとうに戦を構える気でおり、こちらが火の手を挙げれば、その時から呼応する形になることは明らかだ。既に織田秀信、宇喜多秀家、毛利輝元が味方に付いた。家康が関東に入ったところで佐竹と真田を語らう算段である。北から睨みを利かせて家康の動きを封じ、西から攻め下って関東で決戦に持ち込む。あと一歩なのだと、熱意の言葉をゆっくり、ゆっくりと続けた。

「ほう……」

吉継が感嘆の声を漏らす。伝わったのだ。これで朋友と敵味方に分かれずに済む。共に泰平の礎を築ける——。

「いかん。この策、成らぬ」

吉継が静かに発した。耳を疑った。どういうことか分からない。

「無理だ」

重ねて言われ、三成は色を失った。

「何ゆえか」

「内府殿、の動き。どうやって知、る」

「透破を飛ばしておる。差し障りはない」

吉継は、ぎくしゃくした動きで頭を振った。

「遅い。間者、も、おらぬとは」

家康の動きを知ることが一日遅れれば、それだけ策のとおりに運ばなくなる。吉継はそう言っている。三成の策が家康の虚を衝くものである以上、家康の軍に従いながら、その場で動きを知らせてくれる者がなければならぬのだと。

「今の、ま、までは。お主の、申すとおりには」

決起に与することはできぬ。それが吉継の答だった。

「重家殿は、お連れせ、ぬ」

吉継が弱々しく右手を持ち上げる。庭に控えていた兵たちが部屋に上がり、三成に一礼して輿を担ぎ上げた。

友は、去った。残された三成は背を丸め、後ろにいる清興に向けて声を震わせた。

「……己惚れておった。他の誰が助けてくれぬでも、吉継だけは必ず味方してくれると」

清興は、しばし黙っていた。かける言葉もないのだろう。

そう思った。しかし。

「何を仰せか！」

不意の大喝に背筋が伸びた。驚いて後ろを向く。清興がゆらりと立ち、顔を朱に染めて見下ろしてきた。

「それがしをお抱えになるに当たり、大殿は何と仰せられました。友として力を貸せと、左様に仰せくださったのです。この清興、常にそのつもりでおり申した。ゆえに、どこまでも大殿のお力になる所存。信じぬと仰せられますか」

「お主は信じておる。友だと思うておる」

「ならば」

清興の激しい語気が総身を押した。

「友と信ずる相手なら、最後まで信ずるべし。必ず味方に参じてくれると信じ、大谷様をお待ちするのが人たるものにござる。よしんば裏切られたとて、今の大殿に悄気《しょげ》返《かえ》っておる暇などござらぬはず。しゃきっとなされい！」

無言の時が流れる。清興は返事を待ってくれていた。

「……そうだな」

三成は頷いた。吉継の決断は胸に痛い。それでも己には、まだ支えんとする友がある。清興の言うとおり、意気消沈している場合ではない。すくと立って胸を張った。

「左近。長束殿と増田殿、恵瓊殿を佐和山にお呼びせよ。家康との決戦、動かすぞ」

「御意！」

清興は清々しい笑みで頷き、一礼して中之間を出ると、すぐに人を走らせた。

三成が呼び寄せた三人は、七月十一日に佐和山に入った。外に漏れてはならぬ密議ゆえ、場所は城ではない。西の麓の屋敷、三成が寝所として使っている一室であった。灯りは蠟燭ひとつ、障子越しには、そろそろ床に就く頃かと見えるばかりであろう。三人を前に、三成は小声で告げた。

「これより兵を挙げる」

「いよいよだな」

増田が顔を紅潮させ、その隣で長束が「うむ」と頷いた。

「内府殿の動きは？」

恵瓊の面持ちが鋭い。一介の僧ではない、謀将の本性が顕わになっていた。

「透破からは、まだ。だが我らがいつまでも動かねば、上杉……直江殿も、もどかしい思いをなされるであろう」

返すと、恵瓊の顔は幾らか渋いものになった。それでも「毛利と宇喜多が揃えば」という思いではあるらしい。

「他にも味方を募らねばなるまい」

増田が落ち着きのない声で言う。三成は口を真一文字に結んで頷き、手短に発した。

「新恩で釣る」

「相手は？」

長束の問いに「全てだ」と返した。

「ありとあらゆる者に声をかける。大名でなくとも良い。戦のできる者なら、誰でもだ」

と、障子の外に声がした。

「殿。お客人にござる」

清興であった。このような時に客など、なぜ退けぬのか。

「追い返せ。寝静まる頃合ぞ」

静かな怒りを湛えた声に、しかし清興は「なりませぬ」と返した。

「お引き取り願うことはできましょう。されど、それでは殿が人でなくなり申す」

おかしなことを言う。三成は三人に目配せして立ち、細く障子を開けた。

「さあ」

清興が実に力強い面持ちで促す。見た途端、背筋がびりびりと痺れた。

もしや。そうなのか。

居ても立ってもいられなくなった。大きく障子を開き、手荒く閉めると、三成は脱兎の勢いで廊下を走った。

「吉継……」

玄関には、思っていたとおりの男がいた。三和土《たたき》に置かれた板輿までふらふらと進み、膝を落として吉継の両肩にそっと手を置く。

「家康に付いたのではなかったのか」

「た、わけ」

吉継は鼻から生臭い息を漏らして苦笑した。

「内府、は、もう江戸だ。急げ」

奇しくも先に吉継がここを訪れたと同じ七月二日、家康は本拠に入ったそうだ。以後は東国の大名衆を国許に戻し、征伐のための兵を整えさせているという。月末にはそれらを従えて会津へ向かう手筈ということであった。

「透破は人の、目を盗、む。動きを探るにも手、間取る」

三成は目を丸くして身を震わせた。

「お主、そのために」

九日前、吉継が言った意味がようやく分かった。透破が征伐軍の動きを知るには、余計な手間がかかる。佐和山と行き来するのも山に潜まねばならない。だが吉継は征伐軍の将として出陣した。家康がどう動き、いつ戦を始めるのか、誰憚ることなく問うことができ、常に確かな報せを得られる立場にあったのである。相手の動きに応じ、即時動かねばならぬ策なのだろう。ならば、上杉に密書を飛ばすのと同じに考えてはならぬと言いたかったのだ。

あの晩、吉継は言っていたではないか。この策は「今のままでは」成らぬと。それを成らしめるべく、少しでも早くと焦っていたのに違いない。だから、多くを語らずに去ったのだ。

三成は涙を落として平伏した。

「すまなかった。お主の思い、汲み取ってやれなんだ」

頭の上から、たどたどしい声がかかる。

「厄介な友、だが」

顔を上げると、吉継は誇らしそうに言った。病に蝕まれた身を呪い、生きるのが辛いと何度も思った。だが三成は、いささかも付き合い方を変えずにいてくれた。正しすぎる心根で敵を多く作ったが、その心根が、己にはいつ如何なる時でも味方として向いていた。それが嬉しかったと。

「お主がい、たから、生きら、れた。だか、ら信じる」

自らには三成が言うことの全てが分かる訳ではない。ただ、信じた男に託したい。吉継はそう言って静かに頷いた。

「恩、返すぞ」

聞くほどに、涙は止め処なく溢れた。咽ぶ口を押さえ、腹に力を込めて、三成はくぐもった声を支えた。

「しばし、其方らの主君を借りる」

輿を運んで来た兵たちに言うと、すっかり軽くなってしまった吉継の身を背負い、皆の待つ談合の一室へと返す。遅れて玄関まで来ていた清興が、穏やかな笑みで見守ってくれていた。

三　偽の愚者

七月十二日、三成は長束正家、増田長盛、大谷吉継、安国寺恵瓊と共に大坂に入った。家康が残した大坂城番の目を盗んでのことである。ひとまず長束の屋敷で日暮れを待ち、秋の虫が鳴き始めると、皆と共に奉行衆の前田玄以を訪ねた。

玄以に驚いた様子はなかった。家康が大坂を離れることあらば三成が兵を挙げる——先に流した噂ゆえであろう。開口一番、三成は静かな声に気迫を込めた。

「あと幾日かで、毛利輝元殿の四万が大坂に入る。我らは毛利殿を大将に戴き、内府を打ち倒すつもりだ」

単に挙兵を知らせたのではない。毛利の四万と戦を構える気はあるかという脅しであった。玄以もこちらの思惑を察したらしく、痩せた首に喉仏を上下させて問うた。

「勝ち目は」

薄笑いを浮かべ、それには答えずに発する。

「家康めは加賀に言い掛かりを付けて無理やり従え、今また会津を打ち滅ぼさんとしておる。十人衆の政を壊し、自らが豊臣の天下を奪う肚ぞ。あろうことか奉行筆頭の浅野長政までがこれに与し、亡き太閤殿下の恩を踏みにじっておる。残る奉行衆の我らは、果たして手を拱いておるべきなのか。良く良くお考えあられよ」

三成の後ろからは長束と増田が厳しい眼差しを向けている。拒むという道が閉ざされていると悟った玄以は、黙って首を縦に振った。

この晩のうちに、諸士に助力を呼び掛ける書状が発せられた。家康の悪行を十三箇条に亘って書き連ね、秀頼への忠節を促すものである。この「内府ちがいの条々」は大名衆の大坂屋敷を始め、国許にある者にも送ったが、直後は誰もが世の動向を窺うばかりであった。

流れは、三日で変わった。七月十五日、毛利輝元が兵を率いて大坂に上がり、家康の残した城番を追い出して大坂城に入ったためである。三成もようやく城に上がるに至った十六日、会津征伐に参陣していない者が膝を折り始めた。

かつて政務に使った一室は、掃除の他に人の手を入れないでいたらしい。棚や文箱、文机の置き場も以前のまま、上等な畳の香りも変わらず漂っている。新たな味方が加わるごとに、増田がここを訪れて逐一を報じた。

「小野木重勝《おのぎしげかつ》、丹羽長重《ながしげ》の両名も味方に付いたぞ」

それぞれ丹波福知山《たんばふくちやま》と加賀小松《こまつ》の城主である。既に毛利輝元の四万、宇喜多秀家の一万七千、小西行長の四千、長束正家の千五百、大谷吉継の千が参集し、先んじて長束に手を回してもらった長宗我部盛親や鍋島勝茂ら、四国・九州勢も兵を寄越し始めていた。小野木と丹羽も各々三千ほどの兵を集めることができよう。

「十万に届かんという勢いぞ。

味方が増えたためか、増田は恵比須顔である。しかし三成は浮かれることなく返した。

「まだだ。家康が全軍を出せば、自前の兵だけでも七万を数えよう。会津征伐に参じた者の兵と合わせれば十二万は下らぬ」

「我らとて、上杉の兵を合わせれば同じ数ではないか」

「それは、すぐに関東を取り囲めればの話だ」

やや不服そうな増田に、なお頭《かぶり》を振って続けた。

「我らが東海道を攻め下る間に、家康が会津を平らげたらどうなる。奥羽は雪崩を打って家康に屈するであろう。そもそも豊臣に参じて日の浅い者共、しかも大身の伊達と最上は家康に近しいのだ。右へ倣えと考えさせてはならぬ」

「では如何にすれば良い」

そこまで考えての策ではなかったのかと言いたげな、不服そうな面持ちである。三成は「案ずるな」と口元を歪めた。

「家康に付いて行った者が、我らに歯向かえぬようにする」

増田は、ごくりと喉を鳴らした。

「人質か。大坂にある妻子を。卑怯ではないか」

「世の秩序に逆らおうという者共ぞ」

「しかし！」

やりたくないのは分かる。己も斯様な手は使いたくない。だがこれは戦なのだ。

「我らに負けは許されぬ。人質が嫌なら、身に危難の及ばぬよう、秀頼公に庇護していただくと思えば良い」

「……分かった。従おう」

未だ釈然としない風ではあったが、増田は頷いて立ち去った。

納得ずくでないのが悪かったか、或いは三成の打つ手が強引に過ぎたのか、人質を取る動きは首尾良く運んだとは言えなかった。おとなしく大坂城に参じた者はそう多くなく、黒田如水の妻のように密かに逃げ出す者、果ては細川忠興の妻・玉《たま》のように命を断つ者すらいた。ここに至り、増田は無論、長束や恵瓊、吉継さえ、この一手は間違いだと声を上げた。三成も聞き入れざるを得なかった。

七月十七日、毛利輝元が家康討伐の総大将となった。これを受けて翌十八日、軍兵が大坂を発つ。大将は宇喜多秀家、その下に毛利秀元《ひでもと》と吉川広家《きっかわひろいえ》の毛利勢、長宗我部、長束、増田の軍勢を合わせた二万余は、今や家康の拠点となった伏見城に向かった。

伏見の城兵は二千ほど、十倍の数を以てすれば容易く落とせるはずであったが、城攻めは遅々として進まなかった。家康が残した城将・鳥居元忠《とりいもとただ》が頑強に抗っているという。

日々の報せに焦れながらも三成は大坂に留まっていた。家康を関東に封じ込められるか否かが戦の成否を分ける。上杉、佐竹、真田——密書を飛ばした相手の返答を待ち、交渉を続けることは三成の役目であった。

七月二十七日、ようやくその報せが届いた。

三成は「よし」と小さく頷いた。数日前には上杉から、佐竹と盟約を結んだと報じられていた。そして今日は真田昌幸から味方する旨の返書である。思い描いた家康包囲の網が、ついに成った。

小躍りしたいほどだが、気を緩めてはならない。何しろ伏見城は未だ落ちていないのだ。三成は上杉、佐竹、真田にそれぞれ書状をしたためて透破に持たせると、二十九日には数人の供回りを従えて伏見に参じた。

*

桃山《ももやま》の南、指月の伏見城は重苦しい空気に包まれていた。寡兵の城方は華々しく散る覚悟であろうし、寄せ手は城を落とせぬ鬱屈を持て余している。巳《み》の刻（十時）頃、三成は城の南西、大手門から一里半ほど離れた味方の陣を訪ねた。兵に導かれて大将・宇喜多秀家の陣幕に入ると、長束と増田も顔を揃えていた。評定の最中らしい。

「果々《はかばか》しくないとお聞きするが、何ゆえにござろうか」

三成の問いは、いつもながら素っ気ない。咎められたと思ったか、秀家はやや語気荒く応じた。

「太閤殿下の堅城ぞ。音に聞こえた鳥居元忠が入っておるとなれば、寄せ集めの軍で容易くあしらえるものではない。宇喜多の兵のみに任せてくれていたら、今頃は落としておった」

長束が宥めるように口を挟んだ。

「さは申せ、それでは他に手柄が行き渡りませぬ。　秀頼公のための戦なれば、皆がご奉公できるように計らわねば」

忌々しさ半分、得心半分、秀家は溜息交じりに頷く。　増田が庇うように言い添えた。

「どうも城には甲賀の透破衆が加わっておるようなのだ。兵を寄せるたび、散々に掻き乱されては、難しい戦になるのも道理であろう」

三成は眉をひそめた。

十六年前——小牧・長久手の戦いの折、家康が神輿とする織田信雄を踊らせるため、秀吉は己に「甲賀の透破を動かせ」と命じた。信雄の家老三人が秀吉に通じたと流言し、兵を挙げさせるためであった。甲賀衆はこの頼みを聞き入れ、思惑どおりの成果を上げた。にも拘らず、秀吉は十分な報いを与えなかった。戦そのものが痛み分けだったからには当然なのかも知れぬ。だがそれ以上に、甲賀衆が秀吉の麾下に入らず、雇われの透破であり続ける道を選んだことの方が大きかった。

翌年の紀州征伐では、戦を有利に進めるべく、紀ノ川に堤を築いた。この普請が失敗に終わると、秀吉は「見張りの甲賀衆が用心を怠った」と咎めて強引に所領を召し上げてしまった。

所領を失った甲賀の残党には、秀吉を恨む者が多い。それらが伏見に与しているなら、今の苦戦も頷ける話か。

（されど……）

如何に秀吉が恨まれていたとは言え、それが全てではない。各地の大名に召し抱えられた甲賀者も相応にある。三成が使う透破も、多くはこの時に迎え入れた者たちだ。ならば手立てはある。

「申し上げます。今朝方、丹波口から京へと兵が入った由にて。されど桃山を手前に進むも退くもせず留まっております。旗印は小早川と島津、合わせて一万五千余りかと」

伝令の声に思案を断ち切られ、その場の皆と顔を見合わせた。

「城方に加勢されたら厄介だが」

秀家が眉間に深い皺を寄せる。敵と見るのも当然であった。二度めの唐入りの際、小早川秀秋は秀吉の勘気に触れて減俸の憂き目を見た。昨年になって旧領に戻されたが、これは家康が「秀吉の遺命」と称して沙汰を下したからである。恩を感じているはずなのだ。

「されど島津殿は、殿下にこそ大恩があるはず」

長束が目を向けてくる。三成は腕組みして、少しの沈思の後に口を開いた。

「島津は薩摩と大隅の二家がある。本家の義久殿が豊臣に背くことはなかろうが、大隅の義弘殿は何とも言えぬな」

何しろ、敵と思しき小早川と共にあるのだ。やはり大隅の島津義弘であろう。伏見城を救うべく、家康が手を回したのに違いない。

「急ぎ、陣立てを変えねば」

秀家の声音が厳しい。三成は「お待ちあれ」と制した。

「ここまで来て動かぬというのが、解せぬとは思われませぬか」

「戦場ぞ。確かめる術などなかろう」

「ひとつ、あり申す。それも確かめるのみに非ず、味方に引き込めるやも」

驚いた顔の秀家に軽く頷き、増田に向き直る。

「確か、ご辺の家中にも甲賀から抱えた者があったはず。連れておるか」

「ああ。それが？」

「忍び込ませて欲しい。治部少丸の造りは知り抜いておる」

治部少丸は断崖の上に石垣が築かれているが、透破なら手掛かり、足掛かりにできそうなところが何ヵ所かある。そこを伝って城内に入り、いくつかの流言と攪乱をさせたい。

「まず甲賀衆に、我らに付けば所領を旧に復す、さもなくば妻子を探し出し首を刎ねると流す」

ひとつめの流言を明かすと、増田の顔はこの上なく渋いものになった。

「大坂で人質を取り損ねたばかりであろう。またも同じような手を使うとは。そもそも、それでどうやって小早川を味方に付ける。よしんば功を奏したとて、どこまで信を置けるものか」

「わしが伏見に参じたのは、家康を追い詰める網が仕上がったからだ。然るに、このまま負けても良いと申されるか」

増田はしばし黙り込んでしまったが、やがて「分かった」と嫌そうに頷いた。三成はさらに二つの流言を告げ、最後に攪乱の手筈を伝えた。

その日の晩、増田家中の福原清左衛門《せいざえもん》が伏見城に向けて発った。これを見送って一時の後、三成も陣所を後にする。向かった先は桃山の陰、小早川秀秋の元であった。敵の只中に飛び込むに等しいが、使者として参じれば、いきなり殺されはしない。

「お久しゅうござる」

挨拶して頭を下げると、秀秋は少しばかり落ち着かぬ風に応じた。

「良く参った。何用か」

「此度のお味方、忝う存ずる。貴殿が旧領へ戻れたのは殿下のご遺言ゆえのこと。ご恩返しの援軍、殿下も浄土にてお喜びにござりましょう。それでこそ、この治部も小早川の旧臣に帰参の労を取った甲斐があり申す」

秀秋はやや困惑顔で、口籠もりながら応じた。

「おお。そうよな……あの折は、うむ、其許の計らいがな」

三成は、にこりと笑って見せた。もっとも心中では嘲笑を浴びせている。

秀秋が唐入りで秀吉の逆鱗に触れたのは、総大将の任を放り出し、敵の只中に飛び込んで戦ったことによる。軽率、暗愚、それ以外に何と言おう。そういう男、しかも齢十九と若いのだ。必ずや策に嵌めてやると思いつつ、耳を澄ました。夜の桃山、その向こうの指月は未だ静かである。今少しかと、無駄な話を長引かせた。

「時に小早川殿は、如何様に城を攻めるべしとお思いでしょうや」

「……うむ、そうよな。伏見は堅固にて、中々に――」

秀秋の声を覆い隠すように、その伏見城で鉄砲の音がこだました。ぱらぱらという気の抜けた音ではない。百ほどがまとまった轟音である。

「これは」

絶句した秀秋に、この上なく素っ気ない言葉を向けた。

「桃山に向けて放っておりますな。どうやら、この陣に」

鉄砲の音は少しの時を置いて何度も響いた。城との間合いは半里余り、ぎりぎり弾が届くほどである。山がなければ射込めるのだ、と言わんばかりにも聞こえた。

秀秋の顔は、さらに落ち着きを失っていた。三成は言葉を継がず、じっと見つめる。

「し、島津様、お越しにござります」

陣幕の外から慌てた声が渡る。聞き終える前に、のしのしと入って来る荒武者があった。

「中納言殿！　これは如何なる」

言いかけて、島津義弘は口を噤んだ。九州征伐の折に見知った顔、この治部が来ていることに驚いたのだろう。かの義久の弟に対しては申し訳なく思うが、これも勝つためと悲しげな溜息を装った。

「城方も長くはござるまい。この陣が敵か味方か見極めもせず、闇雲に脅しをかけてくるとは。それがし小早川殿にお味方を頼みに参ったものなれど、かくなる上は其許も如何にござろう」

義弘は押し黙ったままである。城方に疑いを抱いているのは、顔を見れば分かった。それが狙いなのだ。増田家臣の甲賀者に託した次の流言は「小早川と島津の離反」であった。

敵とて真偽を探りたいだろう。だが城に籠もっている以上、容易には確かめられない。目の前には宇喜多秀家を大将とする二万余、もし本当に小早川の大軍が寝返ったのなら、二千で四万を相手にすることになる。そう思えば、猜疑の心が強くなるのは必定だった。

(あとは、時を与えねば良い)

流言が広まり、敵兵が心惑わす頃合を狙って秀秋の陣を訪れたのだ。加えて百ほどの兵を密かに回し、北西から城に近付けた。城方に、桃山に向けて鉄砲を撃たせるために。

義弘がついに口を開いた。

「我らは内府殿の頼みを聞き、城方に加勢しに参ったものにござる。されど来援を報せるも、城に入ること罷りならぬと言われ、留め置かれており申した」

してやったり。三成は胸を張って返した。

「なれば、やはり我らと心を一になされよ。家康にはこの治部を嫌う者共が付き従うも、何ほどのことやあらん。いずれ秀頼公のご出馬を願い、ひとり残らず引き戻してご覧に入れよう」

「信じて良いのですな」

念を押されて大きく頷き、平たい面持ちで秀秋に目を流した。

「もっとも、秀頼公のお姿を目にせねば豊臣の恩を思い出せぬ輩など、戦が終われば憂き目を見るのみにござろう。貴殿らが家康のために戦っていたら……。そうなる前で良うござった」

秀秋も、おずおずと頷いた。義弘に引き摺られたのか、脅しに屈したのかは定かでなかった。

以後、寄せ手は猛攻に転じた。そして二日後、八月一日——。

「申し上げます。城に火の手、松之丸かと」

宇喜多秀家の陣幕にあって、三成は目を細めた。城に忍び込んだ福原清左衛門である。小早川と島津を加えて膨れ上がった大軍が、昨日、今日と苛烈な攻めを続けているのだ。弱気になるなと言う方が間違っている。そこで「城内に寝返り」と流言し、騒ぎに乗じて火を放たせた。小火の出た松之丸は本丸のすぐ裏手である。城の急所まで、どこをどう進めば良いか。多くの日を治部少丸に寝起きし、誰よりも伏見城を知る三成ならではの指図であった。

「総攻めだ」

宇喜多秀家が肚の据わった大声を発する。伝令が「はっ」と返し、諸将の元へと走った。

この日、伏見は落城した。

＊

「然らば、佐和山をお頼み申します」

八月九日の朝一番、三成は父・正継と兄・正澄に深々と頭を下げ、馬に跨った。

大将は毛利輝元だが、実のところは三成の戦なのだ。本領十九万七千石、飛び地や一族の知行を加えても四十万石足らずという身が、今や十四万にも及ぶ大軍を動かそうとしている。留守は任せろと見上げる二人の顔が、実に晴れやかであった。

「存分にご奉公して参れ」

「良い報せを待っておるぞ」

父と兄に、にこりと頷いて馬首を返す。二人の目がなくなると笑みは消え失せた。

豊臣の天下は国を統べる手段に過ぎぬ――我が信念を分かってもらえるとは思えず、親兄弟にさえ「豊臣への義を貫くため」と話していた。気が咎めぬと言えば嘘になる。

（もっとも）

馬に揺られて目を伏せる。瞼の裏に若き日の秀吉の笑みが浮かんだ。己を取り立て、引き上げてくれた主君も同じだった。織田信長の天下布武を受け継ぎ、世の安寧を勝ち取るため、自らの思慕を封じて主家の上に立ったのだ。

（勝ってご覧に入れまする）

さすれば秀吉も許してくれよう。思って目を開けると、城の大手門には島清興の姿がある。

「いざ、参りましょうぞ」

力強く「うむ」と頷き、二人して馬の腹を蹴る。家臣の屋敷や商家の建ち並ぶ城下を早足で進むと、南から北へと続く東山道に七千の兵が列を為していた。

「大殿の御成である」

「背筋、伸ばせい」

家中の豪勇・蒲生郷舎《さといえ》と舞兵庫が号令を飛ばし、兵たちを包む空気を引き締めた。三成は軽く手綱を引き、馬の歩を緩める。兵たちの前に出ると、あらん限りの大声で朗々と発した。

「これより出陣である。我らはいち早く美濃大垣城に入り、岐阜の織田中納言殿と手を携え、北陸路、伊勢路を平らげてから参じる兵を待つ。進め」

七千が「おう」と拳を突き上げ、三成の馬に続いた。

美濃、北陸、伊勢の三つに軍を分けたのは、関東へ攻め下るに当たり、背後を固めておくためである。伊勢路の一隊には京・大坂近辺の家康方を平らげる役目も任せた。

琵琶湖を左手に見て十里ほど、道が二つに分かれた。東に向かえば大垣、北は長浜である。思い起こすのは、賤ヶ岳の戦いであった。大垣から長浜までの道中を整え、大返しのお膳立てをした働きを認められたのが、己にとっての第一歩である。その地から軍を発し、家康という巨魁に戦いを挑むのだ。この戦を新たな始まりと為そう。そう思うと万感胸に迫り、幼少から慣れ親しんだ景色が輝いて見えた。

佐和山から大垣までは八十里ほどで、長浜からの道のりとほぼ同じである。朝からの行軍は、夕闇の頃には目指す地へと至った。あとは岐阜の織田秀信と談合して東下に備え、大谷吉継らに任せた北陸路、宇喜多秀家以下の伊勢路、二つの隊の到着を待つばかりである。

——否。そのはずであった。

「大殿、大殿！　一大事にござる」

八月十四日夜半、島清興が大垣城本丸館の一室に馳せ参じた。三成は既に休んでいたが、常ならぬ声に飛び起きて障子を開けた。「何があった」と問うと、清興は焦りも顕わに捲し立てた。

「徳川方の先手、尾張、清洲城に入ったとのこと。透破の報せにござる」

「何と。数は」

「三万ほどと聞こえておりまする。これほど動きが速いとは」

清興の掠れ声に、歯嚙みしながら答えた。

「家康は十二万だ。上杉と佐竹が睨んでいても、そのくらいの数を寄越すなど造作もなかろう。我らが遅すぎたのだ」

敷居の上に腰を下ろす。伏見攻めに十日以上を要したことが悔やまれた。城将・鳥居元忠は討ち死にしたが、それだけの時を稼いだのが何よりの死に花か。

「我が方は大垣に参じておる一万と、織田中納言殿の五千のみだ。急ぎ、備えを変えねば。恵瓊殿をお呼びせよ」

清興は「はっ」と応じてすぐに走り去った。三成は行灯に火を入れ、美濃と尾張の地図を広げる。ほどなく安国寺恵瓊が参じた。互いに寝巻のままであった。

「清興殿から聞き申した。まずは敵の先手を迎え撃たねば。北陸路、伊勢路の兵を急ぎ呼び寄せるが肝要にござるぞ」

恵瓊の厳しい声音に、眼差し鋭く頷いた。

「守りも固めねば。濃尾《のうび》国境の犬山城を押さえ」

地図に指を置き、城の南を流れる木曾川沿いに下流へと動かす。

「岐阜の南、米野《よねの》にも兵を置く」

「回せる兵は？」

「犬山には二千ほど、米野には三千」

恵瓊は眉をひそめて唸った。

「川筋を味方に付けて時を稼ぐか。その間に岐阜が城を固め、我らは兵を呼び込む」

「然り。如何にしても、まず敵の先手を討ち破ってしまわねば」

「誰が寄越されたかはご存知か」

「詳しくは報じられずも、清洲は市松……福島正則の城ゆえ、彼の者が加わっておるのは間違いござらぬ。なれば、他にも豊臣恩顧の者が多く含まれておるはず」

「ふむ……」

渋い顔で頷いた後、恵瓊は肚を括ったように頷いた。

「然らば治部殿は、いったん大坂に入られるがよろしい。戦の算段は狂うが、秀頼公と輝元公のご出馬を仰がれよ」

三成は「承知仕った」と立って寝巻を脱いだ。寝床の枕元に畳まれた着物へと替えながら言う。

「それがしがおらぬ間、恵瓊殿に頼みがあり申す。大垣の後ろに、毛利殿にお入りいただく陣所を整えられよ。関ヶ原の松尾山《まつおやま》には、打ち捨てられた城があるはず」

無言で頷き合うと、三成はすぐに寝所を出た。

「馬引けい！　兵庫に供を命じる」

暗い中で声を張り上げながら、本丸館の玄関に向かう。清興が起こして回っていたのだろう、三成の馬廻衆と舞兵庫は少しも待たせずに駆け付けた。

夜のうちに大垣を発し、大坂に入ったのは八月十六日の朝であった。三成は着替えすらせずに城へと上がり、急ぎ淀の方に目通りを願い出た。

「何ごとか、ありましたか」

天守の中之間で待つことしばし、背後から声がかかった。三成が脇に退いて頭を下げると、淀の方は侍女二人と共に中央を通って主座へ進んだ。

「急にお訪ねし、申し訳次第もござりませぬ」

正面に座り直して再び頭を下げる。淀の方の「構わぬ」というひと言で顔を上げた。

「此度戻りましたは、秀頼公、並びに毛利輝元殿のご出陣を仰ぐためにござります」

「は？」

訳が分からぬという風である。さもあろう、秀頼の出陣は戦の大詰めだと、輝元や増田から聞かされているはずなのだ。それが戦の始まる前からとは。既に苦境に立たされていると知れば、誰でもこういう顔をする。

「福島正則を始め、家康めの先手が尾張に入っておりまする。逆心の輩に太閤殿下のご恩を思い出させるためにござりますれば」

「ならぬ!」

金切り声で、思ったとおりの答が返された。だが退く訳にはいかぬ。

「昔、お方様は仰せられました。殿下のお世継ぎを産むことができたら、それがしに託してくださると。今が、まさにその時なのです」

「何を不埒な。其許に頼んだのは、秀頼を立派な天下人に育て上げることぞ」

「その天下人の座が危ういのです。家康の手強さ、嫌らしさは、お方様とて重々ご承知にござりましょう」

「さりとて旗色の悪い戦に連れ出すなど、何と危ない。以ての外じゃ。そも、治部殿は今まで何をしておった。斯様なことにならぬよう、策を講じたのであろう」

「秀頼公を矢面に立たせるつもりなど毛頭ござりませぬ。戦場においでなされた、それだけで忘恩の徒は槍を捨てまする」

淀の方は俯いて黙り、美しい顔をこの上なく醜く歪めた。時に俯きが深くなり、小さく首を横に振り、目を半開きにして虚ろなものを見せる。逡巡していた。

それで良い。三成はそこに賭けた。淀の方が秀吉の側室に入るのを受け入れた訳は、一にも二にも、自らの周りにある者たちに憂き目を見せぬためである。自身を殺すという、この上なく難しいことをし続けた人なのだ。

だが——。

「ならぬ！　秀頼を守るはずの者が、逆に守ってもらおうなどと。恥を知りなされ」

ついに涙を流し、先よりも激しい剣幕で罵倒してきた。理詰めで説き伏せんとして、逆に女の情念に火を灯してしまったか。思いつつ三成は、今一度頭を下げた。

「豊臣のため、天下のためなのです。曲げてお聞き入れくださされませ」

「ならぬと言うたら、なりませぬ。下がれ！」

手にした扇を投げ付け、声を上げて泣く。言うとおりにしてくれとばかり、侍女が困り果てた眼差しを向けてきた。

（あ）

侍女の姿を見て悟った。もしや、己が元凶ではないのかと。

淀の方が周囲を気遣うのは、己がそう諭したことが大きい。そして己は「秀吉の子を生して天下を取れ」とも言った。意図するところは十分に話し、淀の方も分かってくれた。今がどういう時かを判じられぬはずがない。

だが秀頼は、天下人云々よりも前に、淀の方に最も近い「周りの者」なのだ。これを思い遣るのは母の情であると同時に、この人に定まった信念でもある。母の頑迷には違いなくとも、一概に愚か者と斬って捨てることができようか。

「……申し訳ございませなんだ」

三成は苦い思いで頭を下げ、中之間を辞した。そして、せめて総大将の出馬だけでもと、西之丸に向かう。ところがここで、あまりにも意外な話を聞かされた。

「増田殿が？」

九州征伐の輜重奉行、各国の検地、あれこれの政務、長らく苦楽を共にしてきた増田長盛が裏で家康に通じているという。

「何かの間違いでは」

輝元は苦虫を嚙み潰したような顔を見せた。

「噂に過ぎぬやも知れぬ。されど旗色が悪くなれば、人など如何様に動くか分からぬものぞ」

言い分は正しい。だが頷けなかった。決起に向けて皆と謀を巡らし、味方集めに奔走し、勝つために惜しみなく力を貸してくれた男ではないか。

「やはり得心できませぬ。そも増田殿は伏見攻めでも」

反論の言葉が、止まった。伏見攻めの折、増田は家臣の伝手を使い、城を揺さぶる策に助力してくれた。だが乗り気であったとは言い難い。

『大坂で人質を取り損ねたばかりであろう。またも同じようなことをするとは』

豊臣に従わぬなら妻子を殺す――城内の甲賀衆に向けた流言に嚙み付かれたのを思

い出す。また、こうも言っていた。小早川秀秋を味方に付けても、どこまで信用できるのかと。

（もしや）

信を置けぬ味方、伏見攻めに時を要し過ぎたこと、それらを以て危ういと踏んだのか。あれほど能ある男なら、ないとは言えない。思い当たる節ありと察したのだろう。輝元が先の言を繰り返した。

「ゆえに、わしは動けぬ」

「……致し方ござらぬ。然らば毛利殿はまず、ことの真偽を」

「ああ。だが家中の者は少しでも多く差し向けよう」

秀頼も、総大将も出陣を促せぬ。全くの不首尾だが「忝い」と頭を下げるしかなかった。

空しく大垣に引き返すと、戻るなり急が報じられた。時を稼ぐために置いた兵、米野の陣が家康方の先手衆に蹴散らされたという。もう一方の犬山城は未だ抜かれていないが、より岐阜に近い備えが潰えた以上、向こうは嵩に掛かって攻めて来るだろう。

「次は岐阜にござるぞ」

恵瓊が「動け」と示した。伊勢の攻略を中途にして参じた宇喜多秀家も、焦燥に満ちた面持ちで頷く。

「我らは墨俣《すのまた》に出て、岐阜の後詰をするのが良かろう」

墨俣は大垣と岐阜を結ぶ途上、両所から十里足らずである。京・大坂へ続く道を守り、家康を包囲する網を保つには、確かにここを固めるのが正しい。

「あい分かった。宇喜多殿、お願い仕る。此度はそれがしも出陣致す」

八月二十二日、三成らは墨俣に兵を出した。何としても食い止めねば。皆がその思いで腕を撫していたのだが――。

翌二十三日、岐阜陥落の報が入った。墨俣には、援兵の打診ひとつなかった。敵が城の搦め手にも多くの兵を回し、連絡を断っていたからだ。さらには犬山城からの援軍がなかったことも、落城を早める一因となった。犬山は徳川方の調略を受け、城ごと寝返ってしまったのだという。

宇喜多秀家や恵瓊が参じて、火急の評定となった。物見の報せでは、城主・織田秀信は懸命に抗ったものの、ついに支えきれず城を開いたそうだ。

(討ち死にではない。それだけは祝着か)

十年以上も親しく交わった相手だけに、三成の胸には安堵の思いがあった。

「かくなる上は、我らで夜討ちを仕掛けて蹴散らすべし」

正面、秀家の荒々しい声で我に返った。秀家の隣で恵瓊が頷く。島清興が傍らから

横に振った。

「大殿」と小声を寄越してきた。皆の言い分は分からぬでもない。しかし三成は首を

「大垣に引き上げ、城に拠って迎え撃つべしと存ずる」

「臆病風に吹かれたか」

色を作した秀家に「さにあらず」と大声を返した。

「家康を絞め上げる網は、綻びたのですぞ。先手を挫けば済むような、容易い話に非ず」

「左様なことは承知しておる。されど目の前の敵を片付けねば次もない」

「然らば伺い申すが、夜討ちで敵はどこまで退くのです」

三成は切々と説いた。包囲の一翼を担う上杉や佐竹、真田とて、算段が狂えば思うように動けない。堅城・岐阜が家康の背を窺ってこそではないかと。

「上杉の兵は二万、佐竹は三万、真田に至っては二千ほどにござる。今となっては、家康は関東に三万も置けば十分のはず。残る大軍で西に返せるようになってしまったのですぞ。然るに我らは、未だ美濃の守りを固め終わっており申さぬ」

秀家は苛立ち、右手の拳で自らの腿を殴り付けた。

「全く正しい。されど、正しきに過ぎる」

不意に、目の前にちらつく顔があった。黒田如水である。過ぎ去りし日、同じこと

を言われた覚えがある。呆け顔を見せたからか、秀家は少しばかり怒りを呑み込んで溜息をついた。

「其許は戦の組み立てこそ巧いが、それだけでは足りぬ。戦場は生き物ぞ。算術のように、決まった答を出せるものではない」

「どうあっても夜討ちをと？」

三成は逆に、どうあっても退く気でいる。淡々とした声から察したのであろう、秀家は諦めたように頭を振った。

「……この軍の、実の大将は其許じゃ。ゆえに従う外はあるまい。退けと言われれば退く、戦えと言われたら全身全霊を傾けよう」

そして立ち上がり、陣幕を出る。少しの後に「陣を払え」という声が聞こえた。

＊

墨俣から引き上げた翌日、家康の先手衆は大垣の北西八里・赤坂《あかさか》の地に布陣した。そのまま城攻めかと思いきや、意に反して動きを止めている。

「さては、家康の大軍を待っておるに相違ござらぬ」

「いよいよ美濃での決戦は避けられぬところか」

家康を関東に封じ込める目論見が崩れ、恵瓊と秀家の顔が渋い。三成は「されど」と声を張る。

「今少し待てば北陸路の者も参じる手筈、伊勢路とて宇喜多殿の後を追っておるはず。上方近くで家康に与する者とて、そう長くは持たぬところかと」

各地に回した兵が参じるまで概ね十日ほどか。それらが集結すれば、毛利輝元が大坂に留まったままでも十一万を数える。家康は関東に二万から三万を残さねばならぬだろうし、こちらの方が優勢なのだ。

「戦は数……か」

恵瓊が溜息をついた。それだけで済むようなものではないと言いたげである。伏見城に手こずり、算段が狂った。ゆえに敵の先手が尾張に入るのを食い止められず、あろうことか岐阜城を落とされた。家康を囲む網が綻び、東海道を攻め下るどころか美濃の守りを固めねばならぬ有様である。これほど計略が二転三転して、将兵の心に影が差さぬ訳がないのだ、と。

「秀頼公のご出陣は、如何にしてもならぬのか」

秀家はそう問うが、内心「無理であろう」と察しているらしい。三成は小さく頷いた。

「ゆえに、数を揃えて敵を呑むべしと」

悔しいが、今は他に手立てがなかった。

案じていたとおり、日を追うごとに将兵の意気は曇っていった。敵方は赤坂の陣所に先手の三万があるばかり、対して味方は七万に届こうかというのに、である。三成と秀家、小西行長、恵瓊らは手分けして各陣所を鼓舞して回っているが、どの将も「奮戦を誓う」と言葉ばかりが上滑りしていた。ことによると「招かれざる者が来た」という顔をされる場合もある。

将がこうなら、兵は推して知るべしであった。戦のない日には、賭けごとに興じる兵の歓声が上がるのが常である。ところがこの戦では、そうした喧騒すら乏しかった。気の抜けた兵を見回し、三成は俯き気味に呟いた。

「下の者は上に染まるものだな。されど、わしに染まってくれる者は少ない」

兵の姿を見ただけでも良く分かる。ありふれた義心を礎にして参陣した者は、それが実を結ばぬと知れば嘆くのみなのだ。恩賞に釣られた者に至っては、家康に靡くかも知れない。

ついつい漏らした溜息に、清興が「何の」と気を吐いた。

「実の大将が何を仰せか。この左近が奮戦し、必ずや味方を勢い付けまする」

叱咤してくれる者が傍らにいるのを嬉しく思い、下を向いていた顔を天に向けた。胸に大きく息を吸い込み、目を閉じて長く吐く。吐き出しきると、三成は「よし」と頷いた。

「そうよな。諦めてなるものか。まずは大坂の増田殿に書状を送る」

「敵に通じておるやも知れぬ御仁にござる。何か報じれば、筒抜けになるのでは」

「だからこそだ」

三成は目を細め、思うところを語った。増田は大坂にあり、この陣の詳しくを知らない。もし家康に通じているなら、こちらから知らせたままを報じるはずなのだ。

「ゆえに、なぜ敵の先手が動かぬか分からぬと書き送る。上杉と佐竹が睨んでおるのに、家康が来るはずがない……そう思っていると。加えて、動かぬ戦に皆の気が萎えておると報じる」

増田家中には甲賀衆がいる。ゆえに虚実を探ることはできるが、それには時を要する。また、我が胸の本音まではどうやっても調べられない。敵の先手が動かぬ訳が分からない——これが嘘だとは見抜けず、兵の気が萎えているという事実と併せて家康に報じるに違いない。

「虚実を織り交ぜ油断を誘う……。誰より用心深い家康が騙されましょうか」

少しばかり難しい顔を向けられたが、三成はきっぱりと言い切った。

「悪足掻きだろうと、打てる手は全て打つ」

清興は「そうでしたな」と苦笑を浮かべた。

以後も敵には動きがない。そうした中、小早川秀秋の一万五千余が美濃に入り、味方の数は八万を大きく越えた。これで少しでも戦意を高められようか。また各所の陣を回らねばなるまいと思った矢先であった。

大垣城の本丸館に愕然とする一報が入った。小早川の兵はここまで出て来ず、先んじて整えた松尾山古城の陣所に、押し入るように入ってしまったという。

「しまった……」

三成は伝令の報せに色を失った。

松尾山は毛利輝元のために整えた地であり、大垣にとって後詰の陣所であった。当然ながら守りは堅い。愚鈍な秀秋がそこにあっては背が寒いのだ。

(いや。まさか。……もしや)

三成は背を丸め、掌を額に当てて目を閉じた。伏見城の戦いでは、秀秋の逃げ道を封じて味方に引き込んだ。暗愚な男を踊らせてやったのだと思い込んでいた。

だが、それは正しかったのだろうか。もし秀秋が、或いは小早川家中の誰かが伏見攻めの大勢を読んでいたのなら。ここぞの時に腹を食い破るべく、流される風を装って味方に付いたのかも知れぬではないか。

或いは穿ち過ぎなのかも知れない。しかし美濃の守りの要、秀頼や毛利のための陣所を「奪った」という事実が、そうした気楽な考えを打ち消してしまう。

（愚か者の顔は、偽りなのか）

もしそうなら、小早川秀秋はこの戦で最も重きを為す。

「これより」

三成が小さく発すると、伝令は「はっ」と畏まった声で応じた。

「日々、松尾山に遣いを出せ。機嫌を伺うという言い分で構わん。されど」

都度、秀秋の陣営におかしなところがないか、目を光らせるよう命じた。

＊

上方近くの徳川方には兵を差し向けているが、戦況は芳しくない。京の北西・丹後《たんご》田辺《たなべ》城では小野木重勝以下の一万五千がわずか五百の兵を相手に釘付けにされ、毛利元康《もとやす》や立花宗茂らの一万五千も近江の大津城に籠もる三千に足止めされていた。両所に差し向けた兵が加われば三成方は十一万を超え、意気上がるはずなのだが――。

このまま戦になってはと危ぶんでいた九月十四日、ついに恐れていたことが報じられた。

「家康……。ついに来たか」

伝令の一報を受け、三成は右のこめかみを強く押さえた。

美濃にある味方は八万五千ほどだが、今や奮戦を期待できるのは宇喜多秀家と小西行長、大谷吉継くらいのものである。三成の手勢を加えても三万余でしかない。家康を封じ込める算段が狂い、余の者は気を萎えさせて烏合の衆に成り下がっている。

「敵の数は」

傍らに侍する清興が伝令に問う。肚の据わった声を聞き、三成も己を奮い立たせて顔を上げた。

「四万ほどと見えます」

返答に、三成は首を傾げた。明らかに少ない。

「間違いないのか」

「赤坂に入ったのは確かに四万にござります。その後も物見を置いておりますが、後詰が着陣した様子はございませぬ」

或いは、上杉や佐竹が圧しているのか。否、それなら家康は、そもそも関東を離れはすまい。嫌になるほど周到な男なのだ。

「左近、ひとつ頼む。お主の目で見て来て欲しい」

「心得申した」

すぐに駆け出した清興を待つこと一時半、夕刻になって思いがけぬ話が報じられた。家康本隊には、これと言った将の旗が見えないのだという。

先手を先備え、中陣を中備え、後詰を後備えと言うように、戦の陣は備え、つまり守りを基とする。多くの兵を束ねる将がいなければ備えは組めないが、赤坂の徳川家中で備えと呼べるのは井伊直政の一隊くらいであった。

「家康を囲む旗は、まちまちでござった。旗本の小勢を寄せ集めたものではないかと」

清興の証言を聞き、三成は寸時に顔を紅潮させた。

「何ゆえかは知らぬが……遅参した者があるのだ」

徳川方は七万余を揃えているが、今すぐ戦になって満足に戦えるのは、先手衆と井伊の「赤備え」のみ、合わせて三万三千ほどでしかない。味方の中で頼りになる者と同じくらいの数だ。

これなら戦になる。三成はすくと立って言下に命じた。

「左近、ただちに全軍に報じよ。敵が万全となる前に、今宵、我らから仕掛けると」

夜討ちは丑三つ時から寅の刻（二時から四時頃）を狙うものとあって、三成もすぐに自らの戦支度に取り掛かった。

ところが、もう少しで戌の刻（二十時）を越えようかという頃、聞き捨てならぬ噂が流れた。赤坂が陣払いに掛かっているという。美濃を捨て置いて近江に入り、佐和山を攻めるというのだ。

「流言ではないのか」

宇喜多秀家が訝しそうに言う。出陣を控えているとあって、大垣城本丸館には小西行長や大谷吉継、安国寺恵瓊らも揃っていたが、皆が一様に同じ顔をしていた。

「それがしも疑ってはおり申す。が……」

三成は言葉を濁す。小西が頷き、眉をひそめた。

「もし、まことの話なら」

その時は敗北の二字が待っている。三成の本拠・佐和山城は父と兄が守っているが、多くの兵を残してはいない。徳川方で戦えるのが三万三千に過ぎぬとは言え、これが押し寄せたら落城は必至であった。

「京に通じ、る、道を取ら、れては」

吉継も懸念を口にした。そのまま京から大坂へと進まれ、秀頼の身柄を押さえられたら負けなのだ。初めに疑いを口にした秀家も、忌々しそうに唸った。

「動かぬ訳にはいかぬか。松尾山も気になる」

小早川秀秋の陣所である。あの一万五千が寝返ったら、徳川方を追うことすらできない。どうするのか、という目を集められ、三成は静かに発した。

「関ヶ原に陣を移し、迎え撃つ」

近江への道を封じ、また松尾山を背後に置かぬためには、大垣の西十五里、関ヶ原しかなかった。この地なら味方は全て高所に陣取り、街道を進む徳川方を見下ろして戦える。

これにて評定は決し、全軍を移すこととなった。

道中は雨であった。大一大万大吉の前立てをあしらった兜に雨音が響き、人馬の足音を遮って宵闇の静けさを際立たせる。

三成の胸に、小早川秀秋の顔が思い浮かんだ。先の伏見攻めでは流言で敵を乱し、秀秋を籠絡した。だが今の行軍は、あれと同じ手管に嵌められたのではなかろうか。敵味方で戦える数は同じくらい、地の利はこちらにある。にも拘らず、動かざるを得ぬように仕向けられた。家康には何か別の利があるのではないか。だとすれば、それは秀秋に違いない。どうしたものか——。

「大殿」

後ろから清興が馬を寄せ、声をかけた。我に返って「何か」と問う。

「いつぞやの約束を果たしに参ろうかと思いましてな」

「約束とは？」

「それがしが奮戦して敵を蹴散らし、味方の気勢を上げると申しましたろう。杭瀬川《くいせがわ》に敵がおると、物見が申しておりました。中村一栄《かずひで》、有馬豊氏《ありまとようじ》だとか」

共に豊臣恩顧で、名の知られた将である。これを叩けば確かに効き目はあろう。しかし三成は首を横に振った。

「無理をするでない。今は一刻も早く関ヶ原に至るが肝要ぞ」

清興の目が、戦う男の厳しさを宿した。

「先には何やらお考えのご様子でしたが、小早川様のことでしょう。今、味方にひとつの勝ちがあらば、大殿御自ら松尾山を訪ねる口実になりまする」

「明日の朝から決戦となろう。疲れていては戦えぬ」

「いいえ。行かせてくだされ」

清興は言う。何と言ってこの身を召し抱えたのか。友として支えてくれと言ったはずだ、と。

「友とは、苦しき時こそ力になろうとする者を言いまする」

伊達に傍近く仕えていたのではない。元来が切れ者である。苦しむ胸中を見通した上での進言が、じんと沁みた。

「……分かった。が、ひとつだけ命じる。夜が明ける前に、必ず無事で戻れ」

「無論にござる」

暗闇の中でもそれと分かる素晴らしい笑みを残し、清興は千の兵と共に行軍を離れた。

あの男なら、我が友なら、きっとやってくれる。信じて自らは先を急ぎ、子《ね》の刻

（零時）を越えて九月十五日となった頃、関ヶ原へと到着した。

目指す地に至ると、急ぎ陣張りを進めた。近江の伊吹山から美濃へと伸びる山麓の東の外れ、笹尾《ささお》山《やま》が三成の陣所である。ここを左翼として、東山道を挟んだ先の天満《てんま》山《やま》には宇喜多秀家の一万八千と小西行長の四千が布陣して中央を固めた。その南の松尾山には小早川秀秋の一万五千が右翼を成す格好であった。もっとも、大いに疑いを抱く相手である。松尾山の麓には大谷吉継や平塚為広《ひらつかためひろ》に加え、秀吉子飼いの脇坂安治らを配して目を光らせた。

陣容が固まった頃、果たして清興は無事に戻って来た。杭瀬川の戦いでは、清興、および宇喜多家中から参じた明石全登《あかしてるずみ》が奮戦し、中村一栄と有馬豊氏を打ち破った。中村の家老・野《の》一色《いっしき》助義《すけよし》を討ち取るなど、大勝と言える戦果であった。

三成はこの報せを携えて味方の陣を回り、明日の奮戦を請うた。宇喜多秀家は「戦うからには負けるつもりはない」と力強く答え、小西行長には「貴殿は負けてはならぬ」と胸の熱くなる言葉をかけられた。だが厭戦の気に囚われた余の者には、効き目も薄かったように思われる。

そして、最も気を付けねばならぬ男――小早川秀秋を訪ねた。支度された床机に腰を下ろし、正面から見据えて戦勝を報じる。

「これにて、家康めの出鼻は挫かれ申した。秀頼公のため、明日は貴殿も存分に手柄を挙げられますように」

頭を下げると、秀秋は即座に返した。

「あい分かった」

それだけである。三成は驚いて顔を上げた。

「約束する」

重ねて言われ、三成は「よろしくお頼み申す」とだけ残して松尾山を去った。山を下る足が、重く感じた。

（侮れぬ）

伏見で見た落ち着きのなさは、今日の秀秋からは微塵も感じられなかった。こちらの求めを快諾したからには、重ねて念を押す訳にもいかない。執拗に言葉を重ねれば、それを以て「信用していないのか」と離反の口実を与えることになる。間違いない、秀秋は徳川に通じているが、どちらに味方するかは勝つ方を見極めてから決める肚なのだ。

麓に至ると、四半里の向こうに篝火が見えた。立ち並ぶ幟に大谷の家紋「対《つが》い蝶《ちょう》」が浮かび上がっていた。

（吉継……頼むぞ）

家康の切り札は秀秋である。ならば宇喜多、小西、そして自身の兵だけで敵を圧倒すべし。こちら優勢と見れば、秀秋は決して寝返らない。どうか、それまで松尾山を睨んでくれ。

朋友を信じ、三成は自らの陣へと返した。

四　天下の礎

九月十五日の空が白む。もっとも、空より地の方がずっと白い。昨晩の雨が上がり、関ヶ原は一面の霧であった。笹尾山の陣所には夜を徹して空堀を巡らし、柵を築いて備えを固めているが、三成の床机からはそれらを見渡せない。十間先でさえ霞んで見えた。

朝餉の湯漬け飯を啜りながら、静かにその時を待つ。すると中備えの舞兵庫が陣幕に入り、一間を隔てて片膝を突いた。

「申し上げます。島清興殿、蒲生郷舎殿、各々先手の左と右に備えを終わりましたぞ」

左手の小姓に朝餉の椀を渡し、三成は問うた。

「先手から敵は見えるか」

「山裾まで出てみましたが、何とも。されど家康めの馬印は薄っすらと見えましてござる」

三尺四方の大ぶりな金扇である。宇喜多秀家と小西行長が固める中央の陣・天満山の正面に、ぼんやり光るものがあったと兵庫は言う。

「恐らくは桃配山《ももくばりやま》かと」

こちらの軍兵は地の利を得るべく高所に陣取ったが、敢えて桃配山にだけは兵を置かずにおいた。関ヶ原は三成の笹尾山、宇喜多・小西の天満山、小早川秀秋の松尾山が西から南を塞ぎ、桃配山が東を塞ぐ狭隘な盆地である。この全てを押さえてしまえば、向こうは用心して懐深く攻め込んで来ないだろう。敵を包囲殲滅する「鶴翼《かくよく》の陣」を山伝いに布くがゆえ、近寄ってくれねば話にならなかった。

「思う壺よな」

報せを聞いてにやりと頰を歪め、三成は床机を立った。

「もし小早川が寝返ったら、家康も山を下りて寄せ手の後詰に加わるであろう」

右手に設えた台の絵図を見下ろし、桃配山から関ヶ原へと指を動かす。

「が……南宮山《なんぐうさん》の毛利勢には、そこで動くように申し伝えてある」

桃配山から東南二里に峰続きの山で、北に東山道を見下ろす要地であった。徳川方に増援があるとしたら東山道からだ。それに目を光らせつつ、ここぞの時に家康の背を襲わせる。小早川の動きひとつで戦を決められることのないよう、万全を期した布陣であった。

「そろそろ朝五つです」

本陣に置いた透破のひとりが声をかけてくる。辺りは未だ霧が深かった。辰《たつ》の刻（八時）になって晴れないのは珍しい。

「もう半時もすれば、少しは見通しも良くなろうか」

その時こそ決戦が始まる。三成の呟きに、兵庫が「然り」と頷いた。

「俺も中備えに戻り申す。御免」

立ち上がって一礼し、踵を返す。後ろ姿はすぐに乳色に包まれていった。十間と少しを進み、見えなくなろうかという頃――。

不意に鉄砲の音が響いた。山々に囲まれて幾重にもこだまし、どこから渡って来たのか判然としない。薄ぼんやりとした白の中、兵庫も立ち止まっていた。

「南、天満山。敵方より放たれたものかと」

透破のひと声で、三成は鋭くそちらを向いた。持ち場へ戻る兵庫の駆け足が聞こえ、次いで天満山の麓から兵の喊声が届くようになった。

「急ぎ物見を」

先の透破に命じ、三成は正面を向いた。家康とてこちらの布陣は調べ上げているだろう。宇喜多にだけ仕掛けたはずがない。囲まれぬよう、必ずこの笹尾山にも兵を向けてくる。

半刻もせぬ内に、自陣の先手でも鉄砲の音が響いた。放たれる間合いの短さから、敵味方の双方で撃ち合っているのだと知れた。

「注進！　島左近様の手勢千、敵を迎えましてござります。蒲生郷舎様が後詰に回られました」

伝令の声に、即座に問う。

「敵の数と将は」

「はっ。数は五千、旗印から黒田長政かと」

厄介な相手だ。あの黒田如水の子で戦上手、しかも唐入りの際の一件で——遠征を早期に終わらせる方便として、軍目付の讒言をそのまま秀吉に取次いだ——この治部を恨んでいる。宇喜多隊の様子も気に掛かるが、こちらはこちらで目の前に力を注がねばならない。

「鉄砲方に増援を命じる。大山伯耆《おおやまほうき》の三百、高野越中《たかのえっちゅう》の二百を回せ」

伝令が「御意」と走ってゆく。ほどなく味方の陣からは、それまでの倍ほども鉄砲の音が響くようになった。近江国友村の鍛冶衆を扶持《ふち》してきたことで、三成の兵は七千のうち二千までが鉄砲方である。本陣には大筒も八門を揃えていた。

戦場で兵が激しく動いているためか、或いは日が高くなってゆくからか、霧はやや薄くなったように見受けられる。だが、未だ見通しは悪い。敵の居どころが分かりさえすれば、大筒を使うこともできるのだが。思った頃、物見に出していた透破が戻った。

宇喜多秀家に仕掛けたのは赤い具足の一団――井伊の赤備えであった。しかし数は多くなく、小競り合いだけで退いてしまったという。その後は福島正則が宇喜多に攻め掛かり、鉄砲を撃ち合い、入り乱れて揉み合っている。

「宇喜多様、やや押し勝っているように見受けられます」

「よし。戻って物見を続けよ。何かあったら、すぐに報せるべし」

再び命じ、三成は山裾へと目を戻した。どうやら二町の向こうが見えるようになっている。もっとも、まだ戦場がはっきりと見えない。白い中、もやもやと蠢く薄黒い塊は敵か味方か。

鉄砲の音、火薬の焦げた臭い、風を切る矢羽の音、それらに交じった兵の喚き声、人の気配や気勢、自らの全てを研ぎ澄まして先手の戦いぶりを探ろうとする。

清興なら敵の攻めを凌ぎきってくれると信じていても、自らの目で見渡せぬがゆえに苛立ちを禁じ得ない。三町半先の先陣、いつになればその向こうの野が窺えるようになるのだろう。時の流れをこれほど遅く感じたことはなかった。固めた右の拳で忙しなく膝を叩く――。

「申し上げます！　島左近様、鉄砲をお受けになり、手傷を負われました」

「何と」

戦端が開かれてからやっと半時、一報に仰天して三成は床机を立った。伝令に詰め寄って胸座を摑み、声を震わせる。

「弾を受けたと申したな。深手か」

「い、いえ。左様なことは」

「生きておるのか。生きておるのだな。そうだと言え」

別の声が、それに答えた。

「およしなされ。このとおり、掠り傷にござる」

島清興、当人であった。左腕を押さえる右手が赤黒く染まっている。ぽたぽたと滴るものは、なるほど、そう多くはない。伝令を突き飛ばすようにして駆け寄る。

「見せてみよ」

右手を退けさせる。篠籠手《しのごて》の肘に近い辺りが破れ、弾の分だけ肉が削げ落ちていた。

頭から血が引いた。如何な鉄砲とて、遠巻きに放たれた弾に具足を壊すほどの力はない。一町に満たぬ間近から撃たれたのだ。敵兵の只中に飛び込んで戦っていたのだろう。

「深手ではないか。無理をしおって」

ようやく絞り出した小声に、清興は苦笑を浮かべて応じた。

「大殿は槍働きの多くをご存知でない。斯様な傷、縛り付けて半時も休めば血は止まり申す。先手は郷舎殿に任せましたゆえ、そのくらいの時は稼いでくれましょう」

三成は、すぐに小姓に床机を支度させた。清興はそこに腰掛けて手当てを受けながら、自らの目で見た戦場をつぶさに語った。

黒田長政は五千の手勢のうち、自身と馬廻が率いる千を除く四千を二手に分けて攻め立てている。清興がいったん退く頃、敵の一陣が二陣と入れ替わったそうだ。二陣が疲れたら、また交代する構えであった。

「我らを休ませぬ肚でしょう。されど、そこに隙があるのではござらぬか」

「如何にせよと申す」

三成の問いに、清興は不敵な笑みを見せた。

「大筒をお使いなされ」

馬鹿な、と山裾を見下ろした。霧はだいぶ晴れてきたが、それでも見渡せるのは三町足らずでしかない。

「味方が巻き添えになろう」

清興は「いいえ」と頭を振った。

「敵味方が斬り結んでおるのは、ここから見れば四町半の先にござる。大筒なればさらに先、一里の向こうを目掛けて放てましょう。長政めの千には届かぬやも知れませぬが、敵が頼みとする入れ替わりの者共を叩くことができ申す」

「……お主、もしや」

三成は目を見開いた。清興が敵兵を掻き分けて前に出たのは、これを探るためだったのだ。ならば無駄にしてなるものかと面持ちを引き締め、陣幕の外に向けて声を張り上げた。

「大筒、支度せい」

即座に「御意」と返る。四半刻（七、八分）もすると、八門の大筒が本陣前に一列を成した。

「右から四門！　一里先を目掛けて放て」

清興と並んで座り、命じる。鉄砲よりもずっと濃い硝煙の臭いが鼻を衝いた。やがてドスンと激しく天に轟き、地が揺らぐ。六つも数えた頃、関ヶ原の野から鈍い音が渡った。

二百ほど数えたところで、次の下知を飛ばす。

「左から四門、続け」

同じように轟音を残し、大筒の弾が黒田隊を襲った。一里先で黒いものが飛び交う様は、未だ薄っすらと霧がかかる中でも目にすることができた。地が捲れ上がり、土くれが撒き散らされているのか。敵兵の身がちぎれ飛び、噴き上がらせた血煙も混じっていよう。

さらに二百ほど数えると、先に放った四門の砲身が冷える。そこで放たせ、二百数えた後にまた次の四門、これを間断なく繰り返した。

開戦から一時半ほどが過ぎた頃、ようやく霧は晴れた。しかし関ヶ原には、それとは別のものが漂っていた。敵味方とも山ほど鉄砲を放ち、硝煙を漂わせている。大筒が穿った野は土煙を立てていた。それらが覆う空は暗く、昼日中にも拘らず夕暮れ時を思わせるほどであった。

＊

昼四つ半（十一時）となった。戦が始まって一時半、徳川方の攻めは厳しく息をつく暇もない。

「注進！　宇喜多様、押し返されております」

物見の声で、三成は天満山の麓に目を向けた。先ほどは宇喜多の兵が五町も押し込んでいたのに、今は福島の側が二町も戻している。

「しもうた。目の前に、掛かりきりになってしまうとは」

岐阜城が落ちた折、他ならぬ秀家が言っていた。この軍の大将は毛利輝元だが、戦場で全軍に下知するのは己なのだと。自らの役目を果たせていないという、忸怩たる思いが口を衝いた。

「戦の場数を踏んでおらぬからか。斯様なところで弱みを見せるとは」

傍らに休む清興が頭を振った。

「これほど忙しいのは、味方に戦わぬ者があるからでしょう」

確かにそれも大きい。ずっと気を揉んでいたこと——味方の気の萎えが影を落としていた。宇喜多秀家と小西行長は昨晩の言葉どおりに奮戦するも、家康の陣の裏に当たる南宮山《なんぐうさん》の毛利勢、さらにその向こうで東山道を窺う長宗我部盛親と長束正家は動いていない。島津義弘は、宇喜多の間近にありながら戦場を眺めるのみであった。松尾山の小早川秀秋に至っては言わずもがなである。各々、敵の動きを窺っていると言えば聞こえは良い。だが、と三成は陣幕を出て南に目を遣った。

「宇喜多殿、小西殿は未だ陣まで押し込まれておらぬが」

独りごちて向こうに目を遣る。思ったとおり、小早川の松尾山には徳川方の兵が向いていなかった。ここぞの時に寝返りを誘う肚は明らかであった。

清興も後に続き、歩を進めて来た。

「こちらの勢いが勝っているうちに、畳み掛けねばなりますまい」

「わしも今、それを考えておった」

関ヶ原を見下ろせば、徳川方は小勢を率いる将が実に良く動いている。宇喜多は福島正則を正面に迎えながら、別の兵に横合いを狙われていた。小西の相手は織田有楽《うらく》斎《さい》と古田《ふるた》織部《おりべ》か。この激戦に二百ほどの兵が加勢し、入れ替わり立ち替わりに攻めては退きを繰り返している。

こうした中で味方が優勢を保っているのは、何より地の利を得ているからだ。だが、いつまで持つのかと言えば多分に危うい。戦の場数が足りていない己は目の前で手一杯だが、今まさに敵と斬り結んでいる兵は違う。特に雇われの足軽は負けると踏んだら逃げるのが常で、自らの身を守るため、戦場の全てに気を配っているのだ。味方で最も多くの兵を持つ宇喜多が押し返されていると知れば、働きも鈍くなるのが道理であった。

まずは兵の戦意を支えるべく、宇喜多勢の優勢を保たねばならない。三成は陣幕の外に侍する三人に下知を飛ばした。

「島津殿に遣い致せ。ただちに動き、宇喜多殿に加勢するよう伝えよ」

ひとりが「承知」と駆け去って行く。

「何人か兵を連れて烽火《のろし》を上げよ。長宗我部と長束の兵を伊勢街道から回し、敵の後ろを取る」

残る二人に命じる。それらは四人の足軽を連れて本陣脇の物見台へと進んだ。丸太を組んだ上に板を渡しただけの台だが、七、八人は並んで立てる。各々はここに登ると、槍の先に松明をまとめて括り付け、高々と掲げた。束ねられた火、濛々と上がる煙は、土で霞んだ空の向こうにも十分に見えるはずであった。

三成は清興と共に陣幕に戻り、床机に腰を下ろした。

動け。動いてくれ。島津勢が加われば、宇喜多は再び福島正則を押し込むだろう。そこに長宗我部が背後を襲えば、流れは一気にこちらに向く。この一戦を取れば、家康も関東に逃げ帰るしかなくなろう。先に落とした岐阜城とて捨てざるを得ず、包囲の網が蘇る。

だが、どれほど待っても誰も動かなかった。

「何ゆえか。勝てるというのに」

小さく発し、三成は歯軋りした。長宗我部と長束は、まだ分からぬでもない。烽火が見えないと考えることもできるからだ。しかし島津には人を遣って加勢を頼んだというのに。

「左様、勝てますな」

清興が声を寄越した。目を向けると、左手に拳を握り、腕を曲げ伸ばししている。

「これだけ動けば、槍を振るうに不足なし。先手に戻りまする」

「まことに障りないのか」

身を案じて眉根を寄せる。清興は大きく首を横に振った。

「手負いの者が徳川の一角を崩したとなれば、日和見の者は恥じるはず。ことに、大殿が戦の前に仰せられていたことを知る者は、青くなりましょうな」

利に釣られた者など戦に勝てば用済み、いずれ取り潰す。決起の時から己はそう言っていた。これを知る者——長束正家と安国寺恵瓊である。清興が黒田長政を蹴散らせば、確かに二人は青くなって即座に動く。

「……中備えの兵庫から、五百を借りて行け」

寸時の迷いを振り払い、静かに命じた。去り際に「死ぬなよ」と声をかけると、清興は「必ずや」と残して馳せて行った。

両軍の戦いは、いよいよ激しい。続々と注進が入る。

「宇喜多秀家様、敵の攻めを堪えて陣に踏み込ませず」

「小西行長様、固く守っておられます」

「大谷吉継様、藤堂高虎を迎え撃って一歩も退かず」

意気を軒昂《けんこう》に保ち続けた皆は、持ち場を良く守っていた。特に吉継は小早川秀秋を牽制しながらの大健闘である。一々に頷き、大筒を撃つ頃合を指示しながら、三成はひたすら祈った。

（左近、郷舎。頼むぞ）

先手で戦う二人が黒田長政を退ければ、動く者がある。だがその者たち、恵瓊と長束は共に家康打倒の謀を巡らしながら、いざ決戦を迎えて風向きを読もうとした。裏切りに等しい。勝った上で、必ず報いてくれる――。

「も、申し上げます！　先手に敵の新手が」

三成の腰が浮いた。

「何だと。旗は。数は！」

「細川忠興、田中吉政。合わせて七千！」

悲痛な叫びが耳に刺さり、がらがらと何かが崩れるような気がした。浮いていた腰が力なく床机に落ちる。

伝令によれば、細川の四千は黒田の後詰に入り、田中の三千が横合いから襲い掛っているという。自陣の先手は清興の千、蒲生郷舎の千、開戦間もなく差し向けた五百に、舞兵庫の中備えから回した五百、合わせて三千である。

「……先手を柵の内に退かせよ」

数に大差が付いたものの、増援という選択はあり得なかった。陣地と山裾の広さから考えて、これ以上の兵を出しても動きが鈍くなるばかりなのだ。苦渋の下知を受け、伝令は弾かれるように駆けて行った。

一角を崩せばという目論見は、何も己だけではない。主力を成す宇喜多の奮闘によって、家康もこの治部に狙いを定めたのだ。かくなる上は固く守るしかない。

清興と郷舎は、下知が届く前から兵をまとめていたらしい。さすがに戦慣れしている。以後は柵の内から鉄砲を放ち、何があっても抜かせるなと必死で敵を防いだ。

＊

笹尾山から見下ろす戦場は一進一退、味方は未だ優勢も、それは「辛うじて」という風であった。徳川方は遮二無二突っ掛けて来て、いつまで経っても勢いが衰えない。野から山への不利な攻めを保ち続けているのは、彼我の士気にどれほど差があるかの証左である。

天満山を見れば、宇喜多勢でさえ陣の間際まで押し返されていた。小西隊も、間もなく陣の中に退くのではなかろうか。

「このままでは」

三成は震える溜息を吐き出し、次いで力の抜けた薄笑いを浮かべた。

このままでは負ける、のではない。半時ほど前、自軍の先鋒が柵の内に退かねばならなくなった時、既に勝ちは消えていたのかも知れぬ。やはり己は戦場で働く器ではないのだ。

「百九十九、二百。冷えましてございます」

大筒方から声が飛ぶ。三成は小刻みに三度、四度と頭を振り、自らの弱気を払った。

「よし。放て」

無理にでもと声を張って命じ、ひとりの男を思い出した。今まさに己を屠《ほふ》らんとしている黒田長政の父・如水である。

『攻められて困るなら、なぜ、わしを頼らぬ。寡兵だろうと、兵糧に窮しようと、策を講じて必ず退けてやる』

唐入りの折、明帝国に謙った講和を進める己に対し、如水はそう言って怒りを顕わにした。如何なる不利があろうと、考えて考えて、考え抜けば、開ける道はあると言うのだ。あの時は何を馬鹿なと思ったが、今となっては学ぶべき姿と思える。

(そうとも)

眼差し厳しく関ヶ原を眺め下ろし、何か手立てはないかと必死で探す。

しかし、先手から馳せ参じた伝令の一報が心を挫いた。

「申し上げます。森九兵衛《もりくへえ》様、討ち死に！　黒田、細川、大筒にも怯まず。田中吉政が、またぞろ横腹を衝こうとしております」

声が出ない。やはり、これまでなのだろうか。百戦錬磨の家康がこちらに矛先を向けている以上、何をしたところで――。

（うん？）

引っかかるものがあった。何だろう。何か、あるのではないか。瞬きもせず、ひたすら考える。先の伝令が先手へと戻る駆け足が遠ざかる。それが聞こえなくなる頃、三成は目を大きく見開いた。

「……ひとつだけ」

流れを覆す道があった。家康が己を叩こうとしているのは、なぜか。同じことをすれば良いのだ。如何に劣勢だとて、大将を蹴散らしてしまえば勝ちなのである。

もっとも、賭けになるだろう。家康が思いどおりに動いてくれるとは言えない。しかし万にひとつでも見込みがあるなら、やらねばならぬ。

「宇喜多殿と吉継に遣い致せ」

発すると、二人の伝令が目の前に跪いた。即座に命じる。

「宇喜多殿には陣の内まで退くようにと。吉継には、宇喜多殿が退き始めたら松尾山にのみ気を配るよう伝えるべし」

　駆けて行く背を見送り、自らに「落ち着け」と言い聞かせて深く呼吸を繰り返した。

　家康の奥の手は小早川秀秋の寝返りである。だが、秀秋が勝ち馬に乗ろうとしていることも、また承知していよう。猛攻を続けるのは「徳川の勝ちが見えた。時は至れり」と示したいからではないのか。ならば宇喜多を退きに転じさせ、そう見せかけてやる。だが注文どおりに寝返らせはしない。そのために、吉継に松尾山を睨ませるのだ。

　三成は忙しなく立ち座りを繰り返し、戦場を見下ろした。何度めかに立ち上がった時、宇喜多隊がじわりと退き始めた。吉継の隊も、敵の相手を他に任せて松尾山の麓へと向かう。固唾を呑んでしばし待つが、秀秋に動きはない。策の半分は成ったと、三成は桃配山に目を向けた。

　動くはずの秀秋が動かねば、家康はどう出るだろう。

（きっと動く。……山を下りる）

　徳川本隊は旗本衆の寄せ集めで、戦陣の備えを組めない。だが戦う術はある。これまで見せ付けられた戦いぶり、数千の隊に小勢を絡ませるやり方で、攻めに勢いを加えて押し切れば良いのだ。家康ほどの男である。勝負どころを逃しはすまい。三成はそこに賭けた。

(さあ進んで来い。この罠まで)

念じること、どれほどか。胸がどくりと脈を打った。ついに桃配山が動いたのだ。

大ぶりな金扇の馬印が山を下り、ちらちらと土煙と硝煙の向こうで踊っている。

もう少し。もう少しだ。関ヶ原の只中まで、あの扇が下りて来れば勝てる。努めて息を落ち着ける中、ついに家康は山を下り、宇喜多の陣に攻め寄せる福島正則の一里後ろまで進んだ。

「……よし」

腹の前で右の拳を握った。あとは待つのみ、それで勝てる。

――はずであった。

どうしてなのだ。期待していたとおりにならない。

「毛利秀元、吉川広家……何をしておる」

発する声が震えた。家康の背を襲うはずの毛利勢が、一向に姿を見せないでいた。何のために桃配山の裏手、南宮山に陣取らせたか、言って聞かせたはずなのに。千載一遇の好機ではないか。

「恵瓊、なぜ動かぬ！」

叫んだ刹那、家康の隊から凄まじい音が渡った。鉄砲である。千挺も束ねて放ったか、濃い灰色の煙が立ち上っていた。

「これは」

家康の真意を悟り、呆然と立ち尽くした。戦うため、奮戦する者に加勢するために山を下りたのではない。今の音を松尾山に聞かせるためなのだ。

三成の胸に、七月の伏見攻めが蘇った。小早川秀秋は徳川の援軍として参じながら、自らに鉄砲が向いたと思い、渋々こちらに鞍替えしたのである。増田長盛が家康に通じているなら、その顚末とて報じられていよう。あの折の意趣を返し、今ここで秀秋に寝返りを促すために、家康は鉄砲を使ったのに違いない。

ぶるりと身が震える。呼吸が深く、早い。

この戦が始まってから、己と家康は常に同じことを考えてきた。敵方の一角を崩せばと思い、成らぬと知れば大将を狙う。そして己は、家康が動くかどうかに賭けた。同じように、家康も賭けたのだ。戦う気をなくした南宮山の毛利勢が、自らの背を襲うかどうかに。

そして、松尾山に鬨の声が上がった。鉄砲の音からそう長くは経っていない。吉継が睨みを利かせていたことを思えば、味方として動いたはずもなかった。小早川秀秋は寝返ったのだ。

「誰か走れ。吉継に、退けと伝えよ」

透破が「承知」と駆け出して行く。三成は俯き、気の抜けた息を吐いた。

負けた。はっきりと、それが分かった。

「すまぬ」

山の麓で奮戦する家臣たちに向け、小さく詫びた。この上は自らを支えてくれた者を、ひとりでも多く逃がさねばならぬ。己は最後まで笹尾山に陣取り、皆の盾とならん。

一刻もせぬうちに、小早川勢は山を下りた。すると朽木《くつき》元綱《もとつな》や小川《おがわ》祐忠《すけただ》、果ては松尾山の押さえにと置いていた脇坂安治までが、続々とこれに加わってゆく。瞬く間に二万を越えた一団は、味方の中央、宇喜多と小西が陣取る天満山へと寄せた。

「秀家殿、小西殿。落ち延びてくだされ。吉継……お主も」

自ら身を動かせぬ朋友ゆえ、特に伝令を遣ったのだ。何とか、と祈ることしかできない。

だが、願いは露と消えた。

「申し上げます。大谷吉継様、自刃なされた由にござる」

先に遣った透破であった。間に合わなかったのだ。三成は「嗚呼」と嘆息し、両の目から熱い涙を零した。その涙を右手の指で擦り取り、戦況を眺める。宇喜多は正面に福島勢、右脇に小早川勢を迎えながら、必死で抗っているようだ。対して小西勢は陣の柵を破られていた。

正面の麓から、先よりも大きく狂おしい喊声が届く。目を向ければ、自陣の先手も黒田勢に踏み込まれていた。

「何と力なき大将ぞ」

自嘲の薄笑いが浮かぶ。万事休した。味方の撤退を助けることを最後の役目と定めながら、それすら満足にできそうにない。せめて潔くあらん。思って兜を脱ぎ、具足の胴を外した。

「陣幕を閉めよ」

覚悟を察したのだろう、馬廻衆が入り口を閉じる。三成は深く溜息をつき、懐から匕首《あいくち》を取り出して抜き払った。腹に宛がい、あとは一気に貫くのみ――。

「何をしておいでか」

大喝ひとつ、閉じた幕を一刀両断して清興が踏み込んで来た。こちらの動きが止まった寸時に猛然と駆け寄り、これでもかと拳を振るう。左の頬を殴られ、三成は床机から転げ落ちた。

「ひとつ、お伝えすべしと飛んで来れば。死んでどうなるのです」

厳しく叱り付ける清興に、小さく首を横に振った。

「……負けたのだ。我が命が尽きたと知らば、皆も戦いをやめるだろう。家康とて、左様な者まで討つとは申すまい」

「否！」

清興が仁王立ちで見下ろしてきた。

「まことの士とは、いたずらに潔からんとする者ではない。自らの才を用い、智を振り絞り、最後まで諦めない者を言うのだ。お主、この国の明日を作るために身を賭すと決めたのであろう。ならば諦めず、逃げ延びて再起すべし！　家康より早く大坂に上がり、秀頼公を御旗に立てて戦わば、この一戦の負けなど取り返すに足る。返答や如何に」

お主、と言った。家臣ではない、友としての忠言である。

「……斯様な時に。ずるいな、お主は」

三成は苦い笑みを浮かべ、身を起こした。すくと立って言う。

「目が覚めた思いぞ。礼を申す」

清興は、ようやく面持ちを緩めた。

「それがしと郷舎殿で踏み止まり、大殿が逃げる隙を作ります。大坂で戦うにも手足は要ることでしょう。本陣の家臣は全てお連れなさい」

黙って頷く。清興も頷き返して戦場へと踵を返した。最後まで諦めずに戦うという覚悟が伝わった。死ぬつもりなのだ。

吉継と清興、またとない友に二人も恵まれた。己は果報者である。命懸けで傾けてくれた情に、何としても応えねばならぬ。友として、そして、人として。

＊

九月十五日が暮れた。三成は近江国、美濃との境の伊吹山に潜んでいる。

「関ヶ原、今日一日で勝敗が決し申しました」

物見に出した透破が報じる。分かりきった結末に頷きもせず、三成は醒《さ》めた面持ちで問うた。

「左近は如何した」

「それは、分かりませぬ」

笹尾山から逃れた足軽を捉まえて問い質したのだという。三成は「そうか」とだけ返して腰を上げた。

敗軍の将を待つのは茨の道である。戦場には百姓の見物衆が付き物で、戦が終われば討ち死にした兵から槍を奪い、刀を掠め取る。そうでない者は落ち武者を狩って褒美にあり付こうとするのが常だ。三成が動けるのは夜中のみであった。秋九月、日の入りが早まっているのがせめてもの救いと言えた。

昼なお暗い山の中、夜半の行路はさらに辛い。戦陣と違って明かりを点すことも憚られる。付き従う十余の家臣が次々と足を挫き、地に落ちた枯れ枝で傷を負った。三成も足の裏は血だらけである。加えて、空が白むまでに身を潜める場を探さねばならない。多くを進めはしなかった。

九月十六日の朝、三成は倒れた朽木の陰に隠れて眠りに就いた。家臣や透破が交代で見張りに付くことになっている。だが、昼過ぎに目を覚ますと見張りの数人が姿を消していた。他の者が眠っている間に、であろう。

「寂しいものだ」

三成は逃げた者を咎めようとせず、それだけを呟いた。

翌日、また翌日と、付き従う者が減ってゆく。透破ですら物見に出たまま戻って来ない。九月十九日の朝、三成の傍には三人の家臣が残るのみであった。磯野平三郎、塩野清助、渡辺甚平である。ともかく、と大樹の幹にできた洞《うろ》に身を隠して眠る。

そして昼過ぎ、常ならぬ目覚めを迎えた。

「……っ。む……う」

猛烈に腹が痛む。矢も盾も堪らずに飛び起き、木の裏手に回りこむと、鎧下の股を開いてしゃがみ込んだ。水のようなものが後から後から噴き出して来て、それが収まっても、なお腹の痛みは消えなかった。下腹を押さえ、くの字に体を曲げて、先まで寝ていた洞へと戻る。こちらの様子がおかしいことを察し、家臣たちが集まっていた。

塩野が狼狽した風に問うた。

「お加減が悪いのでしょうや」

額に脂汗を浮かせ、顔をしかめて頷く。未だ、腹の内側を掻き毟られるように痛い。こちらの額に手を当てて、塩野はさらに面持ちを曇らせた。

「酷い熱にござります。まずはお休みなされませ」

どうにか「ああ」と返して身を横たえ、目を瞑る。眠ってしまえば痛みも感じまい。しかし、目が覚めたら己はひとりになっているかも知れぬ。そうした恐れを抱きながらも、身には相当の疲れがあったのだろう、いつの間にか眠っていた。

「……殿、大殿」

呼び声に気付いたのは夕刻であった。磯野、塩野、渡辺の三人は揃ってそこにあった。

「逃げなかったのか」

問うてみると、渡辺が「何を仰せです」と眉をひそめた。

「病の大殿を置いて逃げるほど、俺は薄情ではあり申さん」

「わしも、最後まで大殿と命運を共にする覚悟にござれば」

塩野もそう言って続く。渡辺が椀を持って差し出してきた。

「近所の百姓が届けてくれた飯にござる。食えましょうや」

見れば渡辺の背に隠れるように、三十路の手前と思しき百姓の姿があった。

「すまぬ。食えそうにない。だが礼を申す」

三成は、にこりと微笑みかけてやった。百姓は嬉しそうに口を開いた。

「わしゃ蔵六《ぞうろく》っていいまして、殿様には恩があるんです」

遠い昔――あの賤ヶ岳の戦いの折、己は秀吉に大返しを為さしめるべく、道中の村に炊き出しを命じた。米を十倍にして返すと約束してのことである。往時の蔵六は食い詰めていて、十倍返しの米で命をつなぎ果せたのだという。

「ええことも悪いことも、昔やったことの報いじゃて、寺の和尚さんが。殿様は、ええことをしたんじゃから、死んだらいかんがね」

そして、照れ臭そうに平伏して去って行った。

日が落ちるまで待っても、三成の病は良くならなかった。総身が熱く汗は滝の如し、腹の痛みは一層きつく、少しの間すら気を休ませることができない。

「今宵はお休みくだされ」

「明日になれば、きっと」

磯野と渡辺が口々に言う。だが、自らの身ゆえ分かる。この熱と腹の痛みは、もっと先にならねば失せてくれまい。ふう、と長く息を吐いた。

「間に合わぬ」

塩野が「は？」と呆け顔を見せる。三成は重ねて言った。

「動けるようになったとて、大坂を目指すには夜を選ぶであろう」

三人は、どういうことかを察したらしかった。山に潜んで夜しか動けぬ己に対し、家康は街道を取って白昼堂々と進める。病を得たのが運の尽きなのだ。

「其方らを道連れにはできぬ。暇を出すゆえ、逃れるが良い」

力の入らぬ声で呟くように続けると、渡辺、磯野、塩野は口々に言った。

「俺たちが支えまする。どうか」

「左近様との約束を違えると仰せですか」

「然り、諦めぬと誓われたのでしょう」

重たい身を起こし、三成は三人の顔を見回した。

「如何に其方らが力を尽くそうと、他ならぬ主君が足手纏いなのだ。囚われるは疑いない」

「されど」

声を震わせた塩野に、小さく頭を振って見せる。

「家康が大坂に入れば、もう除くことは叶わぬ。豊臣の世も終わるであろう。だがな、諦めたのではない。あの男が天下人となる前に、敢えて捕らえられ」

いったん口を閉じ、今できる最も鋭い眼差しで言葉を継いだ。

「目通りを請う。命運尽きた身なれど、最後にひとつだけ為せることがある」

それが何であるか、三人には分からないだろう。だが覚悟のほどは伝わったようで、皆が黙って涙を落としていた。

「さあ、行け」

発して「ふふ」と笑い、三成は皆に背を向けて身を横たえた。見守られながら、しばしの後、眠りに落ちる。

目が覚めると、ついにひとりになっていた。具合は一向に良くなっていない。蔵六が運んでくれたらしい水と食い物があったが、口にする気になれなかった。

そして、九月二十一日――。

「治部。探したぞ」

横たわった背中に声を聞き、三成は振り向かずに応じた。

「田兵《たひょう》殿か。世話をかけたな」

身を起こして田兵――兵部大輔《ひょうぶのたいふ》・田中吉政に向かい合い、両手を後ろに組んだ。山狩りに連れられた兵が駆け寄り、すぐに縄を打つ。

ふらつく足で引き立てられる中、自らの本拠・佐和山の落城を聞いた。父も兄も自刃したという。三成は静かに問うた。

「佐和山は、どちらか」

田中が無言で一方を指差す。そちらを向くと、遠く視線の先の木陰には、蔵六が呆然と立ち尽くしていた。

＊

三成は、ひとまず田中が陣所とする百姓家の離れで養生することとなった。琵琶湖から瀬田川の流れ出す辺り、粟津の地である。捕らえられた二日後には熱が引き、三日後には腹痛も治まった。これを以て九月二十五日、粟津の北西三里、家康が陣する大津城に送られた。

敗軍の将ながら三成は丁重に扱われた。湯浴みを許され、本丸館に一室を与えられる。誰に聞いたか、夕餉の味噌汁には好物の韮が入っていた。

家康への目通りは、自ら望むまでもなく叶った。

大津に送られた日の夜、夕餉を終えた頃にひとりの将――井伊直政が寄越され、館の広間へと導かれた。二十人ほどが入れるだろう板間にいたのは、主座の家康、左手前に侍する本多《ほんだ》忠勝《ただかつ》のみである。案内役の井伊が家康から二間離れたところで一礼し、こちらに短く呼びかけた。

「ここへ」

示されたとおり、その場に腰を下ろす。井伊はなお前に進んで家康の右手前に侍した。

家康はまじまじとこちらの顔を見て、のんびりと発した。

「いやはや、大変な戦じゃったのう」

勝った者の余裕か、ゆったりとした笑みである。三成はすまし顔で応じた。

「貴殿を少しは苦しめた……と思うて良うござるか」

ふう、と長い溜息が返された。

「其許が兵を挙げると聞いて、これぞ好機と思うたわい。さほどの大身でもなし、味方する者も多からずと踏んで、邪魔者を踏み潰してやろうとな。されど……見くびっておった。上杉を合わせて総勢十四万、佐竹まで入れたら十七万か。ここだけの話、数を聞いて青くなった。手ぐすね引いて待っておったと申すにのう」

「されど、勝ったのは貴殿にござる」

家康は、安堵したように「ふふ」と笑った。

「いずれにせよ、其許の義心は見上げたものである。世を騒がした罪人として首を刎ねる外はないが、遺言があれば聞いてやろうと思うての」

「敗軍の将に有難きご配慮にござる。が、貴殿の申されることは、ひとつ違う」

「はて」

怪訝な顔である。三成は、くすくすと笑って胸を張り、然る後に面持ちを引き締めた。

「豊臣への忠節はあれど、それゆえに兵を挙げたのではない」

静かな言葉に続き、すう、と息を吸い込んで声を大にした。

「義など、くだらぬ。奉公人なら誰もが持つ、ありふれた心根ぞ。左様なものを基としてこの治部に味方した者は、関ヶ原の戦いで何を成したか。満足に戦《たたこ》うたは宇喜多秀家殿に小西行長殿のみ、大谷吉継とて朋友を助けたのみなれば、義のための奮戦に非ず」

困惑、驚愕、こちらの言っていることが分からぬという顔である。それも、この国の言葉を聞いているのではないというくらいに。井伊も、本多もである。

「豊臣のためではないと。義がくだらぬと……ならば、いったい何のために戦った」

家康の声は、半ば問い詰めるようなものであった。三成はしっかりと目を合わせ、声を大にして返した。

「この国のため、天下の大義のためである」

眼差しの気迫ゆえか、家康が寸時呑まれた。そこへ朗々と続ける。

「それがしの幼き砌《みぎり》、石田家は浅井長政公の臣であった。されど主家が滅びて後、地侍はおろか百姓すら我が父の下知に従わなんだ。何ゆえか！　寝ても覚めても戦、戦、諍いあらば民でさえ自ら争わねばならぬ世に、人の心が磨り減ってしまったからである。亡き太閤殿下に仕え、政を任される身となって、それがしは斯様な世を改めるべしと心に決めた。人が手前勝手に力を振るう世を終わらせ、この国に秩序を布くのだと」

無念だが、もう家康の天下を食い止めることはできない。だからこそ、罪人として死ぬ前に言っておかねばならぬ。徳川家康という稀有なる才に、楔を打ち込まねばならぬのだ。

「天下とは、ひとりのものではない。武士、地侍、商人、町人、百姓、この国に生きる全てが築く城である。然らば秩序とは人の心を律する道ぞ。忠節、義、まことに正しい。されど斯様にあやふやなものが、果たして戒めたらんや。否！　荒ぶる人、乱れた世を一新するには、何人たりとて歯向かうことのできぬ強い力を以て臨むに如かず。人という愚者を戒めるには、左様な怖れこそ肝要である。ゆえにこそ、天下人は常に正しき道を選ばねばならぬ。それがしは太閤殿下のお力の下、正しき政を布かんとした」

政から弾き出され、転げ落ちた身である。名実共に天下人になろうとしている家康への説法が不遜と映ったか、本多が眼差しに怒りを宿した。

三成は、それを鋭く睨み返した。口を開くな。聞け。胸に刻み付けよと。

「若き日の殿下は、天下布武を受け継ぐために織田の天下を奪われた。この国の明日を思うがため、信長公をお慕いする自らの心を封じられたのだ。左様なお心を貴殿らはご存知あるまい。ゆえに自らの天下を目論み、豊臣を骨抜きにせんと会津征伐の戦を起こした。日の本のために豊臣の力を使おうとしたこの治部とは」

恥じるべし、家康。その思いを込めて怒鳴るように声を張った。

「心根の大元が異なる！」

しん、と静まった。本多や井伊は、怒りを通り越して呆気に取られている。家康が取り繕うように含み笑いをした。

「ご高説、恐れ入った。されど其許は負けた。わしが天下人となり、其許の申される秩序を布いてやる。何の障りもあるまい」

鋭く首を横に振った。

「大いに障りあり。そも、それがしが起ったは、この一戦のみで天下の火種を潰し得るからである。然るに貴殿が天下を取らば、この先に幾度の戦があるか知れたものではない。思うてみられよ。味方を集めるに当たり、貴殿は何をなされた。所領、つまり利をちらつかせて人を釣ったのだ。この先、それらの者を如何様に扱われる。利に引き摺られて節を曲げる者など、脆い義心に基を置く者よりも度し難い。必ずや己の利得を求め、次の争いを引き起こす」

家康が「待て」と口を挟んだ。

「とある者から聞いておる。其許とて恩賞を約して味方を集めたのであろう。同じではないか」

増田であろう。思わず頬が歪み、不敵な笑みになる。

「それがしが、これまで何をしてきたか。貴殿は良くお分かりのはずだが」

九州征伐の後、肥後国主となった佐々成政に抗った国衆がある。この一揆に与せずとも、進んで佐々に味方しなかった者は容赦なく取り潰した。小田原征伐の後、相模・伊豆の二ヵ国安堵という黒田如水の口約束を覆し、北条家を取り潰した。奥羽仕置の後、一揆を煽動した伊達政宗を絞め上げ、減俸に等しい差配をした。唐入りに際し、明帝国との交渉の障りとなる加藤清正を除くべく、それまで伏せていた不行状を秀吉に上申した。また戦を早く終わらせるため、軍目付の讒言を見抜いていながら退けず、黒田長政や蜂須賀家政に憂き目を見させた。

家康は自ら「虫唾が走る」と評した差配を思い出したのだろう。軽く身震いして呟いた。

「……味方させた挙句、難癖を付けて潰す肚であったか。其許のやろうとしていることとは、天下を私するに等しい。わしと何が違う」

「全く違う。我が佐和山城を見れば分かろう。それがしは自らを潤すためには何もしておらぬ。何ゆえか、お分かりか」

家康が、睨み付けながら首を傾げる。その姿を弾き飛ばす勢いで、三成は再び声を上げた。

「世を統べるには、自らを顧みてはならぬのだ。千利休殿は、太閤殿下に切腹を命じられ、申し開きのひとつもせずに死んでいった。命を賭して殿下をお諫めせんとしたのだ。岐阜の織田中納言殿とて、ご自身の手に入るはずだった天下に拘らず、この治部を支えんと仰せになってくれた。我が友・大谷吉継、そして島左近も……皆が教えてくれた。己が身を捨てるのは、誰にでもできることではない。されど、それがしになら、できるのだと。だからこそ恥を忍んで逃げ延びようとした。とうに自らを滅すると決めた身、諦めてなるものかと」

一気に言い切り、少し間を置く。誰も、何も発しない。三成は声を落ち着けた。

「ゆえに、貴殿との戦に勝ったとて、力を我が物にする気はなかった。潰さねばならぬ者も、世のために尽くすと心根を入れ替えれば、手を下しはせなんだろう。されど左様なことが望めようか。戦の恩賞は戦乱ゆえに成り立つ。これに釣られたる者など、戦なき世に心を燻らせ、きっと新たな戦を欲するのが道理にござろう」

ついに本多が「待て」と声を荒らげた。

「恩賞ではない。武士の、強くあらんとする心ゆえだ」

朴訥《ぼくとつ》な言いようを助け船に、家康が続いた。

「左様。海の向こう、明や朝鮮から兵が寄越されるとは思わぬのか。あのくだらぬ唐入りで海の向こうを敵に回しておるのだ。強くあらんとすることの何がいかん」

三成は「ふふ」と笑った。失笑であった。

「愚かなことを。国の外から兵が向くと申すなら、明・朝鮮に限った話ではなかろう。貴殿が知らぬはずはあるまい。紅毛人とてこの国を窺っておったのだ。されど思うてみられよ。戦は政のひとつである。然らば戦わずとも勝つ術はある。泰平とは、ただ戦わぬことではない。戦わずとも備えを怠らぬことぞ。如何なる者が日の本を侵さんとしたとて、一丸となって跳ね返す。そのための力は、武士のみでは持ち得ぬ。商人の財も力なり。領国を良く治めて民百姓を富ませ、変事あらば領主に尽くさんと思わせるのも力であろう」

滔々と述べて家康の目を見据える。徳川の当主であるからには、そのくらいは承知しているだろう。国の大きさに拡げて考えよ、と。返って来る言葉はない。三成はなお続けた。

「正しき政で国を作り、富ませ、力を蓄え、日の本を狙うこと能わずと思わせるべし。戦乱で磨り減った我らは、左様なものを目指さねばならぬ。然らば、誰もが従う強い秩序と、常に正しい政が欠かせまい。手前勝手な戦を欲する者はその道を阻む。天下の大義を思うなら、斯様な者は除くしかないのだ。皆の恨みを一身に受け、傷だらけで進む道ぞ。それができるか。昨日まで徳川のために戦った者、されど明日からは泰平の道を阻む者、これを切り捨てることが貴殿にできるのか」

家康は苦笑を浮かべた。

「わしこそが、その秩序だ。誰を切り捨てるまでもない。これからは皆、徳川に従うのだからな」

三成には、強がりと映った。ふふん、と鼻で笑って返す。

「甘《あも》うござる。ならば何ゆえ、豊臣は貴殿に牛耳られた。天下人は国を束ねる旗に過ぎねど、代が替われば人は乱れる。幼き秀頼公は我ら十人衆の助けを要するも、その中に大義を解さぬ不心得者がひとりいるだけで、容易く足許が揺らいでしまったのだ」

不心得者——痛烈なひと言に、家康の顔が強張った。言い返そうとして口を開くが、三成はそれを許さぬとばかりに捲し立てた。

「ご自身が秩序だと申されたが、後代は如何か。愚か者が徳川の当主となり、或いは秀頼公の如き幼君の世となれば、乱さんとする者が出る。これを防ぐも政ぞ。無念にも豊臣には、その手立てを整えるだけの時が与えられておらなんだ。徳川は如何か。貴殿は既に齢五十九、残された時は多からず。間に合うや否や」

家康が口を真一文字に結ぶ、ぎり、と歯軋りの音が聞こえた。

三成の舌鋒は、止まるところを知らない。

「加えてお伺いする。皆が徳川に従うと申されたが、豊臣までが従うと考えておられるのか。左様な考えなれば、貴殿は天下人の器ではない」

井伊が腰を浮かせた。が、家康が手を伸ばして左肩に添え、これを制する。元より死を受け入れているとあって、三成は少しも怯むところがなかった。

「秀頼公、淀の方様のみに非ず。豊臣を従えんとすれば、此度の戦で貴殿に従った者とて、どう転ぶものか。お分かりにござろう。天下の頂に立ったその時から、貴殿は否応なく大義の道を行き、真の泰平を築かねばなり申さぬ。そのためには、世を乱す者は誰であろうと取り潰すが肝要に非ずや。豊臣とて、従えんとするは愚の骨頂なり。貴殿が天下人たらんとするなら、何としても滅ぼすべし。豊臣に寄り添う者も、まとめて屠るに如かず」

家康が寸時息を呑んだ。構うことなく大喝する。

「だが！　戦を重ねてはならぬ。最早、左様なことで国を疲れさせるだけの猶予はない。あと一度、ただ一度の戦で豊臣を潰されよ。貴殿に、それができると仰せか」

総身に痺れを覚えた。ついに、最後のひと言である。

「できぬと申されるなら、今すぐこの治部を解き放つべし。それがしが、代わりに成し遂げてご覧に入れよう。もっともその時、ただ一度の戦で滅ぶのは豊臣ではない。徳川である」

下知ひとつあれば、この場で斬り捨てる。井伊と本多はそういう顔だ。しかし、しばしの後、家康の口から出たのは、その下命ではなかった。

「……言いたいことは、それだけか」

三成は無言を以て肯んじた。死を定められた己にできることは、全て終わったのだ。成すべきことを成した今、心中の何と清々しいことか。もっとも、笑みはない。どこまでも持ち前のすまし顔であった。

*

十月一日、三成は後ろ手に縛られ、京の六条河原に引き立てられた。周囲には斬首を見物に来た京雀《きょうすずめ》が人垣を成している。ざわざわとした空気ながら、三成の胸は清く澄んでいた。

「進め」

後ろから槍で追い立てられ、川の流れの前へと向かう。そこには先んじて二人の姿があった。小西行長と安国寺恵瓊である。

「其許が逃れられなんだのは、無念である」

三成は小西を労わり、声をかけた。小西はこちらに顔を向け、ただ頭を振った。

「治部殿」

小西の向こうに座した恵瓊が発する。三成が顔を向けると、前を向いたままだった。

「申し訳ござらぬ。広家殿が道を塞ぎ、手筈のとおりにできなんだ」

毛利勢の中、吉川広家が南宮山に居座って動こうとしなかった。ゆえに勝負どころを逃し、この顚末になった。恵瓊はそう言う。

恨むでも、得心するでもない。嘘か、まことか、それすら今の三成には何の値打ちも持たなかった。恵瓊の隣に腰を下ろし、ただ「そうか」と返すのみであった。

三人の前に進んだ者は、徳川家中であろう。顔は知らないが、後ろに右筆《ゆうひつ》らしき者を連れていて、静かに語りかけた。

「辞世を残されるが良い」

三成は胸を張り、朗々と一首を詠み上げた。

筑摩江《ちくまえ》や　芦間《あしま》に灯す　かがり火と　ともに消えゆく　我が身なりけり

琵琶湖畔の筑摩江が懐かしい。生い茂る芦の間に灯した篝火と共に、我が身は消えてゆく。

自らの身の上を嘆くかに見える歌、しかし三成はその裏にもうひとつの意味を込めた。

古来、筑摩という地の名は朝廷と関わりが深い。そこに灯した火は、国がある限り消えることはない。己が心は、灯火と共に受け継がれてゆくだろう。

（そうあって欲しい）

願いながら、三成は目を閉じた。不思議なもので、ざわめきの満ちる中、己が辞世を書き留める筆の音がくっきりと浮き立って聞こえた。

その音が止むと背後に足音が近付き、やがて刀が振り下ろされた。

関ヶ原の戦いからおよそ二年半後の慶長八年（一六〇三年）二月十二日、徳川家康は征夷大将軍の位に就き、江戸に幕府を開いた。

以後、豊臣家は少しずつ力を削られ、やがて滅亡を迎えた。家康は江戸開府から実に十二年の時を費やしたものの、戦らしい戦は二度――大坂冬の陣、夏の陣しか構えなかった。豊臣の滅亡を以て慶長から元和《げんな》に改元されると、翌元和二年（一六一六年）四月十七日、家康は安堵したかのように世を去った。

先んじて二代将軍に就いていた徳川秀忠《ひでただ》は、この戦を境に大名衆を厳しく処断してゆく。関ヶ原の戦いで奮闘した福島正則らは、大坂の陣で豊臣に肩入れしたことを咎められて改易された。豊臣恩顧で取り潰しや減俸の憂き目を見た者は、他にも数知れない。

世は、泰平へと遷《うつ》り変わってゆく。

そこに施された政は、各国の検地や年貢高の取り決めを始め、民百姓が互いを見張り合う「五人組」など、豊臣の——三成の差配を踏まえたものが多かった。

加えて徳川幕府は、三成が成し得なかったこと、幼君や暗君が当主の座に就いた場合でも世が乱れぬ仕組みを打ち立てた。談合による決裁は豊臣の十人衆と同じだが、これに関われる者を譜代の重臣に限り、不正には取り潰しも辞さぬ厳罰を以て臨んだのである。天下人の強大な力を駆使し、絞め付け、それによって打ち立てた揺るぎない秩序こそ、二百六十四年に及ぶ天下の礎であった。

主要参考文献

人物叢書　石田三成　今井林太郎・著／吉川弘文館
近江が生んだ知将　石田三成　太田浩司・著／サンライズ出版
石田三成からの手紙　中井俊一郎・著／サンライズ出版
石田三成のすべて　安藤英男・編／新人物往来社
石田三成「知の参謀」の実像　小和田哲男・著／PHP研究所
石田三成　戦国を差配した才知と矜持　歴史群像シリーズ特別編集／学研
文禄・慶長の役　空虚なる御陣　上垣外憲一・著／講談社
関ケ原合戦　戦国のいちばん長い日　二木謙一・著／中央公論新社
関ヶ原大戦　加来耕三・著／学陽書房
実録　天下分け目の決戦　関ヶ原合戦始末記　酒井忠勝・原撰、坂本徳一・訳／教育社出版サービス
豊臣秀吉合戦総覧　墨俣城の戦い～文禄・慶長の役　別冊歴史読本／新人物往来社
秀吉研究の最前線　ここまでわかった「天下人」の実像　日本史史料研究会・編／洋泉社

本書は二〇一六年七月、講談社より単行本で刊行されました。

|著者|吉川永青　1968年東京都生まれ。横浜国立大学経営学部卒業。2010年「我が糸は誰を操る」で第5回小説現代長編新人賞奨励賞を受賞。同作は、『戯史三國志 我が糸は誰を操る』と改題し、翌年に刊行。'12年『戯史三國志 我が槍は覇道の翼』、'15年『誉れの赤』でそれぞれ第33回、第36回吉川英治文学新人賞候補となる。'16年『闘鬼 斎藤一』で第4回野村胡堂賞受賞。7人の作家による"競作長篇"『決戦！関ヶ原』『決戦！三國志』『決戦！川中島』『決戦！関ヶ原2』『決戦！賤ヶ岳』にも参加している。他に、『化け札』『関羽を斬った男』『裏関ヶ原』『孟徳と本初 三國志官渡決戦録』『龍の右目 伊達成実伝』『老侍』『第六天の魔王なり』『雷雲の龍 会津に吼える』『毒牙 義昭と光秀』などがある。

治部《じぶ》の礎《いしずえ》

吉川永青《よしかわながはる》

講談社文庫

定価はカバーに
表示してあります

2020年1月15日第1刷発行

発行者──渡瀬昌彦
発行所──株式会社　講談社
東京都文京区音羽2-12-21　〒112-8001
電話　出版（03）5395-3510
　　　販売（03）5395-5817
　　　業務（03）5395-3615

デザイン─菊地信義
本文データ制作─講談社デジタル製作
印刷───豊国印刷株式会社
製本───株式会社国宝社

Printed in Japan

ISBN978-4-06-518100-3

講談社文庫刊行の辞

二十一世紀の到来を目睫に望みながら、われわれはいま、人類史上かつて例を見ない巨大な転換期をむかえようとしている。

世界も、日本も、激動の予兆に対する期待とおののきを内に蔵して、未知の時代に歩み入ろうとしている。このときにあたり、創業の人野間清治の「ナショナル・エデュケイター」への志を現代に甦らせようと意図して、われわれはここに古今の文芸作品はいうまでもなく、ひろく人文・社会・自然の諸科学から東西の名著を網羅する、新しい綜合文庫の発刊を決意した。

激動の転換期はまた断絶の時代である。われわれは戦後二十五年間の出版文化のありかたへの深い反省をこめて、この断絶の時代にあえて人間的な持続を求めようとする。いたずらに浮薄な商業主義のあだ花を追い求めることなく、長期にわたって良書に生命をあたえようとつとめるところにしか、今後の出版文化の真の繁栄はあり得ないと信じるからである。

同時にわれわれはこの綜合文庫の刊行を通じて、人文・社会・自然の諸科学が、結局人間の学にほかならないことを立証しようと願っている。かつて知識とは、「汝自身を知る」ことにつきていた。現代社会の瑣末な情報の氾濫のなかから、力強い知識の源泉を掘り起し、技術文明のただなかに、生きた人間の姿を復活させること。それこそわれわれの切なる希求である。

われわれは権威に盲従せず、俗流に媚びることなく、渾然一体となって日本の「草の根」をかたちづくる若く新しい世代の人々に、心をこめてこの新しい綜合文庫をおくり届けたい。それは知識の泉であるとともに感受性のふるさとであり、もっとも有機的に組織され、社会に開かれた万人のための大学をめざしている。大方の支援と協力を衷心より切望してやまない。

一九七一年七月

野間省一

講談社文芸文庫

古井由吉

詩への小路 ドゥイノの悲歌

解説＝平出 隆　年譜＝著者

ふA11

リルケ「ドゥイノの悲歌」全訳をはじめドイツ、フランスの詩人からギリシャ悲劇まで、詩をめぐる自在な随想と翻訳。徹底した思索とエッセイズムが結晶した名篇。

978-4-06-518501-8

石坂洋次郎　三浦雅士・編

乳母車／最後の女 石坂洋次郎傑作短編選

解説＝三浦雅士　年譜＝森 英一

いAA1

戦後を代表する流行作家の明朗健全な筆が、無意識に追いつづけた女たちの姿と家族像は、現代にこそ意外な形で光り輝く。いま再び読まれるべき名編九作を収録。

978-4-06-518602-2

講談社文庫　目録

山田詠美　ジェントルマン
山田詠美　珠玉の短編
山田詠美 ピーコ　ファッション ファッショ
山田詠美 ピーコ　ファッション ファッショ〈マインド編〉
山田詠美 高橋源一郎　顰蹙文学カフェ
柳家小三治　ま・く・ら
柳家小三治　もひとつ ま・く・ら
柳家小三治　バ・イ・ク
山口雅也　垂里冴子のお見合いと推理
山口雅也　続・垂里冴子のお見合いと推理
山口雅也　垂里冴子のお見合いと推理 vol.3
山口雅也　PLAY プレイ
山口雅也　モンスターズ
山口雅也　古城駅の奥の奥
山本一力　深川黄表紙掛取り帖
山本一力　牡丹酒〈深川黄表紙掛取り帖(二)〉
山本一力　ワシントンハイツの旋風《かぜ》
山本一力　ジョン・マン1 波濤編
山本一力　ジョン・マン2 大洋編

山本一力　ジョン・マン3 望郷編
山本一力　ジョン・マン4 青雲編
山本一力　ジョン・マン5 立志編
椰月美智子　十二歳
椰月美智子　しずかな日々
椰月美智子　みきわめ検定
椰月美智子　ガミガミ女とスーダラ男
椰月美智子　市立第二中学校2年C組〈10月19日月曜日〉
椰月美智子　恋愛小説
椰月美智子　メイクアップデイズ
柳　広司　ザビエルの首
柳　広司　キング&クイーン
柳　広司　怪談
柳　広司　ナイト&シャドウ
柳　広司　幻影城市
薬丸　岳　天使のナイフ
薬丸　岳　闇の底
薬丸　岳　虚夢
薬丸　岳　刑事のまなざし

薬丸　岳　逃走
薬丸　岳　ハードラック
薬丸　岳　その鏡は嘘をつく
薬丸　岳　刑事の約束
薬丸　岳　Aではない君と
薬丸　岳　ガーディアン
矢野龍王　箱の中の天国と地獄
山崎ナオコーラ　論理と感性は相反しない
山崎ナオコーラ　昼田とハッコウ(上)(下)
山崎ナオコーラ　可愛い世の中
山田芳裕　へうげもの 一服
山田芳裕　へうげもの 二服
山田芳裕　へうげもの 三服
山田芳裕　へうげもの 四服
山田芳裕　へうげもの 五服
山田芳裕　へうげもの 六服
山田芳裕　へうげもの 七服
山田芳裕　へうげもの 八服
山田芳裕　へうげもの 九服

講談社文庫 目録

山田芳裕　へうげもの 十服
山田芳裕　へうげもの 十一服
山田芳裕　へうげもの 十二服
柳内たくみ　戦国スナイパー〈謀略・本能寺篇〉
柳内たくみ　戦国スナイパー〈信玄暗殺指令篇〉
柳内たくみ　戦国スナイパー〈慶一郎絶体絶命篇〉
柳内たくみ　戦国スナイパー〈壊れた歴史を修復せよ篇〉
山本文緒・文 伊藤理佐・漫画　ひとり上手な結婚
矢月秀作　A《ア》C《ク》T《ト》〈警視庁特別潜入捜査班〉
矢月秀作　A《ア》C《ク》T《ト》2 告発者〈警視庁特別潜入捜査班〉
矢月秀作　A《ア》C《ク》T《ト》3 掠奪〈警視庁特別潜入捜査班〉
矢野　隆　清正を破った男
山本　弘　僕の光輝く世界
山内マリコ　かわいい結婚
山本周五郎　さぶ〈山本周五郎コレクション〉
山本周五郎　白石城死守〈山本周五郎コレクション〉
山本周五郎　完全版 日本婦道記(上)(下)〈山本周五郎コレクション〉
山本周五郎　戦国武士道物語 死《し》處《しょ》〈山本周五郎コレクション〉
山本周五郎　戦国物語 信長と家康〈山本周五郎コレクション〉
山本周五郎　幕末物語 失蝶記〈山本周五郎コレクション〉
山本周五郎　逃亡記 時代ミステリ傑作選〈山本周五郎コレクション〉
山本周五郎　家族物語 おもかげ抄〈山本周五郎コレクション〉
山本周五郎　繁《しげ》あね〈美しい女たちの物語〉
柳田理科雄　スター・ウォーズ 空想科学読本
柳田理科雄　MARVEL マーベル空想科学読本
矢野　隆　我が名は秀秋
靖子靖史　空《くう》色《しき》カンバス〈瑞空寺《ずいくうじ》凸凹縁起《でこぼこえんぎ》〉
夢枕　獏　大江戸釣客伝(上)(下)
柳　美里　家族シネマ
唯川　恵　雨心中
由良秀之　司法記者
行成　薫　ヒーローの選択
吉村　昭　私の好きな悪い癖
吉村　昭　吉村昭の平家物語
吉村　昭　暁の旅人
吉村　昭　新装版 白い航跡(上)(下)
吉村　昭　新装版 海も暮れきる
吉村　昭　新装版 間宮林蔵
吉村　昭　新装版 赤い人
吉村　昭　新装版 落日の宴(上)(下)
吉村　昭　白い遠景
吉田ルイ子　ハーレムの熱い日々
吉川英明　新装版 父 吉川英治
吉村葉子　お金がなくても平気なフランス人 お金があっても不安な日本人
米原万里　ロシアは今日も荒れ模様
横山秀夫　半落ち
横山秀夫　出口のない海
吉田戦車　吉田電車
吉田戦車　なめこインサマー
吉田戦車　吉田観覧車
吉田修一　日曜日たち
吉田修一　ランドマーク
吉本隆明　真贋
吉本隆明　フランシス子へ
横関　大　再会
横関　大　グッバイ・ヒーロー
横関　大　チェインギャングは忘れない

2019年12月15日現在